pedwerydd argraffiad

CLEFYD ALZHEIMER
A MATHAU ERAILL O DDEMENTIA

Dr Alex Bailey, MC ChB BSc (Anrh.) MEd PGCert MRCPsych
Seiciatrydd Ymgynghorol, Tîm Iechyd Meddwl Cymunedol Westminster
Arweinydd Clinigol Gwasanaeth Pobl Hŷn a Heneiddio'n Iach
Darlithydd er Anrhydedd, Coleg Imperial Llundain

Dymuna'r cyhoeddwyr gydnabod cymorth ariannol
Cyngor Llyfrau Cymru

Cartwnau: Linda Moore
Cynllun y clawr: Y Lolfa

Rhif Llyfr Rhyngwladol: 978-1-78461-806-3

Cyhoeddwyd ym Mhrydain yn 2015 gan
Class Health, The Exchange, Express Park, Bridgwater,
Gwlad yr Haf TA6 4RR
www.classhealth.co.uk

Cyhoeddwyd ac argraffwyd yng Nghymru
ar bapur o goedwigoedd cynaliadwy gan
Y Lolfa Cyf., Talybont, Ceredigion SY24 5HE
e-bost ylolfa@ylolfa.com
gwefan www.ylolfa.com
ffôn 01970 832 304
ffacs 01970 832 782

CLEFYD ALZHEIMER
A MATHAU ERAILL O DDEMENTIA

Cynnwys

Rhagair

Mae cael diagnosis o ddementia'n gallu bod yn drawmatig ac yn anodd. Yn rhy aml, mae pobl yn gorfod delio'r â'r newyddion ar eu pen eu hunain. Gall godi llawer o gwestiynau a chreu ansicrwydd ynghylch y dyfodol i'r bobl sy'n byw gyda'r cyflwr ac i'r rheiny sy'n gofalu amdanyn nhw.

Cafodd un gofalwr, Morella Kayman, drafferth 35 mlynedd yn ôl i sicrhau cymorth wrth iddi ofalu am ei gŵr. Dyna a'i hysgogodd i ffurfio'r hyn a elwir yn awr yn Alzheimer's Society. Erbyn hyn, mae ein rhwydwaith o wasanaethau yn ein galluogi i siarad â miloedd o bobl sydd â dementia ac â'u gofalwyr. Gallwn eu cyfeirio at gymorth, a chynnig gwybodaeth a chyngor ar fyw gyda dementia.

Gwyddom fod llawer o bobl yn gwneud gwaith gwych yn gofalu am aelodau o'r teulu a chyfeillion sydd â dementia, ond gwyddom hefyd eu bod yn wynebu heriau a bod angen gwybodaeth, cyngor a chefnogaeth arnyn nhw. Yn anffodus, mae llai o gymorth yn aml ar gael gan y Gwasanaeth Iechyd Gwladol neu gan wasanaethau cymdeithasol nag sydd ar gael i bobl sydd â chlefydau eraill.

Mae'r llyfr hwn felly yn adnodd amhrisiadwy ac yn canolbwyntio ar roi cyngor ymarferol i ofalwyr. Cyflwyna'r neges gref fod modd gwneud llawer i helpu rhywun i fyw'n dda gyda dementia, a bod gweithredoedd ac addasiadau bach yn gallu gwneud gwahaniaeth mawr.

Wrth i ni ystyried a gweithio tuag at fyd lle mae pobl yn byw'n dda gyda dementia, mae'r llyfr hwn yn rhoi gwybodaeth gynhwysfawr i ofalwyr am sut i'w helpu i wireddu hyn.

Jeremy Hughes
Prif Weithredwr yr Alzheimer's Society

Dyma lyfr i bobl sydd â dementia, eu teuluoedd, eu gofalwyr a'u cyfeillion. Gwyddom fod 24 miliwn o bobl ledled y byd erbyn hyn â chlefyd Alzheimer neu un o'r mathau eraill o ddementia. Mae gan bob un ohonyn nhw stori bersonol i'w hadrodd, ac anawsterau a phrofiadau tebyg i'w hwynebu. Mae angen gwybodaeth a chymorth arnyn nhw i gyd drwy gydol y salwch.

Mae gen i brofiad o ddementia yn fy nheulu ac rwy'n gwybod pa mor llesol yw rhannu emosiynau a syniadau ag eraill, yn ogystal â pha mor bwysig yw gwybodaeth a chyngor syml.

Dyna pam mae'r llyfr hwn mor ddefnyddiol. Mae'n seiliedig ar gwestiynau go iawn a ofynnwyd gan bobl sydd â dementia a'u gofalwyr, ac mae'n crynhoi doethineb a phrofiad llawer o bobl sydd wedi byw drwy'r anawsterau a ddaw gyda dementia. Mae'n llawn cyngor ymarferol, atebion gonest a synnwyr cyffredin. Mae ffurf y llyfr yn golygu bod modd i chi bori yma ac acw fel y mynnoch a dod o hyd i atebion yn gyflym.

Mae gan awduron y llyfr flynyddoedd lawer o brofiad o ofalu am bobl sydd â dementia a helpu eu teuluoedd a'u gofalwyr. Maen nhw'n deall yr anawsterau y gallech eu hwynebu ond hefyd sut y gallwch ddatrys rhai o'ch problemau. Ers iddo gael ei gyhoeddi gyntaf, mae'r llyfr hwn wedi dod yn ganllaw hanfodol i bawb sy'n gofalu am bobl sydd â dementia ac i'r bobl sy'n eu cynghori. Yn sicr, dyma lyfr gwerth ei ddarllen!

Tony Robinson
actor, awdur a chyflwynydd teledu

Cydnabyddiaethau

Diolch o waelod calon i awduron argraffiadau blaenorol y llyfr hwn – Harry Cayton, Dr Nori Graham a Dr James Warner – am ymddiried ynof i barhau â'u gwaith rhagorol; mae'n anrhydedd fawr.

Diolchaf yn arbennig i James Warner am ei arweiniad a'i anogaeth. Mae wedi dysgu cymaint i mi, yn enwedig pa mor freintiedig yr ydym i gael dod i'r gwaith bob dydd a gwneud yr hyn a wnawn. Diolch hefyd i fy nhîm, sy'n gweithio'n ddiflino i wella'r sefyllfa i'n cleifion a'u teuluoedd. Rhoddodd Barbara Schechner, Uwch-reolwr Gofal, gymorth gwych gyda'r cwestiynau am gyllid a budd-daliadau. Mae cyhoeddiadau'r Alzheimer's Society wedi bod yn ffynhonnell amhrisiadwy o wybodaeth glir a chywir.

Diolchaf hefyd i fy nghleifion a'u gofalwyr. Teimlaf bob dydd ei bod yn fraint cael treulio amser gyda chi. Ac yn olaf i Gerhard, sydd wedi fy nghefnogi drwy'r cyfan! Diolch yn fawr i bawb.

Alex Bailey

Cyflwyniad

Os yw dementia wedi effeithio arnoch, mae'r llyfr hwn i chi. Efallai eich bod newydd gael diagnosis, yn gofalu am rywun sy'n colli'i gof, neu eich bod yn adnabod rhywun sydd â dementia. Pwy bynnag ydych chi, mae'r dryswch sy'n nodwedd mor amlwg o ddementia yn effeithio ar bobl heblaw am y sawl sydd â'r cyflwr. Mae'r hyn sy'n digwydd i'r sawl y maen nhw'n ei adnabod yn drysu gofalwyr, aelodau'r teulu a ffrindiau hefyd. Yn aml, pan wneir y diagnosis i ddechrau, rydych yn methu meddwl am yr holl gwestiynau rydych yn dymuno'u gofyn neu efallai nad ydych yn teimlo'ch bod yn barod i'w gofyn. Gydag amser, bydd eisiau gwybod cymaint â phosibl am ddementia arnoch chi a sut i ofalu am yr un sydd â'r cyflwr. Gwybodaeth yw'r ffordd orau o godi'r cwmwl o ddryswch a rheoli'r sefyllfa.

Ysgrifennwyd y llyfr hwn yn bennaf i bobl sydd â dementia, eu teuluoedd a'u gofalwyr ond bydd hefyd yn ddefnyddiol i weithwyr gofal yn y gymuned ac i weithwyr mewn ysbytai, mewn cartrefi preswyl ac mewn cartrefi nyrsio. Mae llawer o'r cwestiynau sy'n cael eu hateb, yn enwedig ynghylch cyfathrebu, ymddygiad a thriniaethau, yr un fath pwy bynnag ydych chi neu ble bynnag rydych chi'n gweithio. Bydd rhannau o'r llyfr o ddiddordeb i bobl sydd wedi cael diagnosis o ddementia, yn enwedig y rhannau sy'n disgrifio dementia ac sy'n ymdrin â threfniadau cyfreithiol ac ariannol. Wrth i bobl gael diagnosis o'u dementia ynghynt, bydd rhagor o bobl sydd â dementia yn awyddus i gynllunio'u triniaeth a'u gofal ac fe fyddan nhw'n fwy abl i wneud hynny.

Mae'r llyfr hwn yn ymdrin â'r holl fathau gwahanol o ddementia, gan gynnwys clefyd Alzheimer, sef y math mwyaf cyffredin, a dementia fasgwlar, yr ail fath mwyaf cyffredin. Mae'r cyhoedd yn aml yn defnyddio'r enw clefyd Alzheimer i gyfeirio at ddementia'n gyffredinol, ond yn y llyfr hwn, mae'n cyfeirio at y math penodol hwnnw o ddementia'n unig. Bydd y rhan fwyaf o'r cwestiynau a'r atebion yn berthnasol i ba fath bynnag o ddementia y cewch brofiad ohono.

Mae'r llyfr yn ateb 282 o gwestiynau. Mae pob un yn gwestiwn go iawn a ofynnwyd gan ofalwyr, cyfeillion a theuluoedd a gan bobl sydd â dementia eu hunain. Rydym wedi ceisio'u hateb mor glir a chywir ag y gallwn. Mae ymchwil i glefyd Alzheimer a mathau eraill o ddementia'n symud yn gyflym; daw triniaethau newydd i'r golwg ac mae'r gyfraith ar iechyd meddwl ac ar fudd-daliadau'n newid yn aml. Bydd gofyn i chi felly wirio rhai o'r manylion sydd yn y gyfrol os ydych yn defnyddio'r llyfr hwn beth amser ar ôl ei gyhoeddi.

Mae'n annhebygol y bydd angen i chi ddarllen y llyfr hwn o glawr i glawr. Bydd rhai penodau'n berthnasol i chi ar adegau gwahanol o'r cyflwr. Bydd pa mor ddefnyddiol y mae rhai o'r rhannau yn dibynnu ar y math o ddementia sydd dan sylw gennych, ar eich amgylchiadau ariannol, neu ar eich perthynas â'r person rydych yn gofalu amdano. Dyma lyfr y gallwch gyfeirio ato pan fydd angen gwneud hynny, ac rydym yn gobeithio y bydd yn rhwydd ei ddefnyddio. Mae pob cwestiwn ac ateb yn hunangynhwysol a cheir cyfeiriadau at gwestiynau ac atebion eraill pan gredwn fod hynny'n ddefnyddiol.

Mae pennod gyntaf y llyfr yn ateb cwestiynau am y mathau gwahanol o ddementia a'u hachosion. Clefyd Alzheimer yw prif destun Pennod 2. Amcan Penodau 3 i 8 yw eich cynorthwyo gydag agweddau ymarferol gofalu am rywun sydd â dementia. Ym Mhennod 9, rydym yn esbonio ble gallwch chi gael cymorth, ac ym Mhennod 11, disgrifir y trefniadau ariannol a chyfreithiol y gellir eu gwneud i'ch cynorthwyo. Mae Pennod 10 yn edrych ar ofal mewn cartrefi preswyl a chartrefi nyrsio. Mae Pennod 12 yn disgrifio'r mathau gwahanol o driniaeth ac mae'r bennod olaf yn edrych ar yr ymchwil sydd ar y gweill a'r rhagolygon i'r dyfodol.

Ni all un llyfr ar ddementia fod yn ddigon. Rydym wedi ychwanegu rhestr ddarllen o gyhoeddiadau eraill y gobeithiwn y gallent fod yn ddefnyddiol i chi. Ceir hefyd atodiad sy'n nodi enwau, cyfeiriadau a gwefannau rhai sefydliadau a mudiadau defnyddiol. Bydd y gwefannau yn ffynonellau gwerthfawr ac yn cynnig y wybodaeth ddiweddaraf.

Nid yw bod yn berson sydd â dementia yn rhwydd, ac nid peth rhwydd ychwaith yw gofalu amdano, ond fel y gwelwch o'r llyfr hwn, mae'n bosibl goresgyn llawer o anawsterau. Efallai mai'r peth pwysicaf y gallwch ei wneud yw rhannu eich problemau a'ch teimladau ag eraill. Mae sefydliadau fel Alzheimer's Society Cymru yn cynnig gwybodaeth, cymorth ymarferol a chefnogaeth emosiynol.

Cyhoeddwyd y llyfr hwn gyntaf yn 1997 dan y teitl *Alzheimer's at your fingertips*. Mae'r addasiad hwn o'r pedwerydd argraffiad, *Clefyd Alzheimer a Mathau Eraill o Ddementia*, yn cynnwys y wybodaeth ddiweddaraf am ddatblygiadau meddygol, cymdeithasol, cyfreithiol ac ariannol perthnasol i bobl sydd â dementia a'r rheiny sy'n gofalu amdanyn nhw.

1 | Beth yw dementia?

Mae sawl math gwahanol o ddementia. Bydd y bennod hon yn esbonio beth yw dementia ac yn rhoi gwybodaeth am y rhan fwyaf o fathau ohono, ac eithrio clefyd Alzheimer. Clefyd Alzheimer yw'r math mwyaf cyffredin, felly byddwn yn ei ddisgrifio ar wahân ym Mhennod 2. Ym mhob math o ddementia, mae gweithredu meddyliol yn dirywio, yn enwedig y cof, ac mae hynny'n effeithio ar weithgareddau dyddiol a chymdeithasol.

DIFFINIO DEMENTIA

Beth yw dementia?

Defnyddir y term 'dementia' i ddisgrifio gwahanol anhwylderau'r ymennydd sy'n achosi i weithrediad yr ymennydd ddirywio, a hynny fel rheol yn ymgynyddol (*progressive*) ac yn ddwys yn y pen draw. Mae dros 100 math gwahanol o ddementia. Y rhai mwyaf cyffredin yw clefyd Alzheimer, dementia fasgwlar a dementia gyda chyrff Lewy. Mae'r mathau gwahanol yn cael eu trafod yn ddiweddarach yn y bennod hon.

Fel rheol, mae pobl sydd â dementia yn cael problemau penodol gyda'u cof tymor byr. Maen nhw'n aml yn anghofio rhywbeth y maen nhw newydd ei ddweud neu ei wneud, er eu bod yn aml yn gallu cofio'n glir bethau a ddigwyddodd sawl blwyddyn yn ôl. Wrth i'w dementia waethygu, mae eu hymdeimlad o le ac amser yn aml yn dioddef. Efallai y byddan nhw'n cael problem dod o hyd i'r geiriau cywir ac fe fydd yn anoddach iddyn nhw ddysgu gwybodaeth newydd a gwneud pethau newydd. Gydag amser, mae pobl sydd â dementia yn debygol o fod ag angen help i wneud tasgau dyddiol syml fel ymolchi, gwisgo a bwyta. Yn y pen draw, efallai y bydd rhai sydd â dementia yn dioddef o anymataliaeth (gwlychu a baeddu) ac weithiau ceir problemau difrifol o ran ymddygiad a chyfathrebu. Bydd angen gofal 24 awr ar y rhan fwyaf o bobl sydd â dementia yn y diwedd, naill ai gartref neu mewn llety â chymorth. Pa fath bynnag o ddementia sydd dan sylw (gweler isod), mae'r clefyd yn aml yn para am sawl blwyddyn, a bydd pobl weithiau'n marw o ryw achos arall.

Mae fy nheulu yn dweud wrthyf fod fy nain wedi mynd yn hen ac yn ffwndrus cyn iddi farw. Ydy hyn yn golygu bod ganddi ddementia henaint neu a yw'n bosibl bod clefyd Alzheimer wedi bod arni?

Mae pobl yn aml yn defnyddio'r geiriau 'wedi mynd yn hen ac yn ffwndrus' (*senile*) i ddisgrifio pobl hŷn sydd wedi mynd braidd yn ddryslyd. A bod yn fanwl gywir, ystyr syml *senile* yw hen ond mae pobl yn aml yn defnyddio'r gair o ddydd i ddydd i olygu dementia henaint (term di-fudd na ddylid ei ddefnyddio).

Os oedd eich nain fel petai 'wedi mynd yn hen ac yn ffwndrus' am fisoedd neu flynyddoedd cyn iddi farw, mae'n debygol bod rhyw fath o ddementia arni. Y ffurf fwyaf cyffredin o ddementia yw clefyd Alzheimer (gweler Pennod 2). Fodd bynnag, os oedd problemau meddwl eich nain wedi datblygu yn ystod wythnosau neu fisoedd olaf ei bywyd, mae'n bosibl nad oedd dementia arni. Yn hytrach, roedd clefyd yn rhywle arall yn ei chorff, fel yr iau, yr arennau neu'r galon, yn effeithio ar weithrediad ei hymennydd.

Wrth i bobl heneiddio, maen nhw'n tueddu i fynd yn fwy

anghofus, ond mae hyn weithiau'n rhan o broses naturiol heneiddio yn hytrach na dementia (gweler yr adran 'Symptomau ac arwyddion' ym Mhennod 2 sy'n rhoi gwybodaeth am sut mae clefyd Alzheimer a mathau eraill o ddementia yn wahanol i anghofrwydd cyffredin). Cyfeiria rhai pobl at unrhyw un hŷn sydd ychydig yn anghofus fel un 'hen a ffwndrus'. Mae i'r term hwn gysylltiadau di-fudd ac annymunol, hyd yn oed, ac felly ni ddylid ei ddefnyddio i ddisgrifio dementia.

Rwy'n 52 oed ac rwyf wedi cael diagnosis o glefyd Alzheimer cynnar. Beth yw hwn? A yw'r un peth â 'dementia cyn-henaint'?

Mae 'dementia cyn-henaint' (*pre-senile*) yn derm sy'n dal i ymddangos mewn gwerslyfrau a ffynonellau gwybodaeth eraill, ond ni ddylid ei ddefnyddio. Yn y gorffennol, roedd y term 'dementia henaint' yn cael ei ddefnyddio yn achos pobl oddeutu 65 oed a hŷn fel term gwahanol am ddementia mewn pobl hŷn. Mae'n debyg mai clefyd Alzheimer neu ryw fath arall o ddementia oedd gan y bobl hynny y dywedwyd bod dementia cyn-henaint a dementia henaint arnyn nhw.

A chithau'n ddim ond 52 oed, rydych yn ifanc iawn i fod wedi cael diagnosis o ddementia. Yn wir, mae llai na 2 y cant o bob achos o ddementia yn digwydd mewn pobl dan 65 oed, felly mae'n eithaf posibl y byddai eich dementia wedi cael ei alw'n 'ddementia cyn-henaint' yn y gorffennol.

Mae cael dementia mor ifanc yn gallu achosi problemau arbennig, oherwydd efallai fod y rhai sy'n cael y diagnosis yn dal i weithio a bod plant ifanc ganddyn nhw. Nid oes gan nifer o ardaloedd yn y Deyrnas Unedig wasanaethau arbennig ar gyfer pobl ifanc â dementia ac mae hynny hefyd yn broblem. Er mai clefyd Alzheimer yw achos mwyaf cyffredin dementia mewn pobl dan 65 oed, mae achosion eraill, llai cyffredin sy'n gofyn am asesiad arbenigol. Felly, os nad ydych eisoes wedi gwneud hynny, efallai mai'r peth gorau i chi ei wneud yw gofyn am farn niwrolegydd neu seiciatrydd sy'n arbenigo yn y maes hwn.

Rwy'n deall bod dementia ar fy nghymydog ond nad yw clefyd Alzheimer arni. Beth yw'r mathau eraill o ddementia?

Mae sawl math gwahanol o ddementia. Mae pob un yn effeithio ar yr ymennydd ac yn golygu bod person yn raddol yn colli ei gof a gweithrediadau eraill yr ymennydd. Yn y pen draw, efallai na fydd y person yn gallu cyflawni hyd yn oed y tasgau pob dydd mwyaf syml heb gymorth.

Clefyd Alzheimer (gweler Pennod 2) yw'r math mwyaf cyffredin o ddementia, dros hanner yr holl achosion. Fodd bynnag, mae sawl math arall o ddementia ac mae'n debyg bod eich cymydog wedi cael diagnosis o fath arall. Heblaw am ddementia fasgwlar a dementia gyda chyrff Lewy, mae'r mathau eraill yn brin.

Dyma rai mathau o ddementia heblaw am glefyd Alzheimer:

- dementia fasgwlar, sydd fel rheol yn ganlyniad i niwed i'r ymennydd oherwydd strociau mân iawn;

- dementia gyda chyrff Lewy, sy'n rhannu rhai nodweddion â chlefyd Parkinson;

- dementia blaenarleisiol, er enghraifft clefyd Pick, lle bydd newidiadau amlwg mewn ymddygiad yn digwydd cyn i'r problemau cofio ymddangos;

- clefyd Huntington, neu corea Huntington, lle gwelir symudiadau herciog yn ogystal â dementia;

- dementia sy'n gysylltiedig â syndrom diffyg imiwnedd caffaeledig (AIDS: *acquired immune deficiency syndrome*);

- dementia sydd weithiau'n cyd-ddigwydd ag afiechyd Parkinson;

- clefyd Creutzfeldt–Jakob (CJD);

- dementia oherwydd tyfiant ar yr ymennydd;

- hydroceffalws pwysedd normal, oherwydd hylif yn crynhoi yn yr ymennydd;

- dementia sy'n ganlyniad i yfed gormod o alcohol dros gyfnod maith;

- dementia sy'n ganlyniad i achosion amrywiol y gellir eu trin, gan gynnwys diffyg fitaminau, diffyg hormonau a syffilis.

Byddwn yn trafod y mathau gwahanol hyn yn ddiweddarach yn y bennod hon.

PWY FYDD YN CAEL DEMENTIA?

Pa mor gyffredin yw dementia, ac a yw'r cyflwr yn fwy cyffredin ymhlith rhai grwpiau o bobl nag eraill?

Mae'r siawns o ddatblygu rhyw fath o ddementia yn cynyddu wrth heneiddio, ond anaml iawn y bydd dementia'n digwydd ymhlith pobl dan 60 oed. Dros 65 oed, mae dementia'n effeithio ar tua 6 o bobl ym mhob 100. Dros 80 oed, mae'r nifer yn cynyddu i tua 20 o bobl ym mhob 100. Mae'r cyfraddau'n debyg iawn mewn gwledydd eraill ledled Ewrop. Amcangyfrifir bod tua 850,000 o bobl â dementia yn y Deyrnas Unedig ar hyn o bryd, a rhagwelir y bydd y nifer yn cynyddu i tua 2 filiwn erbyn 2051.

Mae'n ymddangos bod dementia, yn gyffredinol, yn effeithio'n gyfartal ar bob grŵp mewn cymdeithas. Ni chredir bod cysylltiad penodol rhyngddo a rhyw, dosbarth cymdeithasol, grŵp ethnig na lleoliad daearyddol.

ACHOSION DEMENTIA

A yw straen neu ofid yn gallu achosi dementia?

Nid oes tystiolaeth bod straen neu ofid yn gyfrifol am achosi dementia. Fodd bynnag, gall straen neu ofid arwain at anghofrwydd a dryswch sy'n camarwain rhywun i feddwl bod dementia cynnar ar waith. Mae hefyd yn wir fod diagnosis o ddementia weithiau'n cael ei wneud ar ôl i'r clefyd ddod yn fwy amlwg yn ystod cyfnod o straen neu ofid, er bod y dementia wedi bod yn bresennol ers peth amser. Mae gorbryder yn symptom cyffredin o iselder mewn pobl hŷn, a gall presenoldeb iselder achosi problemau difrifol gyda'r cof sy'n cael eu camgymryd am ddementia. Wrth gwrs, gall symptomau dementia hefyd achosi straen a gofid i'r bobl sy'n eu profi, yn ogystal â'r sawl sydd o gwmpas y bobl hynny.

Dywedwyd wrth fy ngŵr fod ganddo ryw fath o ddementia ac y dylai roi'r gorau i ysmygu. A yw ysmygu'n gallu achosi dementia?

Ni chredir bod ysmygu yn achosi dementia'n uniongyrchol, ond mae'n gallu cyfrannu at glefyd y galon ac atherosglerosis (rhydwelïau'n culhau), sydd yn aml yn arwain at strociau. Strociau sy'n aml yn achosi un math o ddementia, sef dementia fasgwlar, oherwydd bod strôc yn achosi niwed i'r ymennydd drwy atal y cyflenwad gwaed i rai mannau ohono. Mae peth ymchwil wedi dangos hefyd y gall ysmygu fod yn un o'r ffactorau risg niferus ar gyfer datblygu clefyd Alzheimer.

Nid yw pob meddyg yn cytuno y bydd rhoi'r gorau i ysmygu yn debygol o gael llawer o effaith ar ddementia ar ôl i'r clefyd ddod i'r amlwg, ac efallai'n wir y bydd hi'n anodd i'ch gŵr roi'r gorau i ysmygu. Fodd bynnag, mae rhoi'r gorau i ysmygu yn llesol i iechyd yn gyffredinol, ac efallai y gallai hynny atal strociau a allai waethygu ei ddementia. Mae llawer o gymorth ar gael i bobl sy'n awyddus i roi'r gorau i ysmygu. Bydd meddyg teulu eich gŵr yn gallu helpu neu gallech ddilyn cyngor Helpa Fi i Stopio – ymgyrch Iechyd Cyhoeddus Cymru sy'n gweithio'n benodol i helpu pobl i roi'r gorau i ysmygu (manylion cyswllt yn Atodiad 1).

Yn ddiweddar mae fy nhad, sy'n 72 oed, wedi cael llawdriniaeth ar ei goluddyn. Roedd ychydig yn anghofus cyn mynd i mewn i'r ysbyty ond erbyn hyn, mae gartref ac yn ffwndrus iawn. A yw'n bosibl fod y llawdriniaeth wedi rhoi dementia iddo?

Mae rhai pobl, yn enwedig yr henoed, yn cael cyfnod o ddryswch dros dro ar ôl llawdriniaeth. Gall ôl-effeithiau'r anaesthetig a'r cyffuriau lleddfu poen gynyddu'r dryswch am gyfnod byr. Mae gorfod ymdopi ag amgylchedd anghyfarwydd yr ysbyty hefyd yn gallu gwneud y dryswch yn waeth.

Os yw dryswch eich tad yn parhau, mae'n bosibl fod dementia arno cyn iddo gael y llawdriniaeth a bod y cyfnod yn yr ysbyty wedi gwneud y cyflwr yn waeth. Anaml iawn y bydd llawdriniaeth yn achosi dementia. Yn ystod llawdriniaeth, mae pobl hŷn yn agored i gael strociau bach neu broblemau gyda'r cyflenwad gwaed i'r ymennydd, sy'n gallu achosi dryswch parhaol. Nid ydym eto'n deall llawer am y cyswllt rhwng llawdriniaeth a phroblemau cofio sy'n dod yn sgil hynny.

Un esboniad arall am ddryswch cynyddol eich tad yw ei fod wedi cael haint ar y frest neu ar y llwybr wrinol. Mae'r posibilrwydd hwn yn llai tebygol os cafodd y llawdriniaeth beth amser yn ôl. Fodd bynnag, ewch i drafod eich pryderon â'i feddyg; gallai trin haint neu newid meddyginiaeth eich tad arwain at welliant mawr.

A yw anafiadau i'r pen yn gallu achosi dementia?

Mae anafiadau difrifol i'r pen yn gallu achosi anawsterau o ran cof ac anawsterau eraill, ond fel rheol nid yw'r rhain yn gwaethygu, yn wahanol i ddementia. Fodd bynnag, efallai y bydd rhai pobl sy'n dioddef anafiadau difrifol iawn i'r pen neu anafiadau ar fwy nag un achlysur yn wynebu risg gynyddol o ddatblygu dementia. Mae'n bosibl y gall anaf i'r pen ysgogi proses y clefyd mewn unigolion bregus. Mae pobl sydd wedi cael anafiadau difrifol i'r pen trwy focsio yn fwy tueddol o gael math o ddementia a elwir yn 'dementia pugilistica', sy'n debyg i glefyd Alzheimer.

MATHAU O DDEMENTIA

Beth yw'r mathau o ddementia?

Mae sawl math gwahanol o ddementia, ag achosion posibl gwahanol. Mewn nifer o enghreifftiau, nid ydym yn deall yr achosion yn llawn. Er enghraifft, mae dementia'n llawer mwy cyffredin mewn pobl hŷn, ond ni chredir bod y broses heneiddio ei hun yn un o achosion dementia.

Rydym yn gwybod bod rhai mathau o ddementia, fel clefyd Pick a chlefyd Huntington (gweler yn ddiweddarach yn yr adran hon) ac achosion prin o glefyd Alzheimer (gweler Pennod 2) yn etifeddol, ac yn cael eu trosglwyddo o'r naill genhedlaeth i'r nesaf yn y genynnau. Credir bod cyfuniad o ffactorau genetig a rhai eraill (a elwir weithiau yn ffactorau 'amgylcheddol') yn achosi mathau eraill o ddementia, gan gynnwys y rhan fwyaf o'r achosion o glefyd Alzheimer yn ogystal â dementia fasgwlar.

Mae rhai mathau o ddementia'n digwydd fel un o nodweddion clefydau eraill, fel AIDS, clefyd Parkinson a syffilis. Mae yfed gormod o alcohol dros gyfnod maith hefyd yn gallu achosi dementia.

Beth yw dementia fasgwlar?

Mae dementia fasgwlar, a arferai gael ei alw'n ddementia amlgnawdnychol (*multi-infarct*) yn digwydd oherwydd diffyg cyflenwad gwaed i'r ymennydd. Dyma'r ail fath mwyaf cyffredin o ddementia yn y Deyrnas Unedig, ar ôl clefyd Alzheimer. Amcangyfrifir bod tua un achos o ddementia o bob pump yn ddementia fasgwlar, a bod dementia fasgwlar hefyd yn cyd-ddigwydd â chlefyd Alzheimer mewn tua un achos arall o bob pump. Mae rhai meddygon ac ymchwilwyr yn credu erbyn hyn fod y ddau fath o ddementia'n cyd-ddigwydd yn llawer amlach nag roedden nhw'n ei gredu o'r blaen.

Mae sawl peth yn achosi dementia fasgwlar a'r achos mwyaf cyffredin yw sawl 'mân strôc' a elwir yn gnawdnychiad (*infarct*). Mae strôc yn dinistrio ardal o gelloedd yn yr ymennydd drwy dorri'r cyflenwad gwaed. Weithiau, nid yw strôc yn achosi unrhyw symptomau amlwg ac efallai mai cyfnod byr o benysgafnder, gwendid neu ddryswch yn unig a deimlir. Dros amser, mae digon o'r niwed hwn yn cronni i achosi dementia.

Mae strôc yn gallu digwydd oherwydd pwysedd gwaed uchel a hynny'n achosi i bibellau gwaed fyrstio yn yr ymennydd. Gall ceuladau yn y pibellau hefyd rwystro'r gwaed rhag cyrraedd yr ymennydd. Mae'n debyg bod y risg o gael strôc yn uwch i bobl sy'n ysmygu, sydd â phwysedd gwaed uchel neu ddiabetes neu sydd dros eu pwysau.

Er nad yw strôc unigol bob amser yn achosi llawer o niwed, mae effaith sawl un gyda'i gilydd yn aml yn ddigon i achosi dementia. Mae pobl weithiau'n gallu cael dementia ar ôl un strôc os yw'n effeithio ar ran hanfodol o'r ymennydd. Bydd rhai pobl yn datblygu dementia oherwydd bod llai o waed yn cyrraedd yr ymennydd cyfan am gyfnod byr iawn; er enghraifft, oherwydd trawiad ar y galon neu yn ystod llawdriniaeth. Gall niwed parhaol i'r ymennydd ddigwydd pan na fydd yr ymennydd yn cael cyflenwad digonol o waed am rai munudau'n unig, hyd yn oed.

Fel y rhan fwyaf o'r mathau eraill o ddementia, prif symptomau dementia fasgwlar yw colli'r cof tymor byr, colli ymdeimlad o amser a galluoedd eraill yn dirywio'n ymgynyddol. Fodd bynnag, yn achos dementia fasgwlar, mae i ba raddau y collir y cof yn amrywio'n fwy o lawer nag yn achos clefyd Alzheimer, ac mae pobl â'r math hwn o ddementia yn aml yn well ambell ddiwrnod nag eraill. Efallai y bydd cyfnodau hir pan na fydd cof person yn dirywio fawr ddim, ac yn wir, mae'n bosibl iddo wella. Wedyn bydd achos o ddryswch acíwt (sy'n aml yn gysylltiedig â mân strôc newydd) a dirywiad amlwg yng nghof person ar ôl hynny. Mae meddygon weithiau'n dweud bod dementia fasgwlar yn datblygu fesul cam.

Nodwedd arall o ddementia fasgwlar yw fod pobl yn aml yn fwy ymwybodol o'u hanawsterau na'r rheiny sydd â chlefyd Alzheimer. Efallai y bydd problemau ymddygiad na ellir eu rhag-weld neu emosiynau cyfnewidiol yn fwy tebygol hefyd.

Nid oedd fy nhad yn arfer defnyddio iaith anweddus ond nawr mae'n rhegi drwy'r amser. Dywedodd y meddyg wrthyf fod ganddo 'symptomau llabedau blaen'. Beth yw ystyr hyn?

Mae'r 'llabed flaen' yn cyfeirio at ran flaen yr ymennydd, yn union y tu ôl i'r llygaid, ac mae dwy ohonyn nhw (un i'r chwith ac un i'r dde). Os nad yw'r llabedau blaen yn gweithio'n iawn, mae symptomau gwahanol yn gallu dod i'r amlwg, gan gynnwys:

- newidiadau mewn personoliaeth; mae pobl yn gallu mynd i'w cragen neu weithiau maen nhw'n fwy ymosodol neu groendenau;

- diffyg ysgogiad;

- pobl yn colli eu hawydd i wneud dim ac yn colli diddordeb mewn pethau. Mae hyn hefyd yn gallu digwydd mewn achosion o iselder, clefyd Parkinson a chyflyrau eraill;

- colli'r gallu i gynllunio a threfnu;

- colli 'swildod' – dadatal (*disinhibition*); efallai y bydd rhai pobl yn rhegi, yn dweud pethau annerbyniol, yn chwerthin yn amhriodol ac yn dangos arwyddion o ddadatal rhywiol.

Nid oes patrwm sefydlog o ran symptomau. Efallai y bydd gan bobl sydd â'r cyflwr hwn gyfuniad o'r symptomau nodweddiadol ac mae'n bosibl iddyn nhw newid dros amser. Yn y pen draw, mae unrhyw fath o ddementia yn gallu achosi symptomau llabed flaen ond mae rhai mathau o ddementia (er enghraifft, clefyd Pick – gweler yr ateb nesaf) fel rheol yn dechrau gyda symptomau'r llabedau blaen.

Mae'n debyg bod math o ddementia ar fy mam a elwir yn ddementia blaenarleisiol. Beth yw hwn? Sut mae'n wahanol i glefyd Alzheimer?

Mae dementia blaenarleisiol (*frontotemporal*) yn fath prin o ddementia (gelwir un math yn glefyd Pick ar ôl y meddyg a'i disgrifiodd gyntaf). Mae sawl nodwedd yn debyg rhyngddo a chlefyd Alzheimer (gweler Pennod 2) ond mae hefyd yn wahanol ar sawl pwynt pwysig.

Mae dementia blaenarleisiol yn digwydd i rywun iau fel arfer, pan fydd yn ei 40au neu ei 50au gan amlaf. Credir mai achos genetig sy'n gyfrifol am hyn mewn rhai teuluoedd, ond mae hefyd yn gallu digwydd lle nad oes unrhyw hanes o'r math hwn o ddementia mewn teulu.

Y gwahaniaeth pwysicaf rhwng dementia blaenarleisiol a chlefyd Alzheimer yw fod y newidiadau sy'n digwydd ym meinwe'r ymennydd mewn dementia blaenarleisiol fel rheol yn effeithio'n bennaf ar ran flaen yr ymennydd (sef y llabedau blaen). Mae'n achosi i'r llabedau hynny grebachu'n sylweddol, ond nid yw'n effeithio fawr ddim ar rannau eraill yr ymennydd.

Fel yn achos clefyd Alzheimer, yr unig ffordd o gael diagnosis pendant o afiechyd dementia blaenarleisiol yw trwy gynnal archwiliad post-mortem (awtopsi). Fodd bynnag, mae'n aml yn bosibl gwneud diagnosis wrth edrych ar symptomau ac arwyddion person. Os yw meddyg yn amau bod dementia blaenarleisiol yn bresennol, bydd weithiau'n gofyn i seicolegydd gynnal profion penodol sy'n gallu cynorthwyo'r diagnosis.

Mae llawer o symptomau cynnar dementia blaenarleisiol yn 'symptomau llabed flaen' (gweler yr ateb blaenorol). Mae'r rhain yn gallu bod yn ysgafn iawn yng nghyfnod cynnar y salwch a gall gymryd misoedd lawer, os nad blynyddoedd, i unrhyw un, gan gynnwys meddygon, amau bod dementia ar y person.

Un o nodweddion eraill dementia blaenarleisiol yw fod rhai pobl â'r cyflwr hwn yn gallu dechrau cael problemau gydag iaith, gan mai llabed flaen yr ymennydd sy'n gyfrifol am greu lleferydd. Mae'n gallu ymddangos fel petai'r person yn cael trafferth dod o hyd i'r gair cywir, neu'n methu deall rhai geiriau a oedd yn arfer bod yn gyfarwydd iddo (gelwir hyn yn 'ddementia semantig'). Mae rhai pobl yn colli eu lleferydd yn llwyr dros amser. Affasia cynradd ymgynyddol (*primary progressive aphasia*) yw'r enw ar hyn.

Fel yn achos pobl â chlefyd Alzheimer, mae galluoedd rhywun â dementia blaenarleisiol yn debygol o ddirywio'n ymgynyddol.

Mae fy nghariad yn dweud nad yw'n dymuno i'n perthynas ddatblygu oherwydd bod clefyd Huntington yn ei deulu. Beth yw ystyr hyn?

Mae clefyd Huntington yn fath prin o ddementia sy'n achosi anhawster i reoli symudiadau'r corff yn ogystal â dirywiad y meddwl. Mae clefyd Huntington yn un etifeddol. Os yw'r clefyd ar fam neu dad eich cariad, mae siawns o un mewn dau y bydd ef (a hefyd ei frodyr a'i chwiorydd) yn ei ddatblygu hefyd.

Mae'n bosibl i bobl sydd mewn perygl o ddatblygu clefyd Huntington gael cwnsela genetig a phrawf genetig ar ôl hynny i weld a ydyn nhw wedi etifeddu'r genyn annormal a fydd yn rhoi'r clefyd iddyn nhw. Fodd bynnag, mae'n bwysig parchu dymuniadau person os nad yw'n dewis dilyn y llwybr hwn.

Mae clefyd Huntington fel rheol yn dod i'r amlwg pan fydd rhywun sydd wedi etifeddu'r clefyd yn cyrraedd ei 30au neu ei 40au, er bod symptomau'n gallu dechrau'n gynt. Mae'n bosibl i'r salwch ddechrau gyda symptomau meddyliol neu gorfforol. Efallai y bydd y cof yn dirywio'n raddol ynghyd â'r gallu i ganolbwyntio, a hynny'n arwain at ddementia difrifol; mae'n bosibl hefyd y bydd gorbryder, natur bigog ac iselder yn cyd-fynd â hynny. Bydd y problemau corfforol yn cynnwys cyhyrau'n gwingo ac yn plycio. Nid oes triniaeth benodol ar gyfer clefyd Huntington, ond mae cyffuriau weithiau'n helpu'r problemau symudedd. Mae'r salwch fel rheol yn para rhwng 10 a 25 mlynedd, ac yn arwain at anabledd difrifol. Wrth i'r clefyd ymgynyddu, mae hi bron yn sicr y bydd angen gofal nyrsio 24 awr.

A yw'r rhan fwyaf o bobl â HIV yn datblygu dementia?

Nid yw'r rhan fwyaf o bobl sydd wedi'u heintio â firws diffyg imiwnedd dynol (HIV: *human immunodeficiency virus*) – y firws sy'n arwain at AIDS – yn datblygu dementia. Fodd bynnag, mae'n bosibl y bydd rhywun â HIV yn datblygu rhai problemau cofio cyn iddo ddatblygu haint HIV cyfnod diweddar.

Mae rhai pobl (llai na 5 y cant, mae'n debygol) sydd â haint HIV datblygedig yn datblygu dementia difrifol, gyda difaterwch a phroblemau gyda lletchwithdod a cherdded yn amlwg. Mewn rhai pobl sydd â haint HIV datblygedig, mae'r dementia sy'n cyd-fynd â hynny yn ganlyniad effaith uniongyrchol y firws HIV ar yr ymennydd. Mewn eraill, mae'r dementia yn ganlyniad haint neu dyfiant ar yr ymennydd sy'n datblygu gan fod eu himiwnedd yn is oherwydd HIV.

Erbyn hyn mae triniaethau, sef therapi gwrthretrofirol, yn bod ar gyfer pobl â haint HIV ac mae'r rhain yn gallu helpu i wrthdroi rhai o symptomau dementia. Mae'r driniaeth yn gallu bod yn gymhleth ac yn golygu cymryd nifer o dabledi ar wahanol adegau o'r dydd. Felly mae'n bwysig sicrhau bod pobl sydd â phroblemau cofio yn sgil yr haint HIV yn gallu cymryd eu meddyginiaeth yn iawn neu'n cael help i wneud hyn.

Mae clefyd Parkinson wedi bod ar fy nhad ers tair blynedd nawr ac mae fel petai'n mynd yn eithaf anghofus. Rwyf wedi clywed bod pobl â chlefyd Parkinson weithiau'n datblygu dementia – a yw hyn yn wir?

Mae'n wir fod pobl â chlefyd Parkinson mewn mwy o berygl o ddatblygu dementia, a hynny fel rheol yn dechrau o leiaf ddwy flynedd ar ôl i'r clefyd Parkinson ddechrau. Gelwir hyn yn 'ddementia clefyd Parkinson' ac mae'n effeithio ar oddeutu 15–20 y cant o bobl sydd â chlefyd Parkinson. Fodd bynnag, nid yw'r ffaith fod eich tad ychydig yn anghofus yn golygu o reidrwydd ei fod yn datblygu dementia. Mae'n bosibl fod cof eich tad yn gweithio'n berffaith iawn a'i fod yn ymddangos fel petai ganddo broblem cof oherwydd bod clefyd Parkinson wedi ei arafu. Mae'r arafwch hwn weithiau'n effeithio ar y corff yn unig, ond mae hefyd yn gallu arafu meddyliau pobl; 'bradyffrenia' yw'r term am hyn.

Hyd yn oed os oes yw'n cael problem cofio, efallai nad dementia sy'n gyfrifol am hynny. Er enghraifft, mae pobl sydd â chlefyd Parkinson yn aml yn cael eu trin â meddyginiaeth sy'n perthyn i grŵp o gyffuriau gwrthgolinergig (gweler yr Eirfa). Gall y cyffuriau hyn leihau symptomau clefyd Parkinson ond maen nhw hefyd yn gwneud cof person yn waeth. Mae pobl â chlefyd Parkinson weithiau'n mynd yn isel eu hysbryd. Mae iselder yn achos cyffredin o gof gwael, a hynny weithiau'n cael ei gamgymryd am ddementia (gweler Pennod 3 am ragor o wybodaeth am iselder a dementia).

Mae rhai pobl yn datblygu symptomau clefyd Parkinson tua'r un adeg ag y byddan nhw'n dangos arwyddion o ddementia. Os yw hyn yn digwydd, maen nhw'n fwy tebygol o gael y math o ddementia a elwir yn ddementia gyda chyrff Lewy (gweler yr ateb nesaf am ragor o wybodaeth).

Roeddwn i'n meddwl bod clefyd Parkinson ar fy ngŵr ond mae'r arbenigwr yn dweud mai dementia gyda chyrff Lewy sydd arno. Beth yw'r gwahaniaeth? A fydd hyn yn effeithio ar sut alla i ofalu amdano?

Math o ddementia sy'n debyg i glefyd Alzheimer yw dementia gyda chyrff Lewy. Mae'r enw yn dod o gasgliadau annormal o brotein, a elwir yn gyrff Lewy, sy'n datblygu y tu mewn i nerfgelloedd yr ymennydd.

Efallai fod gan eich gŵr symptomau ac arwyddion tebyg i'r rhai sydd gan rywun sydd â chlefyd Parkinson, fel cryndod, bod ychydig yn ansicr ar ei draed ac arafwch cyffredinol. Efallai ei fod hefyd yn profi rhithiau gweledol (gweler yr adran 'Rhithiau' ym Mhennod 7), ac mae'n bosibl ei fod wedi dechrau cwympo'n aml. Mae rhai pobl sydd â dementia gyda chyrff Lewy yn fwy dryslyd gyda'r nos. Mae hefyd yn debygol y bydd cyflwr eich gŵr yn amrywio o ddydd i ddydd, ac ambell ddiwrnod bydd yn cael pwl byr o fod yn ffwndrus iawn, cyn dod ato'i hun. Mae'r patrwm hwn yn nodweddiadol o ddementia gyda chyrff Lewy, ond nid yw'n gyffredin gyda chlefyd Alzheimer.

O ran gofal, bydd anghenion eich gŵr yn debyg iawn i'r hyn fydden nhw petai clefyd Alzheimer arno. Mae'n debyg mai'r prif wahaniaeth i chi fydd y gall fod yn anodd rhagfynegi sut fydd eich gŵr yn teimlo o ddydd i ddydd o'i gymharu â rhywun sydd â chlefyd Alzheimer.

Mae pobl sydd â dementia gyda chyrff Lewy yn sensitif iawn i dawelyddion a elwir yn gyffuriau gwrthseicotig neu gyffuriau niwroleptig. Felly dylid osgoi'r cyffuriau hyn os yw'n bosibl, er bod tystiolaeth erbyn hyn yn dangos ei bod yn well peidio â'u defnyddio gyda phob math o ddementia.

Dechreuodd fy ngwraig, sy'n 75, golli ei chof tua deng mlynedd yn ôl a chafodd ddiagnosis o glefyd Alzheimer bum mlynedd yn ôl. Rydym ein dau wedi bwyta llawer o gig eidion. Ydych chi'n meddwl ei bod yn bosibl mai CJD sydd arni, ac nid clefyd Alzheimer?

Mae'n annhebygol iawn mai CJD (clefyd Creutzfeldt–Jakob) sydd ar eich gwraig. Mae CJD yn fath hynod brin o ddementia sy'n effeithio ar ddim ond 1 ym mhob 1,000,000 yn y Deyrnas Unedig, ond mae clefyd Alzheimer (gweler Pennod 2) yn effeithio ar oddeutu 1 ym mhob 10 sydd yr un oed â'ch gwraig. Fodd bynnag, y rheswm pennaf dros feddwl nad oes CJD ar eich gwraig yw fod ei salwch wedi para am sawl blwyddyn erbyn hyn. Mae CJD yn datblygu'n gyflym iawn ac fel rheol yn lladd cyn pen blwyddyn.

Mae llawer o arwyddion cynnar CJD yn debyg i glefyd Alzheimer ond mae rhai gwahaniaethau rhwng y ddau. Bydd pobl sydd â CJD yn aml yn mynd i'w cragen ac yn tueddu i fod braidd yn anghofus, a chyn hir byddan nhw'n ei chael hi'n anodd dod o hyd i'r geiriau cywir a chynnal sgwrs. Byddan nhw hefyd yn ansicr ar eu traed a bydd eu breichiau a'u coesau'n symud yn herciog neu'n gwingo.

Yn yr 1990au, rhoddwyd llawer o gyhoeddusrwydd i gysylltiad rhwng CJD a BSE (*bovine spongiform encephalopathy*), clefyd tebyg sy'n effeithio ar waredeg. Rydym yn gwybod mai gronyn heintus anarferol o'r enw prion sy'n achosi CJD, BSE, a chlefyd y crafu (*scrapie*) mewn defaid. Yn fwy diweddar, cafwyd sawl achos o CJD, yn bennaf mewn pobl iau. Credir bod yr achosion hyn yn gysylltiedig â bwyta cig eidion o warthg oedd wedi'u heintio â BSE. Erbyn hyn y farn ydy bod y salwch hwn yn fath newydd gwahanol o CJD a elwir yn glefyd amrywiolyn Creutzfeldt–Jakob (vCJD: *variant CJD*). Nid oes cysylltiad wedi'i ddarganfod rhwng bwyta cig eidion a'r mathau mwy arferol o CJD, sydd fel rheol yn datblygu mewn hen bobl. (Mae rhagor o wybodaeth ar gael gan y CJD Support Network, sy'n rhoi cymorth i unrhyw un sydd wedi'i effeithio gan unrhyw fath o CJD; gweler Atodiad 1 am fanylion cyswllt.)

A allai tyfiant ar yr ymennydd achosi dementia?

Anaml iawn y bydd tyfiant ar yr ymennydd yn achosi dementia. Mae un math o dyfiant ar yr ymennydd sy'n tyfu'n araf, sef meningioma, weithiau'n achosi symptomau dementia. Mae'r rhan fwyaf o dyfiannau ar yr ymennydd yn achosi mathau eraill o symptomau, fel problemau gydag aelodau'r corff a'r golwg a phroblemau cydbwysedd. Mewn rhai achosion, mae tynnu meningioma yn gallu gwella'r dementia.

A yw 'dŵr ar yr ymennydd' yn gallu achosi dementia?

Nid dŵr sy'n achosi'r math prin o ddementia a elwir yn 'hydroceffalws pwysedd normal' ond yn hytrach gormod o'r hylif sydd o gwmpas yr ymennydd, sef hylif cerebrosbinol.

Mae symptomau cynnar y math hwn o ddementia yn cynnwys methu dal eich dŵr a phroblemau cerdded. Os yw eich meddyg yn amau bod y math hwn o ddementia yn bresennol, efallai y bydd yn trefnu sgan o'r ymennydd i gadarnhau'r diagnosis. Gall llawdriniaeth leddfu'r math hwn o ddementia (gweler yr adran 'Llawdriniaeth' ym Mhennod 12).

A yw diffyg hormonau'n gallu achosi dementia?

Mae chwarren thyroid danweithgar (chwarren yn y gwddf sy'n rheoli ein metabolaeth) yn gallu arwain at gyflwr a elwir yn isthyroidedd (*hypothyroidism*), a gall dementia fod yn symptom o hynny. Mae pobl sydd ag isthyroidedd fel rheol yn ennill pwysau, yn datblygu llais cryglyd a chroen sych a bydd eu gwallt yn teneuo. Gellir trin isthyroidedd â therapi amnewid hormonau thyroid. Mae rhai diffygion hormonau eraill yn arwain at ddementia ond prin iawn yw'r achosion hynny.

A yw yfed gormod o alcohol yn achosi dementia?

Efallai y bydd pobl sy'n yfed gormod o alcohol dros gyfnod maith yn datblygu dementia ar ben nifer o broblemau iechyd eraill.

Mae rhai yfwyr trwm yn colli eu cof tymor byr; gelwir hyn yn syndrom Korsakoff (neu weithiau'n seicosis Korsakoff), sy'n datblygu oherwydd prinder fitamin B1 (thiamin). Mae hyn yn golygu ei bod hi'n anodd dysgu gwybodaeth newydd, er bod hen atgofion ac agweddau eraill ar weithrediad yr ymennydd fel rheol yn gweithio'n iawn. Gall eraill ddatblygu ystod eang o broblemau sy'n debyg i glefyd Alzheimer. Mae yfed alcohol yn gymedrol yn debygol o fod yn ddiogel, ac mae rhai ymchwilwyr wedi awgrymu bod ychydig o win coch (sy'n cynnwys gwrthocsidyddion) hyd yn oed yn gallu lleihau'r siawns o ddatblygu dementia.

A yw diffygion deietegol yn gallu achosi dementia? Mae fy ngwraig wedi bod yn llysieuwraig ers sawl blwyddyn ac mae dementia arni hi erbyn hyn. A allai ei deiet hi fod ar fai?

Mae'n wir fod diffygion deietegol yn gallu achosi dementia mewn achosion prin iawn. Fodd bynnag, mae'n annhebygol bod llysieuaeth eich gwraig wedi achosi ei dementia. Mae'n llawer mwy tebygol fod ganddi un o'r mathau mwyaf cyffredin o ddementia, fel clefyd Alzheimer.

Awgrymwyd bod diffyg rhai fitaminau, fel fitamin B12 neu B1 (thiamin), yn un o achosion prin dementia. Mae'r fitaminau hyn yn bresennol mewn ystod eang o fwydydd ac mae'r corff yn gallu eu storio am gyfnodau hir. Felly anaml iawn y bydd neb yn brin o unrhyw un o'r fitaminau hyn.

Mae pobl sy'n yfed llawer iawn o alcohol dros gyfnod maith weithiau'n mynd yn brin o fitamin B1, ac mae hynny'n arwain at gyflwr o'r enw syndrom Korsakoff (gweler yr ateb blaenorol). Efallai y bydd angen i bobl sydd ar ddeiet figan, sy'n golygu nad ydyn nhw'n bwyta cig, wyau na llaeth, gymryd fitamin B12 yn ychwanegol.

Mae rhai pobl yn datblygu prinder fitamin B12 oherwydd nad yw eu cyrff yn amsugno'r fitamin hwn yn iawn. Cyflwr o'r enw 'anaemia aflesol' sy'n gyfrifol am hyn fel rheol, ac mae'n ganlyniad problem anarferol gyda'r stumog a elwir yn 'ddiffyg ffactor cynhenid', neu lawdriniaeth flaenorol ar y coluddyn.

Er bod dementia oherwydd diffyg fitaminau yn brin iawn, mae'n siŵr y bydd meddyg eich gwraig eisoes wedi gwneud prawf gwaed i ddiystyru'r posibilrwydd. Mewn achosion o ddiffyg fitamin B12, y driniaeth arferol yw cael chwistrelliad o'r fitamin bob tri mis.

2 | Beth yw clefyd Alzheimer?

Clefyd Alzheimer yw'r math mwyaf cyffredin o ddementia. Mae'r bennod hon yn rhoi gwybodaeth i chi am glefyd Alzheimer, beth rydym ni'n ei wybod am ei achosion, sut mae'n niweidio'r ymennydd a'i effaith ar y bobl sy'n dioddef ohono. Er bod mathau gwahanol o ddementia yn debyg i'w gilydd mewn sawl ffordd, mae'n helpu i wahaniaethu rhyngddyn nhw a deall y gwahaniaethau. Po fwyaf rydym ni'n ei wybod am glefyd Alzheimer, gorau oll fydd y gofal y gallwn ei roi.

DIFFINIO CLEFYD ALZHEIMER

Sut gafodd clefyd Alzheimer ei enw?

Cafodd clefyd Alzheimer ei enwi ar ôl Dr Alois Alzheimer, niwrolegydd o'r Almaen (1864–1915). Yn 1906, sylwodd ar newidiadau ym meinwe ymennydd gwraig yn ei 50au, o'r enw Auguste D, a fu farw o'r hyn y credid oedd yn salwch meddwl anarferol. Erbyn hyn, rydym yn gwybod mai'r newidiadau annormal hyn ym meinwe'r ymennydd yw prif nodwedd clefyd Alzheimer.

Mae'r term 'dementia' yn cael ei ddefnyddio weithiau yn hytrach na 'chlefyd Alzheimer'. Ai dau enw am yr un peth sydd yma?

Mae dementia yn derm a ddefnyddir i ddisgrifio gwahanol anhwylderau'r ymennydd sydd fel rheol yn arwain yn raddol at golli'r cof. Mae clefyd Alzheimer yn un math o ddementia. Ceir llawer o fathau eraill, ac mae'r llyfr hwn yn trafod y rhai mwyaf cyffredin. Clefyd Alzheimer yw'r math mwyaf cyffredin o ddementia, sef tua 60 y cant o'r holl achosion. Mae'n bosibl hefyd i glefyd Alzheimer fod yn bresennol ochr yn ochr â mathau eraill o ddementia, yn enwedig dementia fasgwlar, mewn hyd at 20 y cant o'r holl achosion o ddementia.

Beth sy'n digwydd pan fydd rhywun yn datblygu clefyd Alzheimer?

Mae pobl sydd â chlefyd Alzheimer (a mathau eraill o ddementia) yn raddol yn colli eu hymdeimlad o amser a lle. Un symptom amlwg yw eu bod yn anghofio pethau y maen nhw newydd eu dweud neu eu gwneud, er eu bod yn gallu cofio pethau a ddigwyddodd yn y gorffennol yn iawn am beth amser. Fel rheol, wrth i'r clefyd ymgynyddu, neu hyd yn oed o'r dechrau'n deg, efallai na fydd pobl yn ymwybodol o'u cyflwr er eu bod efallai'n teimlo'n ofidus. Mae pobl yn debygol o'i chael hi'n fwy anodd ac yna'n amhosibl gwneud pethau syml pob dydd – gan gynnwys ymolchi, bwyta a gwisgo – heb gymorth. Efallai y byddan nhw'n gwlychu ac yn baeddu, ac weithiau bydd ganddyn nhw broblemau ymddygiad a chyfathrebu difrifol. Bydd angen gofal 24 awr yn y pen draw ar nifer mawr ohonyn nhw.

Mae'n bosibl i'r clefyd bara am sawl blwyddyn – rhwng pum a deng mlynedd fel rheol – ac yn aml nid dyna sy'n achosi marwolaeth y claf. Mae'n llawer mwy cyffredin i berson sydd â chlefyd Alzheimer ers sawl blwyddyn farw o rywbeth arall, fel haint neu strôc.

33

A oes clefyd Alzheimer neu ryw fath arall o ddementia ar bawb sy'n colli eu cof?

Nac oes. Mae llawer o bethau eraill yn achosi problemau gyda'r cof. Wrth i bobl heneiddio, mae llawer yn ymwybodol nad yw eu cof cystal ag yr arferai fod. Mae hyn yn aml yn rhan o'r broses heneiddio arferol, ac nid dementia mohono (gweler hefyd yr adran 'Symptomau ac arwyddion' yn ddiweddarach yn y bennod).

Mae cyflyrau eraill fel byddardod ac iselder yn achosi symptomau y gellid eu camgymryd am symptomau dementia, ac mae rhesymau eraill hefyd dros gyfnodau byr o ddryswch, fel haint ar y frest, problemau â'r galon, ac weithiau ar ôl llawdriniaeth. Ambell waith, gall rhai meddyginiaethau achosi dryswch i bobl hŷn. Oherwydd hyn i gyd, mae'n syniad da i bawb sydd â phroblemau gyda'u cof weld meddyg, ac mewn rhai achosion, arbenigwr mewn problemau'r cof.

A yw'n wir mai'r unig ffordd bendant o wybod a yw clefyd Alzheimer ar rywun yw drwy gynnal archwiliad post-mortem o'r ymennydd?

Yn y rhan fwyaf o achosion, mae diagnosis hollol bendant o glefyd Alzheimer yn dibynnu ar ddod o hyd i newidiadau nodweddiadol ym meinwe'r ymennydd. Yr unig ffordd o weld y newidiadau hyn yw drwy gynnal archwiliad post-mortem (awtopsi), felly nid yw hyn yn bosibl nes bydd person wedi marw. Er hynny, ni fydd y rhan fwyaf o bobl yn cael awtopsi ar ôl iddyn nhw farw i weld a oedd clefyd Alzheimer neu fath arall o ddementia arnyn nhw. Mae 'placiau' yn datblygu yn ymennydd pobl sydd wedi marw o glefyd Alzheimer â'r placiau hyn wedi'u gwneud o brotein annormal a elwir yn beta-amyloid. Yn ogystal â hyn, mae rhagor o annormaledd ar ffurf clymau o foleciwlau protein yn nerfgelloedd yr ymennydd. Mae'r ymennydd yn crebachu mewn rhai achosion, a bydd nerfgelloedd yn marw ar raddfa eang.

Mewn achosion prin, lle mae genyn gan berson y gwyddom ei fod yn achosi ffurf etifeddol ar glefyd Alzheimer (gweler yr adran 'Pwy fydd yn cael clefyd Alzheimer'), mae prawf ar gyfer y genyn hwnnw'n gallu cadarnhau'r diagnosis.

Fodd bynnag, gwneir diagnosis o glefyd Alzheimer fel rheol ar sail sylwi bod gan berson symptomau o ryw fath o ddementia, ac yna diystyru cyflyrau amrywiol heblaw am glefyd Alzheimer a allai fod yn eu hachosi. (Gweler Pennod 3 i gael rhagor o wybodaeth am ddiagnosis). Ar ôl asesu'r claf yn llawn, mae meddygon fel rheol yn gallu dweud a oes clefyd Alzheimer neu fath arall o ddementia ar rywun, neu nad oes dementia arno o gwbl, heb orfod archwilio meinwe'r ymennydd.

Beth yw'r gwahaniaeth rhwng 'dementia henaint' a chlefyd Alzheimer?

Defnyddiwyd y term 'dementia henaint' yn y gorffennol pan oedd pobl yn datblygu problemau gyda'u cof yn eu henaint. Credid bod colli'r cof yn rhan o broses normal heneiddio. Fodd bynnag, credir erbyn hyn nad yw'r rhan fwyaf o bobl yn datblygu dementia, hyd yn oed pan fyddan nhw'n hen iawn. Mewn gwirionedd, clefyd Alzheimer neu ddementia arall oedd y rhan fwyaf o'r hyn a elwid gynt yn 'ddementia henaint'.

Yr un clefyd yw clefyd Alzheimer beth bynnag fo oedran y claf. Yn y gorffennol, fodd bynnag, roedd gwahaniaethu'n digwydd ar sail oed. Dywedid bod gan bobl hŷn ddementia henaint, a bod gan bobl iau 'ddementia cyn-henaint'. Ni chredir bellach fod y termau hyn yn ddefnyddiol.

PWY FYDD YN CAEL CLEFYD ALZHEIMER?

Mae'n ymddangos fel petai llawer o bobl yn datblygu clefyd Alzheimer erbyn hyn. Pa mor gyffredin yw'r clefyd ac a yw ar gynnydd?

Mae clefyd Alzheimer yn brin iawn mewn pobl iau ond daw'n fwy cyffredin wrth i bobl heneiddio. Mae'n gallu effeithio ar bobl mor ifanc â 30 oed, ond mae hynny'n brin iawn. Hyd at 65 oed, mae clefyd Alzheimer yn datblygu mewn tua 1 ym mhob 1,000. Ymhlith pobl hŷn, mae'r clefyd yn dod yn fwy cyffredin, gan effeithio ar tua 1 ym mhob 100 rhwng 65 a 70 oed, a thua 1 ym mhob 25 rhwng 70 ac 80 oed. Mae'r ffigur hwn yn codi i tua 1 ym mhob 6 o'r rhai sydd dros 80 oed.

Credir bod clefyd Alzheimer ar dros 850,000 o bobl yn y Deyrnas Unedig a mathau eraill o ddementia, ac mae'r nifer hwn yn cynyddu. Mae'r cynnydd hwn yn rhannol oherwydd bod mwy o bobl yn cael diagnosis cynnar a chywir, ond y rheswm pennaf yw fod mwy o bobl yn byw'n hirach ac yn cyrraedd oed lle mae'r risg o ddatblygu clefyd Alzheimer yn uwch o lawer.

A yw clefyd Alzheimer yn rhedeg mewn teuluoedd?

Mae clefyd Alzheimer weithiau'n rhedeg mewn teuluoedd, ond nid yw hyn yn gyffredin iawn. Gwyddom fod modd etifeddu rhai achosion prin o'r afiechyd a bod un genyn yn eu trosglwyddo o'r naill genhedlaeth i'r nesaf; mae'r rhain yn fwy tueddol o ddigwydd ymhlith pobl iau na'r rhan fwyaf o achosion o ddementia. (Am ragor o wybodaeth am ffurf etifeddol clefyd Alzheimer, gweler yr ateb nesaf, a hefyd yr ail ateb yn yr adran 'Achosion clefyd Alzheimer'.) Yn yr achosion prin hyn, mae tebygolrwydd o un mewn dau y bydd aelodau agos o'r teulu (brodyr, chwiorydd a phlant) yn datblygu clefyd Alzheimer.

Nid yw'r mwyafrif helaeth o achosion o glefyd Alzheimer o'r math sy'n cael ei drosglwyddo gan un genyn. Gyda'r math hwn o'r clefyd, nad yw'n cael ei etifeddu, mae'r risg i berthnasau agos ychydig yn uwch nag ydyw i berson o'r un oed sydd heb hanes o glefyd Alzheimer yn y teulu. Er enghraifft, mae gan rywun 70 oed heb hanes o'r clefyd yn y teulu siawns o tua 1 mewn 50 o ddatblygu clefyd Alzheimer pan fydd yn 70 oed. Byddai hyn yn cynyddu i siawns o tua 1 mewn 20 i rywun â pherthynas agos sydd â chlefyd Alzheimer.

Sut fyddwn i'n gwybod a yw'r ffurf etifeddol ar glefyd Alzheimer yn fy nheulu? A pha mor debygol fyddai hyn o olygu fy mod i'n cael y clefyd?

Mae'r math o glefyd Alzheimer y gwyddom yn bendant fod genynnau yn ei drosglwyddo o'r naill genhedlaeth i'r nesaf yn hynod o brin. Mae'n annhebygol iawn fod gan eich teulu'r math hwn oni bai fod perthnasau agos wedi datblygu'r clefyd cyn iddyn nhw gyrraedd 60 oed. Nodweddion y math etifeddol hwn o glefyd Alzheimer yw ei fod yn datblygu ar oedran iau nag arfer, fel rheol rhwng 35 a 60 oed, a'i fod yn tueddu i ddatblygu tua'r un oedran o fewn y teulu.

Os oes gan eich teulu'r math etifeddol hwn o glefyd Alzheimer, ni fyddwch mewn perygl oni bai fod eich mam neu eich tad wedi'i ddatblygu. Os yw hynny wedi digwydd, mae gennych siawns o un mewn dau o ddatblygu'r clefyd. Mewn amgylchiadau o'r fath, gellid gofyn am brawf geneteg (gweler yr adran 'Profion Geneteg' ym Mhennod 3) i gadarnhau a yw genyn y clefyd hwn gennych ai peidio.

ACHOSION CLEFYD ALZHEIMER

Faint ydym ni'n ei wybod am achosion posibl clefyd Alzheimer?

Dyma faes ymchwil pwysig, ond ar hyn o bryd, mae llawer o waith i'w wneud o hyd i ddarganfod pam mae pobl yn datblygu clefyd Alzheimer.

Rydym yn gwybod bod clefyd Alzheimer yn dod yn fwy cyffredin wrth i bobl heneiddio, ond nid ydym yn gwybod pa ffactorau sy'n ysgogi'r newidiadau nodweddiadol sy'n digwydd ym meinwe ymennydd pobl sy'n cael y clefyd hwn. Fodd bynnag, rydym yn gwybod nad yw'r newidiadau hyn yn yr ymennydd yn rhan o broses normal heneiddio – mewn rhai achosion, mae'r newidiadau'n digwydd pan fydd rhywun yn gymharol ifanc.

Credir bod genynnau'n chwarae rhan yn natblygiad y rhan fwyaf o achosion o glefyd Alzheimer. Mewn achosion prin iawn, mae genynnau annormal yn gyfrifol am achosi'r clefyd (gweler yr ateb blaenorol). Yn fwy cyffredin o lawer, credir mai dim ond at dueddiad person o gael y clefyd y mae genynnau'n cyfrannu.

Yn sicr, nid yw clefyd Alzheimer yn heintus. Er bod y clefyd weithiau'n dod i'r amlwg i ddechrau ar ôl cyfnod o straen neu ofid, ni chredir bod yr emosiynau hyn yn gallu achosi i'r clefyd ddatblygu. Honnir weithiau fod diffygion mewn deiet neu hormonau o bosibl yn cyfrannu at ddatblygiad clefyd Alzheimer. Nid yw'r rhan fwyaf o feddygon yn derbyn yr honiadau hyn nac ychwaith yr honiadau fod alwminiwm yn y deiet yn achos posibl (trafodir hyn yn ddiweddarach yn yr adran hon).

Dangoswyd bod cysylltiad rhwng rhai pethau a risg uwch o ddatblygu clefyd Alzheimer. Mae'r rhain yn cynnwys pwysedd gwaed uchel, gormod o golesterol yn y gwaed, diabetes a bod yn ordrwm iawn. Mae'n bosibl y gall anaf i'r pen yn gynharach mewn bywyd gynyddu'r siawns o ddatblygu clefyd Alzheimer yn ddiweddarach. Mae tystiolaeth hefyd fod gan ferched siawns uwch o ddatblygu clefyd Alzheimer. Nid yw'r ffaith fod merched yn byw yn hirach yn esbonio hyn yn llwyr, ond mae'n bosibl fod rhywbeth fel mynd drwy ddiwedd y mislif yn golygu bod mwy o risg i ferched.

Sut mae genynnau'n achosi clefyd Alzheimer?

Mae ymchwil yn awgrymu y gall y genynnau sy'n gysylltiedig â datblygiad clefyd Alzheimer gael effaith ar gemegion a elwir yn niwrodrosglwyddyddion, sy'n trosglwyddo negeseuon rhwng nerfgelloedd. Gwyddom fod gan bobl sydd â chlefyd Alzheimer lefelau isel o un math o niwrodrosglwyddydd, o'r enw asetylcolin.

Yn ddiweddar, mae ymchwil wedi canolbwyntio ar enyn sy'n gwneud protein o'r enw apolipoprotein E (ApoE). Mae gan bawb ddau o'r genynnau ApoE hyn, sy'n helpu i reoli colesterol yn y gwaed. Mae tri math o ApoE – e2, e3 ac e4. Mae pawb yn etifeddu genyn ApoE gan ei dad a'i fam. Mae'n debyg bod pobl sydd â dau enyn ApoE-e4 (un gan bob rhiant) mewn mwy o berygl o ddatblygu clefyd Alzheimer.

Mae ymchwil hefyd wedi datgelu bod annormaleddau ar dri genyn arall – PS1 (presenilin math 1), PS2 (presenilin math 2) ac

APP (protein rhagsylweddyn amyloid (*amyloid precursor protein*)) – yn achosi math etifeddol prin o'r clefyd, ond hyd yma, nid yw'n glir sut maen nhw'n gwneud hyn.

Pam mae pobl sydd â syndrom Down yn datblygu clefyd Alzheimer?

Mae gan bobl sydd â syndrom Down gromosom ychwanegol bron bob amser o'u cymharu â phobl heb syndrom Down. Caiff ein genynnau eu storio mewn cromosomau. Mae gan y rhan fwyaf o bobl 23 pâr o gromosomau ond yn achos pobl sydd â syndrom Down, mae ganddyn nhw gromosom ychwanegol – rhif '21' – sy'n golygu bod ganddyn nhw dri o'r cromosomau hyn. Mae un genyn ar gromosom 21 yn creu protein rhagsylweddyn amyloid (APP), sydd yn ei dro'n creu sylwedd o'r enw amyloid. Mae'n debyg bod y genyn ychwanegol yn golygu bod gormod o amyloid yn cael ei gynhyrchu a gwyddom fod gan bobl sydd â chlefyd Alzheimer lawer iawn o amyloid yn eu hymennydd. Felly, credir y bydd dros 50 y cant o bobl sydd â syndrom Down dros 40 oed yn datblygu clefyd Alzheimer.

A yw alwminiwm yn achosi clefyd Alzheimer? A yw'n ddiogel defnyddio sosbenni alwminiwm?

Mae nifer o ganfyddiadau ymchwil wedi awgrymu cysylltiad posibl rhwng alwminiwm a chlefyd Alzheimer. Mae'r canfyddiadau hyn yn cynnwys:

- presenoldeb dyddodion alwminiwm mewn clymau a phlaciau (cyfeiriwyd at hyn eisoes yn yr adran 'Diffinio clefyd Alzheimer') yn ymennydd pobl sydd â chlefyd Alzheimer;

- cyfraddau uwch o ddementia mewn pobl y mae eu harennau wedi diffygio, ac sydd â lefelau uwch o alwminiwm yn eu cyrff.

Fodd bynnag, dangosodd astudiaeth fawr ar ymennydd pobl a fu farw o glefyd Alzheimer fod lefel yr alwminiwm ynddyn nhw yn normal.

Mae rhai astudiaethau wedi awgrymu y gallai pobl sy'n byw mewn ardaloedd lle mae crynodiadau uchel o alwminiwm yn y cyflenwad dŵr fod yn fwy tebygol o ddatblygu clefyd Alzheimer. Fodd bynnag, nid yw'r dystiolaeth yn bendant. Nid oes tystiolaeth i ddangos bod modd cyplysu dod i gysylltiad ag alwminiwm o ffynonellau eraill, er engraifft, drwy yfed te, defnyddio gwrthchwyswyr (*antiperspirants*) a chymryd antasidau, â datblygiad clefyd Alzheimer.

Gan mai gwan ac amgylchiadol yw'r dystiolaeth sy'n cysylltu alwminiwm â datblygiad clefyd Alzheimer, ychydig iawn o gyfiawnhad sydd dros beidio â defnyddio offer coginio alwminiwm.

A allai mercwri sy'n cael ei ddefnyddio i lenwi dannedd achosi clefyd Alzheimer?

Ni chredir bod hyn yn debygol. Rydym yn gwybod bod mercwri yn wenwynig i'r brif system nerfol, ond nid yw hyn yn profi unrhyw gysylltiad â chlefyd Alzheimer. Nid oes tystiolaeth gadarn sy'n dangos bod y mercwri mewn llenwad dannedd yn achosi niwed i'r ymennydd.

Sut alla i osgoi cael clefyd Alzheimer? A fyddai ysgogi fy ymennydd yn helpu?

Yr ateb syml yw nad oes neb yn gwybod yn iawn. Mae peth ymchwil diweddar wedi dangos ei bod hi'n bosibl fod pobl sy'n fwy deallus nag eraill yn llai tebygol o ddatblygu dementia, a chlefyd Alzheimer yn benodol, wrth iddyn nhw heneiddio. Fodd bynnag, nid yw'r rhesymau am hyn yn glir. Un esboniad posibl yw po fwyaf y byddwn yn defnyddio ein hymennydd, gorau oll fydd gallu ein hymennydd i ymdopi ag effeithiau dementia. Felly, mae'n debyg bod parhau i ysgogi a defnyddio eich ymennydd yn syniad da.

Credir yn gynyddol yn y posibilrwydd fod cysylltiad rhwng clefyd Alzheimer a chlefyd fasgwlar (trafodwyd hyn yn yr adran 'Mathau o ddementia' ym Mhennod 1), pwysedd gwaed uchel a bod yn ordrwm, felly efallai y bydd ffordd iach o fyw gan fwyta'n dda a gwneud ymarfer corff yn rheolaidd, a pheidio ag ysmygu, yn helpu. Mae rhai ymchwilwyr wedi awgrymu y gall yfed ychydig o alcohol (er enghraifft, un gwydraid o win coch) bob dydd leihau'r siawns o ddatblygu clefyd Alzheimer.

Mae gwyddonwyr ar hyn o bryd yn ymchwilio i weld a all sylweddau eraill fel fitamin E, oestrogen a chemegion eraill rwystro dementia, ond unwaith eto, nid oes tystiolaeth bendant i gefnogi hyn.

SYMPTOMAU AC ARWYDDION

Rwy'n poeni'n arw. Roedd clefyd Alzheimer ar fy ngŵr a nawr rwy'n dechrau anghofio pethau hefyd. Ydw i'n datblygu dementia?

Dyma bryder cyffredin iawn. Wrth i bobl heneiddio, maen nhw'n gweld nad yw eu cof cystal ag y bu ac mae llawer o bobl yn poeni eu bod yn datblygu dementia, yn enwedig os yw aelod o'r teulu wedi cael y salwch. Nid yw hyn o reidrwydd yn wir. Er enghraifft, wrth i bobl heneiddio, maen nhw'n cael mwy o drafferth cofio enwau pobl neu beth maen nhw'n mynd i'w brynu yn y siop. Efallai y byddan nhw hefyd yn anghofio apwyntiadau. Os ydych yn gwneud hyn, nid yw'n golygu bod clefyd Alzheimer arnoch.

Mae rhywun sydd ag anghofrwydd cyffredin yn dal i allu cofio manylion sy'n gysylltiedig â'r hyn y mae wedi'i anghofio. Er enghraifft, efallai y byddwch yn anghofio enw eich cymydog am gyfnod byr, ond byddwch yn dal i wybod mai eich cymydog yw'r un rydych yn siarad ag ef. Mae pobl sydd â dementia yn aml yn anghofio'r holl gyd-destun yn ogystal â'r manylion. Fel rheol, bydd gan bobl sydd â dementia broblemau eraill hefyd, fel newid yn eu hymddygiad neu eu personoliaeth, ac efallai y byddan nhw'n colli'r gallu i wneud tasgau pob dydd neu'n cael problemau â'u lleferydd.

Mae rhesymau eraill posibl sy'n esbonio pam nad yw eich cof cystal ag y bu. Er enghraifft, efallai eich bod yn magu iselder neu'n dioddef o straen. Felly, os ydych yn poeni am eich cof, efallai y byddai'n syniad da i chi fynd i weld eich meddyg neu gael archwiliad.

Pa arwyddion amlwg sy'n awgrymu bod clefyd Alzheimer yn dechrau? Beth ddylwn i fod yn chwilio amdano?

Un o'r newidiadau sy'n aml yn ymddangos pan fydd rhywun yng nghyfnod cynnar clefyd Alzheimer yw fod y person yn ymddangos yn wahanol i'r arfer, ond mewn ffyrdd sy'n anodd eu nodi'n bendant.

Efallai y bydd y person yn ymddangos yn llai galluog ac yn bell oddi wrth bawb. Mae'n bosibl y byddwch yn sylwi ei fod yn dangos llai o ddiddordeb yn ei hobïau a'i ddiddordebau. Efallai na fydd yn gallu canolbwyntio cystal, na gwneud penderfyniadau, gan ymddangos fel petai'n osgoi cymryd cyfrifoldeb.

Gallai ymddwyn yn od, fel paratoi i fynd i'r gwaith ac yntau wedi ymddeol ers sawl blwyddyn. Mae'n bosibl hefyd y bydd hwyliau'r person yn newid yn annisgwyl, ac y bydd yn bigog ac yn ddrwgdybus. Gall hyn ddigwydd oherwydd ei fod yn gwybod bod rhywbeth o'i le, ond nad yw'n gwybod beth yw'r union broblem. Mae mân broblemau gyda'r cof yn gyffredin yn y cyfnod cynnar, fel anghofio apwyntiadau neu gael trafferth dilyn sgwrs; ond mae'r rhain hefyd yn gyffredin mewn pobl nad ydyn nhw'n datblygu dementia.

Mae'r holl newidiadau hyn yn digwydd yn raddol iawn gyda chlefyd Alzheimer ac mae'n eithaf anodd i rywun sylwi arnyn nhw yn y cyfnod cynnar. Yn amlach na pheidio, bydd rhywun yn gweld y newidiadau wrth edrych yn ôl ac yn ceisio deall beth oedd arwyddion cyntaf y clefyd.

A yw clefyd Alzheimer yn amrywio o'r naill i'r llall?

Mae clefyd Alzheimer yn effeithio'n wahanol ar bobl. Er bod y clefyd yn tueddu i ddilyn yr un patrwm cyffredinol – dirywiad graddol mewn galluoedd meddyliol dros nifer o flynyddoedd – mae natur y person yn y lle cyntaf yn effeithio ar y canlyniadau.

Mae personoliaeth, cyflwr corfforol a sefyllfa gymdeithasol yn gallu bod yn bwysig. Bydd hi'n mynd yn anoddach byw gyda rhai pobl oherwydd eu bod yn datblygu natur annymunol, tra bydd eraill yn addfwyn ac yn fodlon. Ni fydd gan rai pobl sydd â chlefyd Alzheimer lawer o broblemau iechyd eraill, ond bydd gan eraill anableddau – fel arthritis neu fyddardod – sy'n golygu ei bod hi'n anoddach gofalu amdanyn nhw. Bydd rhai'n weddol gyfforddus eu byd, ond bydd eraill yn wynebu problemau teuluol neu ariannol. Mewn gair, mae pob achos o ddementia yn wahanol ac mae'n rhaid sicrhau bod unrhyw gymorth neu driniaeth yn addas i'r unigolyn a'r rheiny sydd o'i gwmpas.

Sut mae clefyd Alzheimer fel rheol yn ymgynyddu? A yw bob amser yn dilyn yr un trywydd?

Ni fydd clefyd Alzheimer yn dilyn yr un trywydd yn union mewn dau berson. Bydd y clefyd yn datblygu'n gyflymach mewn rhai pobl nag eraill: efallai y bydd rhai'n marw o fewn pum mlynedd, ac eraill yn byw am dros ugain mlynedd ar ôl y diagnosis.

Hefyd, ni fydd neb yn profi'r holl symptomau a'r arwyddion y sonnir amdanyn nhw yn y llyfr hwn. Mae'n bwysig hefyd nodi bod y clefyd fel rheol yn ymgynyddu'n raddol, heb ffitio'n daclus i'r tri chyfnod a amlinellir isod. Er hynny, gall fod yn ddefnyddiol edrych ar symptomau ac arwyddion nodweddiadol clefyd Alzheimer yng nghyd-destun y tri chyfnod – cynnar, canol a diweddar. Bydd y cyfnodau hyn yn disgrifio'n fras sut mae'r clefyd yn debygol o ymgynyddu. Efallai y bydd hynny'n helpu gofalwyr i fod yn ymwybodol o'r problemau posibl ac i gynllunio ar gyfer anghenion gofal yn y dyfodol.

Symptomau'r cyfnod cynnar

Mae cyfnod cynnar clefyd Alzheimer yn aml yn cael ei anwybyddu wrth i weithwyr proffesiynol, perthnasau a chyfeillion ei labelu fel 'henaint' neu ran normal o'r broses heneiddio. Mae'n anodd nodi'n union pryd mae'r clefyd yn dechrau gan fod y broses yn tueddu i fod yn un raddol. Efallai y bydd y canlynol yn amlwg:

- problemau gydag iaith;
- anhawster gyda'r cof – yn enwedig cofio pethau newydd neu bethau sydd newydd ddigwydd;
- teimlo'n ddryslyd ac yn cael problemau gydag amser;
- mynd ar goll mewn mannau cyfarwydd;

- cael anhawster wrth geisio penderfynu;
- diffyg menter a chymhelliant;
- arwyddion o iselder ac ymddygiad ymosodol;
- diffyg diddordeb mewn hobïau a gweithgareddau.

Symptomau'r cyfnod canol

Wrth i'r clefyd ddatblygu, daw'r problemau'n fwy amlwg a byddan nhw'n cyfyngu mwy ar yr unigolyn. Bydd y sawl sydd â chlefyd Alzheimer yn cael anhawster gyda gweithgareddau beunyddiol. Dyma rai o'r anawsterau posibl:

- mynd yn anghofus iawn – yn enwedig gyda digwyddiadau diweddar ac enwau pobl;
- methu byw ar ei ben ei hun heb gymorth;
- methu coginio, glanhau na siopa;
- angen cymorth gyda hylendid personol, gan gynnwys defnyddio'r toiled, cael bath/cawod ac ymolchi;
- dechrau gwlychu a baeddu;
- anhawster siarad;
- crwydro ac weithiau mynd ar goll;
- anawsterau amrywiol fel pyliau ymosodol neu ddilyn ei ofalwr o amgylch y tŷ drwy'r amser;
- profi rhithiau (yn gweld neu'n clywed pethau nad ydyn nhw yna go iawn);
- mynd yn ddrwgdybus a pharanoiaidd;
- iselder ysbryd.

Symptomau'r cyfnod diweddar

Yn y cyfnod hwn bydd y person yn mynd yn fwyfwy dibynnol ar eraill ac yn gallu gwneud llai a llai ei hun. Mae problemau'r cof yn fwy dwys, ond yn aml nid yw hyn mor amlwg ag o'r blaen wrth i bobl golli mwy o'u gallu i gyfathrebu. Mae ochr gorfforol y clefyd yn dod yn fwy amlwg. Mae'r canlynol yn debygol:

- problemau bwyta;

- methu adnabod perthnasau, ffrindiau a gwrthrychau cyfarwydd;

- anhawster deall a dehongli digwyddiadau;

- methu dod o hyd i'w ffordd o gwmpas y tŷ;

- anhawster cerdded;

- gwlychu a baeddu'i hun;

- bod yn gaeth i gadair olwyn neu wely yn y pen draw.

Mae dementia ar fy ngwraig. Pam mae hi'n gallu cofio pethau ddigwyddodd flynyddoedd yn ôl ond yn methu cofio beth ddigwyddodd hanner awr yn ôl?

Mae sawl proses ar waith wrth i'n cof ddatblygu. Yn gyntaf, mae'r ymennydd yn canfod profiad penodol (hynny yw, mae'n ei adnabod). Mae'r ymennydd wedyn yn rhoi'r profiad hwnnw mewn storfa cof tymor byr ac yn ei gadw am gyfnod byr. Os yw'r profiad yn digwydd eto neu'n debygol o fod yn bwysig, mae'n mynd i storfa'r cof tymor hir. Yn olaf, os oes eisiau cofio'r profiad, mae'n rhaid ei adalw o storfa'r cof.

Mae pobl sydd â dementia yn colli'r gallu yn raddol i roi gwybodaeth newydd yn storfa'u cof. Maen nhw hefyd yn cael anhawster i adalw atgofion sydd eisoes wedi'u storio. Cof am bethau diweddar sy'n dioddef gyntaf a dyna pam mae pobl sydd â dementia yn tueddu i allu cofio pethau ddigwyddodd amser maith yn ôl yn well. Weithiau, pan fydd llawer o emosiwn yn gysylltiedig â chof diweddar (fel profedigaeth), efallai y bydd eich gwraig yn dal i gofio hynny er ei bod yn anghofio llawer o bethau eraill diweddar.

Nid yw fy ngwraig yn fy adnabod i erbyn hyn. Pam?

Mae hwn yn gallu bod yn brofiad poenus iawn sy'n digwydd yn aml iawn yn ystod cyfnod diweddar clefyd Alzheimer. Er bod eich gwraig yn gallu gweld eich wyneb, mae'n debygol nad yw'n gallu cysylltu hyn â'i hatgofion amdanoch ac felly nid yw'n eich adnabod.

RHAGOLYGON

Yn ddiweddar, dywedodd fy meddyg wrthyf fod clefyd Alzheimer ar fy ngwraig. A yw'r clefyd yn sicr o waethygu?

Bydd angen i chi baratoi ar gyfer dirywiad graddol yng nghyflwr eich gwraig dros y blynyddoedd. Efallai na fydd gwahaniaeth amlwg rhwng y naill fis a'r nesaf, ond bydd gwahaniaethau'n amlwg rhwng un flwyddyn a'r flwyddyn ganlynol. Yn gyffredinol, mae'r rhan fwyaf o bobl sydd â chlefyd Alzheimer yn mynd yn anghofus ac yn anabl iawn cyn pen pum mlynedd i ddeg ar ôl cael y diagnosis.

Un ffordd o helpu eich gwraig i fyw cystal ag sy'n bosibl wrth i'r clefyd ddatblygu yw sicrhau ei bod yn cael triniaeth brydlon am unrhyw broblemau meddygol eraill, fel iselder (trafodir hyn yn yr adran 'Trin Symptomau' ym Mhennod 12) neu haint. Efallai y bydd cyffuriau dementia (gweler yr adran 'Triniaethau cyffuriau' ym Mhennod 12) yn arafu datblygiad y symptomau dros dro.

Mae'n ddefnyddiol i berthnasau a gofalwyr wybod sut fydd y clefyd yn debygol o ddatblygu er mwyn iddyn nhw fod yn ymwybodol o'r hyn sy'n mynd i ddigwydd, a'u bod yn gallu paratoi eu hunain a gwneud cynlluniau ar gyfer y dyfodol. Bydd angen i chi ystyried y posibilrwydd o ofal dydd, gofal seibiant (trafodir hyn ym Mhennod 9), yn ogystal â gofal preswyl, o bosibl, yn y pen draw (gweler Pennod 10). Mae cyngor neu gymorth ar gael gan sawl un, gan gynnwys eich meddyg, timau cof arbenigol neu eich cangen leol o'r Alzheimer's Society. Am ragor o wybodaeth am y ffynonellau cymorth hyn, gweler adran 'Cyfeiriadau defnyddiol' y llyfr hwn.

3 | Cael diagnosis

Mae clefyd Alzheimer a mathau eraill o ddementia fel rheol yn datblygu'n araf ac efallai y bydd pobl wedi cael symptomau am beth amser cyn meddwl am gael diagnosis. Mae cael diagnosis yn bwysig. Os caiff rhywun ddiagnosis o glefyd Alzheimer neu ddementia arall, bydd yntau a'i ofalwyr mewn gwell sefyllfa i gynllunio ar gyfer y dyfodol ac yn barod ar gyfer yr hyn fydd yn digwydd. Efallai hefyd y bydd modd manteisio ar rai o'r triniaethau amrywiol sydd ar gael.

Er nad oes prawf penodol ar gyfer clefyd Alzheimer, mae profion ac archwiliadau amrywiol yn gallu helpu i gadarnhau a yw'r clefyd ar rywun ai peidio. Mae'r bennod hon yn esbonio rhai o'r ffyrdd a ddefnyddir gan feddygon i geisio rhoi diagnosis o ddementia a phenderfynu a yw'r dementia yn deillio o glefyd Alzheimer neu a oes achos arall. Mae'r bennod hon hefyd yn esbonio rhai o'r profion a'r archwiliadau y gellid eu defnyddio.

YR ANGEN AM DDIAGNOSIS

Pam mae diagnosis mor bwysig?

Mae angen diagnosis meddygol priodol pan fydd rhywun yn datblygu symptomau tebyg i ddementia nad ydyn nhw fel petaen nhw'n gwella. Mae diagnosis yn bwysig oherwydd:

- gall ddiystyru'r posibilrwydd mai rhywbeth arall sy'n achosi'r symptomau, rhywbeth y gellid ei drin yn haws, fel iselder neu broblem hormonaidd;

- mae'n esbonio i'r person, ei deulu a'i gyfeillion pam mae rhywun yn cael problemau gyda'r cof neu'n ymddwyn yn wahanol;

- mae'n galluogi'r person sydd â dementia, aelodau'r teulu a chyfeillion i wneud cynlluniau i'r dyfodol;

- mae'n golygu bod modd rhoi cymorth a chefnogaeth i'r sawl sydd â dementia, ei deulu a'i gyfeillion, gan gynnwys rhywfaint o gymorth ariannol (gweler yr adran 'Budd-daliadau'r wladwriaeth ym Mhennod 11);

- mae triniaethau ar gael sy'n gallu helpu rhai o'r symptomau, a gorau po gyntaf y dechreuir y triniaethau hyn.

Dydw i ddim yn siŵr, ond rwy'n meddwl efallai fod fy ngwraig yn datblygu clefyd Alzheimer. Rydw i wedi clywed nad oes modd gwella o'r clefyd, felly a oes raid cysylltu â'r meddyg?

Mae'n wir nad yw'n bosibl gwella o glefyd Alzheimer na'r rhan fwyaf o'r mathau eraill o ddementia ar hyn o bryd. Fodd bynnag, mae'n bwysig eich bod yn cysylltu â meddyg cyn gynted â phosibl os ydych yn amau bod eich gwraig yn datblygu clefyd Alzheimer. Mae sawl rheswm pwysig dros hyn.

Yn gyntaf, efallai fod gan eich gwraig gyflwr sy'n ymddangos fel clefyd Alzheimer, ond sy'n gyflwr y gellir ei drin. Rhai enghreifftiau yw iselder, chwarren thyroid danweithgar (a elwir yn isthyroidedd), neu glefyd Parkinson (trafodir y rhain mewn rhannau eraill o'r llyfr).

Gall heintiau neu rwymedd hefyd achosi dryswch dros dro, yn ogystal â chyffuriau cryf i leddfu poen, triniaeth ar gyfer pwysedd gwaed uchel (gorbwysedd) neu dawelyddion. Bydd angen i'ch gwraig gael archwiliad manwl a rhai profion gwaed cyn rhoi diagnosis o ddementia.

Yr ail reswm pwysig dros gael diagnosis yw y bydd hyn yn eich helpu chi a'ch gwraig i gynllunio ar gyfer y dyfodol. Er enghraifft, os gwelir bod clefyd Alzheimer ar eich gwraig, dylech ystyried trefnu Atwrneiaeth – Atwrneiaeth Arhosol yn ôl Deddf Galluedd Meddyliol 2005 (trafodir hyn ym Mhennod 11) – tra bydd hi'n gallu gwneud hyn. Bydd yn gyfle hefyd i chi ymchwilio i'r gwahanol fathau o help allai fod ar gael (gweler Pennod 9). Efallai y bydd hefyd angen ystyried a yw'n briodol i'ch gwraig barhau i yrru os yw'n gwneud hynny (gweler yr adran 'Gyrru' ym Mhennod 6).

Yn drydydd, efallai y bydd cymorth a chefnogaeth, gan gynnwys triniaeth â chyffuriau, ar gael i'ch gwraig.

Yn olaf, mae cael diagnosis yn aml yn gallu arwain at *leihau'r* straen y mae pobl yn ei dioddef. Gall peidio â gwybod beth sydd o'i le achosi llawer o orbryder, felly mae gwybod a oes dementia ar rywun ai peidio yn gallu helpu pobl i fwrw ymlaen â'u bywydau.

A oes unrhyw ddiben gwybod beth yw'r gwahaniaeth rhwng clefyd Alzheimer a dementia fasgwlar?

Gall fod yn anodd penderfynu a oes ar unigolyn glefyd Alzheimer, dementia fasgwlar (trafodir hyn ym Mhennod 1), cymysgedd o'r ddau neu ryw fath arall o ddementia. Hefyd mae rhai meddygon yn credu erbyn hyn fod y ddau gyflwr yn gorgyffwrdd i ryw raddau. Er hynny, mae'n werth ceisio gwybod y gwahaniaeth oherwydd gallai hynny helpu i bennu'r gofal gorau posibl i'r unigolyn.

Clefyd Alzheimer a dementia fasgwlar gyda'i gilydd yw prif achosion dementia. Os oes gan rywun hanes o bwysedd gwaed uchel neu strôc, neu os yw sgan ar yr ymennydd yn dangos tystiolaeth o strociau yn yr ymennydd, mae'n fwy tebygol mai dementia fasgwlar sydd arno neu arni. Nodwedd arall o'r math hwn o ddementia yw fod y person yn sydyn yn datblygu symptomau newydd neu rai gwaeth o bryd i'w gilydd, yn hytrach na'r dirywiad cyson sy'n nodweddiadol o glefyd Alzheimer. Fodd bynnag, mae gwahaniaethu rhwng y ddau fath yn aml yn anodd gan nad ydyn nhw bob amser yn ymgynyddu yn y modd 'disgwyliedig'.

Os oes dementia fasgwlar ar rywun, efallai y bydd y meddyg yn rhagnodi asbrin neu gyffuriau eraill i deneuo'r gwaed a cheisio atal rhagor o strociau. Bydd y meddyg hefyd yn gwirio rhythm y galon oherwydd mae curiad calon afreolaidd weithiau'n gallu cynyddu'r risg o strôc. Os oes clefyd Alzheimer ar rywun, mae un o'r cyffuriau gwrth-ddementia yn aml yn gallu helpu (gweler yr adran 'Triniaethau cyffuriau' ym Mhennod 12).

Mae clefyd Alzheimer ar fy ngwraig. Mae hi wedi mynd i'w chragen ac mae'n mynd yn fwy anghofus o hyd. Ai'r clefyd sy'n achosi hyn, neu tybed a yw hi'n dioddef o iselder hefyd? A fyddai'r meddyg yn gallu ei helpu hi?

Pan fydd clefyd Alzheimer neu fath arall o ddementia ar rywun, gall fod yn anodd iawn penderfynu a yw hefyd yn dioddef o iselder. Os ydych yn poeni y gallai eich gwraig fod yn dioddef o iselder, dywedwch wrth ei meddyg.

Mae iselder mewn rhywun â dementia yn gallu digwydd yn annibynnol ar y dementia, neu gall fod yn ganlyniad i'r dementia ei hun. Mae'n ddealladwy fod pobl â dementia yn gallu bod yn oriog, yn orbryderus, yn ofnus ac yn ddryslyd, yn enwedig yng nghyfnod cynnar y salwch pan fyddan nhw'n dal i fod yn ymwybodol o'u symptomau. Gall rhywun yn sefyllfa eich gwraig hefyd fod yn sensitif i hwyliau pobl o'i amgylch. Os yw pobl â dementia yn mynd yn isel eu hysbryd, yn aml ni fyddan nhw'n gallu mynegi'r teimladau hynny mewn geiriau. Fodd bynnag, efallai y byddan nhw'n mynd i'w cragen, gan ymddangos yn fwy dryslyd ac anghofus. Efallai na fydd awydd bwyta arnyn nhw ac y byddan nhw'n colli pwysau. Rhywbeth arall sy'n gallu eich helpu i weld a yw eich gwraig yn isel ei hysbryd yw edrych ar ba ran o'r dydd sydd orau iddi – mae pobl â dementia yn tueddu i fod yn fwy sionc yn y bore, tra mae pobl ag iselder yn aml yn gwella wrth i'r diwrnod fynd yn ei flaen.

Yn sicr, mae'n bwysig gwybod a oes iselder ar rywun sydd â dementia, oherwydd gall trin yr iselder (gweler 'Trin symptomau' ym Mhennod 12) ei helpu i deimlo'n well a chyfrannu'n sylweddol at ei helpu i ddefnyddio'i alluoedd i'r eithaf. Gan fod llawer o symptomau iselder a dementia'r un fath, mae'n anodd rhoi diagnosis pendant o iselder. Felly, os yw meddyg eich gwraig yn amau bod iselder arni yn ogystal â dementia, efallai y bydd yn rhoi cyffuriau gwrthiselder iddi i weld a fydd hi'n gwella rhywfaint. Mae peth tystiolaeth nad yw cyffuriau gwrthiselder bob amser yn helpu mewn achosion o ddementia, ond ni ddylai hyn eich rhwystro rhag gofyn am gyngor a thriniaethau posibl. Mewn rhai achosion, yn enwedig yng nghyfnodau cynnar dementia, efallai y bydd dulliau seicolegol o drin iselder hefyd yn briodol.

CEISIO DIAGNOSIS

Yn ddiweddar, mae'n amlwg fod fy ngŵr yn colli ei gof ac mae hyn yn fy ngofidio'n fawr, ond nid yw'n fodlon mynd i weld meddyg. Pa gyngor allwch chi ei roi i fi?

Yn aml, bydd pobl sydd â phroblemau gyda'r cof yn amharod i chwilio am gyngor meddygol. Efallai nad oes gan eich gŵr unrhyw syniad fod rhywbeth o'i le, neu efallai ei fod yn ofni bod ganddo broblem a'i fod yn gobeithio y bydd yn 'diflannu'.

Os yw'r anawsterau wedi codi'n eithaf sydyn – o fewn wythnosau yn hytrach na misoedd – mae angen gofyn am gyngor meddygol ar frys. Os yw'r cof wedi dirywio'n raddol, nid oes cymaint o frys. Os yw'n bosibl, gofynnwch am help gan ei feddyg teulu. Mae'n siŵr y bydd wedi gweld sefyllfaoedd tebyg o'r blaen ac felly'n gallu awgrymu sut i oresgyn amharodrwydd i weld meddyg. Un posibilrwydd yw awgrymu i'ch gŵr y byddai'n fuddiol i chi eich dau fynd i gael archwiliad iechyd cyffredinol yn eich meddygfa.

Os nad yw eich meddyg teulu'n gallu helpu, gallech siarad â'ch Gwasanaethau Cymdeithasol lleol neu ag Alzheimer's Society Cymru (manylion cyswllt yn Atodiad 1) ynghylch y posibilrwydd o gysylltu'n uniongyrchol â'r gwasanaeth seiciatrig sy'n delio â phroblemau'r cof yn eich ardal. Mae rhai meddygon mewn ysbytai'n delio'n benodol â phobl hŷn (geriatregwyr) neu glefydau'r system nerfol (niwrolegwyr), ac yn gallu rhoi diagnosis o broblemau â'r cof ac awgrymu sut i'w trin.

Peidiwch â rhoi'r gorau i geisio perswadio eich gŵr i weld meddyg – mae amynedd a dyfalbarhad fel rheol yn gweithio yn y diwedd. Efallai y bydd hwyliau eich gŵr a'i barodrwydd i dderbyn cymorth yn amrywio o ddydd i ddydd. Efallai'n wir y bydd yn cytuno yn y pen draw er mwyn tawelu eich meddwl.

Pan fyddwch yn llwyddo i drefnu bod eich gŵr yn gweld meddyg, cofiwch baratoi ymlaen llaw. Mae llunio rhestr ysgrifenedig o'r problemau ac unrhyw gwestiynau yr hoffech gael ateb iddyn nhw yn syniad da. Os ydych yn bresennol yng nghyfweliad eich gŵr, gwnewch eich gorau i beidio ag ymyrryd a gadewch iddo ef ateb. Mae'n bwysig fod y meddyg yn cael cyfle i lunio asesiad annibynnol o gyflwr eich gŵr. Fodd bynnag, gwnewch yn siŵr hefyd eich bod yn cael cyfle i siarad â'r meddyg heb i ddim byd dorri ar eich traws.

Mae fy mam yn cael profion am ddementia ond mae'n gwadu bod unrhyw beth o'i le arni. A ddylem ni ei sicrhau nad oes unrhyw beth o'i le fel nad yw'n gorbryderu? Ei hoff ddywediad ar hyn o bryd yw, 'Rwy'n gwybod 'dydw i ddim yn dechrau drysu, nac ydw i?'

Efallai y dylech ddweud wrth eich mam fod pawb yn mynd ychydig yn fwy anghofus wrth iddyn nhw fynd yn hŷn a'i bod yn bwysig gwybod a allech chi wneud unrhyw beth i helpu i wella pethau. Gydag amser, efallai na fydd yn derbyn bod unrhyw beth o'i le, ond mi fydd hi'n barod i dderbyn rhagor o gymorth.

Rwy'n sicr fod fy ngŵr yn dechrau datblygu clefyd Alzheimer. Ond bob tro y byddaf yn mynd ag ef i weld ein meddyg teulu, mae'n esgus ei fod yn iawn ac yn argyhoeddi'r meddyg nad oes dim o'i le. Beth alla i ei wneud?

Os ydych yn poeni'n arw, dylech geisio rhagor o gyngor. Mae cael diagnosis o glefyd Alzheimer neu fathau eraill o ddementia yn y cyfnod cynnar yn gallu bod yn anodd weithiau.

Mae'n bosibl eich bod yn iawn a bod dementia cynnar ar eich gŵr. Fodd bynnag, mae llawer o bobl yn mynd yn fwy anghofus wrth iddyn nhw heneiddio. Nid yw hynny o reidrwydd yn golygu bod dementia arnyn nhw ac yn aml ni fydd y cof yn pylu rhyw lawer.

Cyn mynd i weld eich meddyg eto, byddai'n syniad da cadw dyddiadur o symptomau eich gŵr. Mae bron pawb yn anghofio dweud pethau pwysig pan fyddan nhw'n eistedd o flaen y meddyg, felly mae gwneud nodiadau ysgrifenedig, naill ai i'w darllen eich hun neu i'w dangos i'r meddyg, yn gallu bod yn ddefnyddiol iawn. Ceisiwch ddweud wrth y meddyg eich bod yn poeni bod rhywbeth yn cael ei fethu. Os oes meddygon eraill yn y practis, gallech geisio siarad ag un ohonyn nhw. Gallech hefyd ofyn i'r meddyg teulu atgyfeirio eich gŵr at arbenigwr i gael ail farn. Os yw eich gŵr yn gallu esgus ei fod yn iawn, beth am ofyn i'ch meddyg teulu ymweld ag ef yn eich cartref – mae gweld rhywun yn y cartref yn aml yn rhoi cliwiau ar gyfer y diagnosis.

Help! Rwyf wedi gweld meddyg teulu fy nhad bum gwaith erbyn hyn, gan fod fy nhad yn mynd yn fwy a mwy dryslyd. Mae'r meddyg teulu yn dweud bod dryswch yn rhan normal o heneiddio, ond rwy'n siŵr fod clefyd Alzheimer ar Dad. Rwyf wedi ceisio siarad â rheolwr y practis, ond i ddim diben. Beth alla i ei wneud?

Mae'n hollbwysig fod eich tad yn cael asesiad iawn. Os yw hi'n bosibl, gofynnwch i'r meddyg teulu'n union pam nad yw'n meddwl bod clefyd Alzheimer ar eich tad. Os ydych chi'n teimlo nad yw eich tad yn cael y gofal priodol a bod y berthynas â meddyg teulu eich tad wedi chwalu, efallai y gallech gofrestru eich tad mewn practis arall. Mae gan eich Ymddiriedolaeth Gofal Sylfaenol restr o'r holl feddygon teulu yn eich ardal ac mae'r wybodaeth hefyd ar gael mewn llyfrgelloedd lleol ac ar wefan Galw Iechyd Cymru (gweler Atodiad 1). Dewis arall fyddai cysylltu â'r Gwasanaethau Cymdeithasol i Bobl Hŷn yn ardal eich tad; efallai y byddan nhw'n gallu eich helpu i gysylltu ag arbenigwr. Os ydych yn hynod o anfodlon â'r modd y mae'r meddyg teulu wedi delio â'r sefyllfa, mae'n bosibl i chi gwyno i'r practis. Dylai fod gan bob practis weithdrefn gwyno, felly gofynnwch i'r practis am fanylion.

Mae fy nhad yn 70 oed, ac mae'n amlwg fod ganddo broblem gyda'i gof. Mae'n gadeirydd bwrdd cyfarwyddwyr ac nid yw'n ymwybodol o gwbl fod ganddo broblem. Rwy'n poeni'n arw y bydd yn gwneud ffŵl ohono'i hun. Beth alla i ei wneud?

Mae'r sefyllfa hon yn un anodd iawn. Dyma'r posibiliadau:

- Mae ei broblemau cofio yn rhan o'r dirywiad arferol y bydd pobl yn ei brofi wrth iddyn nhw heneiddio (gweler yr adran 'Symptomau ac arwyddion' ym Mhennod 2 am wybodaeth ynghylch sut mae dementia yn wahanol i anghofrwydd arferol).

- Mae eich tad yng nghyfnod cynnar dementia.

- Mae iselder arno.

- Mae rhyw esboniad corfforol arall am ei gof gwael, fel byddardod neu glefyd Parkinson.

Y cam cyntaf yw ceisio deall pa mor wael yw cof eich tad. Ai mater o gael trafferth i gofio rhai enwau neu apwyntiadau yw'r cyfan, neu a yw'r broblem yn fwy eang? Beth bynnag fo'r sefyllfa, dylech geisio perswadio eich tad i weld ei feddyg a dylech chi, neu rywun arall sy'n agos ato, fynd gydag ef os yw'n bosibl.

Os nad yw eich tad yn cydnabod bod ganddo broblem, efallai y byddwch yn teimlo'r angen i siarad â rhywun yn ei waith. Wrth gwrs, bydd hyn yn haws os ydych chi'n adnabod rhai o'i gyd-weithwyr yn bersonol. Ond cofiwch, mae'n bosibl y bydd eich tad yn cynhyrfu ac yn teimlo cywilydd os yw'n meddwl eich bod yn gweithredu y tu ôl i'w gefn.

Cyn cymryd y cam eithafol yma, a allai olygu bod eich tad yn gorfod gadael y bwrdd cyfarwyddwr, mae'n rhaid i chi ystyried pa mor bwysig yw hyn mewn gwirionedd. Efallai y byddwch yn penderfynu aros nes bod un o'i gyd-weithwyr yn sylwi ar anawsterau eich tad ac yn codi'r mater gyda chi neu feddyg eich tad. Ond os oes gan eich tad gyfrifoldeb eang a bod hynny'n effeithio ar fywydau pobl eraill, efallai y bydd angen i chi achub y blaen a siarad ag un o'i gyd-weithwyr yn eithaf buan. Gallai meddyg teulu eich tad eich helpu yn hyn o beth.

Y BROSES O GAEL DIAGNOSIS

Sut mae cael diagnosis o glefyd Alzheimer fel rheol?

Fel rheol, gwneir diagnosis o glefyd Alzheimer ar sail symptomau a gallu meddyliol person. I gael cymaint o wybodaeth â phosibl, bydd y meddyg yn ymgymryd â phroses a elwir yn 'gasglu hanes'. Fel rhan o'r broses, bydd y meddyg yn siarad â'r claf ac â rhywun arall sy'n adnabod y claf yn dda, fel aelod o'r teulu neu gyfaill. Efallai hefyd y ceir asesiad mwy ffurfiol o gyflwr corfforol a meddyliol claf (am ragor o wybodaeth gweler yr adran 'Gofal yn y gymuned' ym Mhennod 9).

Yn aml iawn, mae'n anodd gwneud diagnosis pendant o glefyd Alzheimer. Mae ffactorau eraill, fel iselder, problem â'r chwarren thyroid, diffyg fitaminau neu glefyd Parkinson, yn gallu achosi symptomau tebyg (trafodir y cyflyrau hyn mewn mannau eraill yn y llyfr hwn). Mae archwiliad corfforol llawn a phrofion amrywiol, gan gynnwys profion gwaed ac efallai sgan ar yr ymennydd (gweler yn ddiweddarach yn y bennod hon), yn gallu helpu meddyg i ddiystyru posibiliadau eraill. Os yw'r profion yn methu dangos unrhyw reswm arall dros symptomau person, bydd y meddyg yn aml yn gwneud diagnosis o glefyd Alzheimer. Weithiau, mae'n rhaid gweld sut mae cyflwr y claf yn datblygu dros gyfnod o sawl mis cyn gwneud diagnosis.

A oes prawf cyflym ar gyfer clefyd Alzheimer? Rwy'n meddwl fy mod wedi darllen am un mewn cylchgrawn.

Nid oes un prawf syml ar gyfer clefyd Alzheimer. Cafwyd rhai adroddiadau yn y wasg am brofion cyflym ar gyfer clefyd Alzheimer, ond nid oes unrhyw brawf dibynadwy yn bodoli ar hyn o bryd. Fodd bynnag, mae mathau gwahanol o brofion ar gael i sefydlu pa mor ddrwg yw problem cof rhywun.

Mae profion amrywiol, gan gynnwys profion gwaed a sganiau ar yr ymennydd (gweler yn ddiweddarach yn y bennod hon) yn gallu helpu meddygon i ddiystyru rhesymau posibl eraill dros symptomau sy'n debyg i rai clefyd Alzheimer. Weithiau, gall sgan ar yr ymennydd awgrymu bod clefyd Alzheimer yn bresennol. Yn yr achosion prin hynny lle caiff clefyd Alzheimer ei drosglwyddo gan enyn sengl, bydd prawf geneteg (gweler yn ddiweddarach) yn helpu i gadarnhau'r diagnosis.

Fel rheol, mae angen archwiliad post-mortem i roi diagnosis pendant o glefyd Alzheimer. Mewn archwiliad o'r fath ceir cyfle i chwilio am y newidiadau nodweddiadol i feinwe'r ymennydd sy'n digwydd mewn pobl sydd â'r clefyd (gweler yr adran 'Diffinio clefyd Alzheimer' ym Mhennod 2 am ragor o wybodaeth). Mewn gwirionedd, anaml iawn y mae archwiliadau o'r fath yn digwydd.

Rwy'n mynd i weld y meddyg oherwydd rwy'n meddwl efallai fod clefyd Alzheimer ar fy mam gan ei bod mor anghofus. Pa fath o bethau y dylai'r meddyg gael gwybod?

Dylai'r meddyg gael gwybod cymaint â phosibl am broblem eich mam. Byddai gwneud nodiadau ysgrifenedig cyn yr apwyntiad yn syniad da. Ceisiwch gofio pryd sylwoch chi gyntaf ar anghofrwydd eich mam. Ceisiwch hefyd feddwl sut mae hynny wedi datblygu: a ddigwyddodd y broblem yn sydyn, neu a yw wedi datblygu dros gyfnod o amser? Byddwch yn barod i roi rhai esiamplau; er enghraifft, a yw eich mam yn gwneud y canlynol?

- Gadael tapiau ar agor neu'r popty ynghyn.

- Anghofio talu biliau.

- Methu dilyn sgwrs.

- Anghofio pobl neu fannau na fyddai fel rheol yn achosi anhawster iddi.

Efallai fod gennych nifer o enghreifftiau, ond mae'n bosibl na fyddwch yn eu cofio pan fyddwch gyda'r meddyg os nad ydych yn eu nodi.

Oni bai fod eich meddyg eisoes yn adnabod eich mam yn dda iawn, bydd yn dymuno holi am rai manylion am fywyd eich mam; er enghraifft, pa fath o waith yr oedd neu y mae hi'n ei wneud, pa fath o berson yw hi a pha bethau y mae'n hoffi eu gwneud. Efallai hefyd y bydd y meddyg eisiau eich holi am rai agweddau ar hanes meddygol eich mam, gan gynnwys gwybodaeth am unrhyw salwch neu lawdriniaethau yn y gorffennol, ac a yw clefyd Alzheimer wedi bod ar unrhyw un arall yn y teulu erioed.

Byddai'n ddefnyddiol iawn i'r meddyg weld eich mam. Os nad yw hi'n fodlon mynd gyda chi i'r feddygfa, dylech ofyn i'w meddyg a all ymweld â'ch mam yn ei chartref. Gall ymweliad cartref gan feddyg fod yn hynod o ddefnyddiol o ran rhoi cliwiau ar gyfer y diagnosis. Bydd y meddyg hefyd yn archwilio eich mam i asesu ei hiechyd corfforol ac efallai y bydd hefyd yn gofyn ambell gwestiwn i brofi ei chof.

Nid oedd y meddyg teulu yn gallu penderfynu a oes clefyd Alzheimer ar fy ngwraig, ac mae'n gwneud trefniadau iddi weld arbenigwr. Beth fydd hynny'n ei olygu?

Mae'r union drefn ar gyfer galw ar wasanaeth arbenigwr mewn achos posibl o glefyd Alzheimer yn amrywio, gan ddibynnu ar y meddyg teulu a pha feddyg arbenigol/ymgynghorol neu wasanaeth a ddewisir. Mae'n debygol y bydd meddyg teulu eich gwraig yn ei hatgyfeirio at Wasanaeth Seiciatrig Oedolion Hŷn eich ardal leol. Bydd pob meddyg ymgynghorol yn holi am symptomau'r claf ar ben y cwestiynau y mae'r meddyg teulu eisoes wedi'u gofyn. Mae clinigau cof arbenigol ar gael erbyn hyn mewn sawl rhan o'r Deyrnas Unedig – dylai eich meddyg teulu allu dweud wrthych a oes gwasanaeth ar gael yn eich ardal. Os ydych wedi cael eich atgyfeirio, byddai'n syniad da i chi gael manylion am y gwasanaeth gan eich meddyg teulu er mwyn i chi ganfod pryd fyddwch chi'n cael eich gweld.

Mae llawer o feddygon ymgynghorol yn credu ei bod yn well asesu'r person yn ei gartref i ddechrau, ond chi ddylai gael dewis ble hoffech chi gael eich gweld. Bydd meddyg ymgynghorol sy'n ymweld â pherson yn y cartref yn gallu casglu cliwiau ychwanegol ynghylch ei gyflwr, a bydd yn gallu asesu i ba raddau mae'r person yn ymdopi yn ei gartref ei hun.

Mae'n well gan feddygon ymgynghorol eraill weld pob claf, gydag aelod o'r teulu neu gyfaill, mewn ysbyty dydd neu glinig. Mae hyn yn golygu ei bod hi'n haws archwilio'r claf yn drylwyr. Hefyd mae'n bosibl gwneud profion eraill yr un pryd ac mae nifer o weithwyr proffesiynol eraill wrth law i helpu gyda'r asesiad.

Os gwelir bod clefyd Alzheimer neu fath arall o ddementia ar eich gwraig, dylai asesiad trylwyr fynd y tu hwnt i faterion meddygol yn unig. Dylai hefyd archwilio pa mor dda y mae'n gallu ymdopi yn y cartref, eich sefyllfa ariannol ac a oes angen cymorth gan y Gwasanaethau Cymdeithasol (gweler yr adran 'Gofal yn y gymuned' ym Mhennod 9).

Aethom at y meddyg oherwydd bod fy ngŵr yn mynd yn anghofus iawn. Rydym wedi cael apwyntiad i fynd i'r clinig cof. Beth yw clinig cof?

Mae clinigau cof yn gweithio mewn ffyrdd gwahanol. Mae'n anodd nodi'n union sut maen nhw'n gweithio oherwydd gall amrywiaeth o weithwyr proffesiynol fod yn gweithio ynddyn nhw, yn cynnwys meddygon, nyrsys, seicolegwyr, therapyddion galwedigaethol a gweithwyr cymdeithasol. Fodd bynnag, os ydych yn mynd i glinig cof, gallwch ddisgwyl y bydd meddyg yn y clinig yn gofyn i chi a'ch gŵr ddisgrifio'r salwch. Ond nid oes angen i bawb weld meddyg. Efallai y bydd seicolegydd yn rhoi prawf cof arbennig i'ch gŵr (gweler isod), neu'r therapydd galwedigaethol yn asesu gallu eich gŵr i ymdopi o gwmpas y tŷ. Bydd gweithwyr cymdeithasol yn gallu rhoi cyngor i chi ynghylch sut i ddelio â rhai o oblygiadau diagnosis o ddementia.

Mae'n werth cofio bod angen ystod eang o asesiadau'n aml ar bobl sydd â phroblemau cofio a bod angen iddyn nhw fod mewn cysylltiad â'r Gwasanaethau Cymdeithasol lleol. Felly, os yw eich gŵr wedi cael ei atgyfeirio i glinig cof sydd braidd yn bell, mae'n bwysig eich bod chi ac yntau'n gwybod sut i gael gafael ar wasanaethau lleol. Dylech drafod hyn â meddyg teulu eich gŵr a'r Gwasanaethau Cymdeithasol.

Pan ddywedodd y meddyg wrthyf fod clefyd Alzheimer ar fy ngwraig, roeddwn mewn cymaint o sioc fel na chlywais i bopeth yn iawn. Beth ddylwn i ei wneud?

Mae hyn yn beth cyffredin iawn. Peidiwch ag ofni gwneud apwyntiad i siarad â'r meddyg eto. Mae'n bwysig eich bod yn trafod anghenion eich gwraig yn ogystal â'ch anghenion chi, pa fath o gymorth sydd ar gael a beth i'w ddisgwyl. Mae'n bwysig hefyd eich bod yn ceisio sicrhau bod rhyw fath o gymorth cyson ar gael i chi a'ch gwraig, oherwydd bydd y sefyllfa'n newid gydag amser. Holwch a oes modd i chi gysylltu â nyrs cymunedol neu Nyrs Admiral a fyddai efallai'n gallu ateb eich cwestiynau. Gallech hefyd ffonio llinell gymorth yr Alzheimer's Society – mae'n gallu rhoi llawer o wybodaeth i chi (gweler Atodiad 1 am fanylion cyswllt).

Efallai y byddai'n ddefnyddiol i chi gadw nodiadau ysgrifenedig o'r wybodaeth a gewch chi gan y meddyg neu'r nyrs, er mwyn i chi allu cyfeirio atyn nhw eto. Fe gewch chi lawer iawn o wybodaeth i'w chofio. Dywedwch yr hoffech chi ysgrifennu nodiadau a dylen nhw roi digon o amser i chi ofyn cwestiynau.

PROFION COF

Daeth seiciatrydd i weld fy ngwraig ac yna, ychydig wythnosau'n ddiweddarach, daeth nyrs iechyd meddwl gymunedol heibio. Gwnaeth y ddau brawf – rhywbeth o'r enw Archwiliad Cyflwr Meddyliol Cryno. Beth ydyw a pham maen nhw'n gwneud hyn, oherwydd mae'n achosi gofid i fy ngwraig?

Mae'r Archwiliad Cyflwr Meddyliol Cryno (MMSE: *Mini Mental State Examination*) yn un o'r profion sgrinio a ddefnyddir ar gyfer dementia. Mae'n cymryd tua phum neu chwe munud, a bydd rhywun yn gofyn cyfres o gwestiynau i brofi cof person, ei ganfyddiad o le ac amser, ei ddealltwriaeth a'i allu o ran iaith. Gofynnir hefyd iddo ysgrifennu brawddeg a chopïo llun.

Mae gweithwyr proffesiynol yn aml yn defnyddio'r Archwiliad Cyflwr Meddyliol Cryno. Nid prawf diagnostig mohono oherwydd nid yw'r wybodaeth a geir ohono'n ddigonol i allu gwneud diagnosis o glefyd Alzheimer na math arall o ddementia. Mae'n bosibl i bobl sgorio'n isel yn y prawf am nifer o resymau gwahanol. Fodd bynnag, mae'r prawf yn gallu bod yn ddefnyddiol i gadw golwg ar alluoedd meddyliol pobl yn ystod cyfnodau cynnar dementia. Weithiau, mae'r prawf yn achosi gofid i bobl pan fyddan nhw'n methu ateb cwestiynau sy'n ymddangos yn syml, neu'n cael ateb anghywir. Os yw hyn yn digwydd, efallai ei bod yn well gadael llonydd i bethau a dod yn ôl at y prawf yn ddiweddarach.

Nid yw'r Archwiliad Cryno yn cael ei ddefnyddio cymaint erbyn hyn, gan fod profion eraill ar gael sy'n gallu canfod anawsterau gyda'r cof a chamweithrediad yr ymennydd yn well. Prawf arall a ddefnyddir yn aml yw Archwiliad Gwybyddol Addenbrooke (ACE: *Addenbrooke's Cognitive Examination*) sy'n well o lawer na'r Archwiliad Cryno.

Mae'n rhaid i fy mhartner fynd i weld seicolegydd yr wythnos nesaf am ryw fath o brawf cof. Allwch chi esbonio pam mae'n rhaid iddo fynd a beth fydd yn digwydd?

Mae'n eithaf anodd gwneud diagnosis o ddementia, yn enwedig yn ystod cyfnod cynnar y salwch. Efallai y bydd rhai pobl yn cwyno bod eu cof yn wael ond na fydd hyn yn amlwg pan fydd y meddyg yn eu gweld y tro cyntaf. Mewn amgylchiadau o'r fath, efallai y bydd meddyg yn penderfynu atgyfeirio'r claf at seicolegydd clinigol neu feddyg arall er mwyn gwneud profion cof mwy trylwyr.

Dau o'r profion mwyaf cyffredin yw Graddfa Deallusrwydd Oedolion Wechsler (WAIS: *Wechsler Adult Intelligence Scale*) a Phrawf Gwybyddol Caergrawnt (CAMCOG: *Cambridge Cognitive Test*). Mae'r ddau brawf yn cymryd tua awr i'w cwblhau. Fe'u rhennir yn sawl adran wahanol a byddan nhw'n profi amrywiaeth o bethau, gan gynnwys y gallu i ddysgu pethau newydd ac i ddeall rhifyddeg a geirfa. Mae profion o'r fath fel rheol hefyd yn cynnwys asesiad o sgiliau corfforol, fel tynnu llun a chopïo. Mae'r profion hyn yn gallu achosi blinder mawr ac mae'n bosibl y bydd y seicolegydd yn awgrymu eu bod yn cael eu cwblhau dros ddau apwyntiad.

Mae'n bwysig cofio nad yw'r profion hyn ar eu pen eu hunain yn gallu rhoi diagnosis o ddementia. Bydd sgorau eich partner yn cael eu cymharu â'r hyn a ddisgwylir mewn person o'r un oed a chefndir, a hyd yn oed wedyn, ni allan nhw wneud dim mwy nag awgrymu efallai fod ganddo broblem.

PROFION GWAED

Yn ddiweddar, cafodd fy ngwraig brofion gwaed gan ei meddyg,
ond ni ddywedodd wrthyf beth oedd eu pwrpas. A oes prawf
gwaed ar gyfer clefyd Alzheimer?

Ni ellir rhoi diagnosis o'r rhan fwyaf o'r achosion o glefyd Alzheimer drwy ddefnyddio prawf gwaed. Fodd bynnag, mae'n arferiad rhoi profion gwaed i unrhyw un sydd â symptomau a allai awgrymu dementia, fel clefyd Alzheimer, i weld a oes modd trin rhai o achosion y symptomau.

Fel rheol, mae'r profion gwaed yn cynnwys rhai sy'n gwirio a yw eich gwraig yn anemig neu'n dioddef o ddiabetes, a byddan nhw hefyd yn edrych ar weithrediad yr arennau a'r iau yn ogystal â'r chwarren thyroid, a lefelau'r calsiwm a fitaminau yn y gwaed. Weithiau, mae'n bosibl y bydd y meddyg eisiau chwilio am bresenoldeb syffilis neu'r firws diffyg imiwnedd dynol (HIV: *human immunodeficiency virus*) os yw'n credu bod angen gwneud hynny. Mae'r prawf geneteg (gweler isod) ar gyfer achosion etifeddol prin o glefyd Alzheimer (gweler yr adran 'Pwy fydd yn cael clefyd Alzheimer?' ym Mhennod 2) hefyd ar ffurf prawf gwaed, ond ni fydd angen hwn yn aml.

Peidiwch ag ofni holi'r meddyg am unrhyw brofion y mae'n eu gwneud ar eich gwraig.

Mae fy mhartner, dyn 40 oed, yn dechrau mynd yn anghofus
iawn. Mae ei feddyg eisiau iddo gael prawf HIV. Rwy'n siŵr fod
fy mhartner wedi bod yn ffyddlon ac nad oes HIV arno. A yw'r
prawf yn wirioneddol angenrheidiol?

Mae unrhyw fath o ddementia mewn pobl 40 oed yn hynod o anghyffredin ac angen archwiliad trylwyr. Mae heintiad â firws diffyg imiwnedd dynol (HIV) yn un achos posibl o ddementia mewn pobl iau. Mae'r firws, a gysylltir ag AIDS, yn gallu mynd i mewn i'r ymennydd ac achosi ei broblemau ei hun, neu achosi anhwylderau eraill sy'n effeithio ar yr ymennydd, fel heintiau ffwngaidd. Mae rhai pobl sydd â haint HIV yn datblygu math o ddementia.

Mae rhai meddygon yn argymell prawf HIV os ydyn nhw'n meddwl bod gan glaf risg benodol o gael haint HIV – er enghraifft, dyn hoyw, rhywun sy'n rhannu nodwyddau wrth chwistrellu cyffuriau, neu rywun sydd wedi cael gwaed neu gynhyrchion gwaed dramor. Mae meddygon eraill yn argymell prawf HIV yn unig oherwydd eu bod eisiau sicrhau eu bod wedi ystyried pob math posibl o ddementia, yn enwedig mewn person iau fel eich partner. Dylai pawb sy'n ystyried cael prawf HIV fynd at gwnselydd ymlaen llaw.

Os gwneir prawf HIV a bod y canlyniad yn bositif, mae'n golygu bod modd rhoi triniaeth briodol heb oedi. Gellir rhagnodi cyffuriau i arafu effeithiau haint HIV. Hefyd, mae gwybod bod rhywun yn HIV positif yn galluogi meddygon i gadw llygad am gyflyrau eraill sy'n gysylltiedig â haint HIV, fel heintiau ffwngaidd, a'u trin yn gynnar. Mae'n ddefnyddiol hefyd i feddygon wybod bod claf iau sydd â dementia yn HIV-negatif. Ar ôl iddyn nhw ddiystyru HIV fel achos posibl, gallan nhw fynd ati i gynnal archwiliadau mwy trylwyr i geisio canfod yr union achos.

PROFION GENETEG

Rwy'n gwybod bod fy nain, fy nhad a fy ewythr i gyd wedi datblygu clefyd Alzheimer pan oedden nhw tua 50 oed. Mae'n debyg bod math etifeddol prin o'r clefyd yn ein teulu ni. Mae fy meddyg wedi cynnig prawf geneteg i fi ond dydw i ddim yn gwybod a wyf am ei gymryd. Beth yw'r manteision a'r anfanteision?

Dyma gwestiwn cymhleth ac mae'n well trafod y materion â chwnselydd cymwys a meddyg sy'n arbenigo mewn clefydau etifeddol. Peidiwch â chael eich rhuthro i wneud penderfyniad.

Os ydych yn cael y prawf, sy'n brawf gwaed syml, bydd yn dangos a ydych yn cario'r genyn sydd wedi achosi clefyd Alzheimer yn eich teulu. Os yw'r genyn gan eich tad, mae gennych siawns o un mewn dau o fod wedi'i etifeddu. Os yw'r genyn gennych chi, byddwch bron yn sicr o ddatblygu clefyd Alzheimer oddeutu'r un oedran ag y gwnaeth aelodau eraill eich teulu. Os nad yw'r genyn gennych, mae'n annhebygol iawn y bydd hynny'n digwydd.

Os yw'r prawf yn dangos bod y genyn gennych, un anfantais o fod wedi cael y prawf yw problemau posibl wrth geisio cael yswiriant bywyd, morgais neu hyd yn oed swydd os ydych yn datgan eich bod wedi cael y prawf. Os ydych yn gwybod bod y genyn gennych ond nad ydych yn datgelu'r wybodaeth hon, mae unrhyw yswiriant a drefnwch yn debygol o fod yn annilys. Mae'n bosibl hefyd y byddwch yn ei chael yn anodd ymdopi o wybod y byddwch yn cael clefyd nad oes modd ei wella.

Ar y llaw arall, efallai y bydd yn well gennych wybod beth i'w ddisgwyl, er mwyn i chi allu cynllunio eich bywyd. Mae'n bosibl y byddwch yn meddwl hefyd am gael plant ac felly eisiau gwybod a ydych mewn perygl o drosglwyddo'r genyn iddyn nhw. Cyn penderfynu dim, dylech drafod y mater â chwnselydd geneteg. Gallwch gysylltu â hwn drwy eich meddyg teulu.

Roedd clefyd Alzheimer ar fy nhad a chafodd ddiagnosis pan oedd yn 70 oed. Rwy'n gwybod bod prawf genynnau ar gyfer clefyd Alzheimer. A ddylwn i gael y prawf?

Na ddylech, bron yn sicr. Os yw'r math prin iawn hwn o glefyd Alzheimer sy'n cael ei gario gan un genyn ar aelodau o'r teulu (gweler 'Pwy fydd yn cael clefyd Alzheimer?' ym Mhennod 2), bydd fel rheol yn datblygu pan fyddan nhw yn eu 40au neu eu 50au.

Mae'n bosibl fod genynnau yn chwarae rhyw ran yn natblygiad clefyd Alzheimer mewn pobl sy'n ei ddatblygu'n ddiweddarach yn eu bywydau, ond ni chredir bod genynnau'n achosi'r clefyd yn y ffordd 'uniongyrchol' y byddan nhw'n ei wneud pan fydd y clefyd yn dechrau mewn pobl iau. Yn wir, mae'n debyg mai rhan fach yn unig sydd gan enynnau yn natblygiad y math o glefyd Alzheimer sy'n datblygu'n ddiweddarach mewn bywyd.

Gan fod eich tad wedi cael y math sy'n datblygu'n ddiweddarach mewn bywyd, mae rôl genynnau yn ei salwch yn llai eglur ac nid oes profion ar gael ar gyfer y genynnau hyn. Mae'n bosibl y bydd rhagor o ymchwil yn datgelu rhagor o 'enynnau dementia' yn y dyfodol.

Hyd yn oed mewn achosion lle mae profion geneteg ar gael, mae rhesymau da dros fod yn bwyllog. Cyn cael unrhyw brofion o'r fath, bydd angen i chi ystyried a fydd y canlyniad yn ddefnyddiol i chi.

Mae'n bosibl y bydd canlyniad positif yn eich rhwystro rhag cael yswiriant bywyd, morgais neu swydd, hyd yn oed. Efallai y bydd yn effeithio ar eich perthynas. Mae'n bosibl hefyd y cewch flynyddoedd o ofid am rywbeth na allwch ei rwystro neu hyd yn oed rywbeth na fyddwch hyd yn oed yn ei ddatblygu yn y pen draw.

Os bydd triniaethau gwell ar gyfer clefyd Alzheimer ar gael, efallai y bydd mwy o reswm dros gael profion geneteg.

SGANIAU AR YR YMENNYDD

Mae fy meddyg wedi rhoi diagnosis o glefyd Alzheimer i fy mam, ond nid yw wedi cael sgan ar yr ymennydd. Onid yw sgan ar yr ymennydd yn angenrheidiol ym mhob achos?

Ymath arferol o sgan ar yr ymennydd a wneir i chwilio am glefyd Alzheimer yw sgan CT neu sgan MRI. Nid oes raid gwneud sgan ar yr ymennydd bob tro, yn enwedig pan mae'r diagnosis yn amlwg o'r canfyddiadau clinigol. Yn anffodus, mae sgan ar yr ymennydd weithiau'n dangos newidiadau tebyg i rai clefyd Alzheimer mewn pobl nad yw'r clefyd arnyn nhw. Hefyd, mae'n bosibl na fydd sgan ar yr ymennydd yn darganfod unrhyw beth mewn pobl sydd â chlefyd Alzheimer neu fath arall o ddementia.

Y prif reswm dros wneud sgan ar yr ymennydd yw nad yw'r diagnosis yn glir a bod angen rhagor o wybodaeth. Rheswm arall yw symptomau sydd heb fod yn nodweddiadol, neu fod y meddyg yn amau bod tyfiant ar yr ymennydd. Anaml iawn y bydd tyfiant ar yr ymennydd yn achosi dementia, a byddai symptomau a chanfyddiadau eraill wrth i'r meddyg archwilio'r claf yn debygol o awgrymu'r diagnosis hwn. Mae sgan ar yr ymennydd hefyd yn gallu datgelu a oes gan rywun ddementia fasgwlar (gweler yr adran 'Mathau o ddementia' ym Mhennod 1) yn hytrach na chlefyd Alzheimer ond unwaith eto, mae'r wybodaeth hon yn aml yn amlwg o edrych ar hanes meddygol person.

Erbyn hyn, mae'n well gan y rhan fwyaf o feddygon wneud sganiau MRI yn hytrach na sganiau CT (a drafodir isod), oherwydd bod sgan MRI yn gallu darparu delweddau gwell o'r ymennydd, er bod y broses yn cymryd llawer mwy o amser ac nad yw ar gael ym mhobman.

Beth yw'r gwahaniaeth rhwng sgan CT a sgan CAT?

Nid oes gwahaniaeth. Mae'r termau sgan CT a sgan CAT yn fyrfoddau am y term Saesneg *Computed Axial Tomography*. (Gweler yr ateb nesaf am fanylion.)

Mae fy ngwraig yn mynd i gael sgan CT o'i hymennydd. Beth mae hyn yn ei olygu?

Mae sgan CT yn ffordd o gymryd lluniau o'r ymennydd gan ddefnyddio pelydrau-X a chyfrifiadur, a'r cyfrifiadur yn cynhyrchu cyfres o luniau sy'n dangos 'haenau' o'r ymennydd. Gall sgan CT fod yn ddefnyddiol i roi diagnosis o strôc neu dyfiant. Mae hefyd yn gallu dangos newidiadau, er enghraifft meinwe ymennydd yn teneuo, sy'n digwydd mewn pobl â chlefyd Alzheimer yn ogystal â helpu meddygon i wahaniaethu rhwng dementia fasgwlar a chlefyd Alzheimer.

Fel rheol, caiff sgan CT ei drefnu i rywun fel claf allanol, ac ychydig funudau'n unig y bydd y sgan yn ei gymryd. Mae'r sgan yn gallu peri gofid i rai pobl, ac efallai na fyddan nhw'n gallu aros yn llonydd yn ddigon hir. Os credir bod sgan yn hollol angenrheidiol i rywun sy'n debygol o aflonyddu, mae'n bosibl rhoi sedatif ysgafn iddo ymlaen llaw. Hefyd, efallai y chwistrellir sylwedd i lif y gwaed er mwyn dangos yr ymennydd yn fwy eglur.

Mae'r sganiwr CT yn edrych ychydig yn debyg i beiriant golchi dillad mawr rydych yn ei lwytho o'r tu blaen. Efallai y bydd llawer o gyfarpar yn yr ystafell a gall hynny fod ychydig yn frawychus i ddechrau. Bydd gofyn i'ch gwraig orwedd ar wely â'i phen wrth ymyl mynedfa'r sganiwr. Radiograffydd fydd yn gwneud y sgan – bydd yn rheoli'r cyfan mewn ystafell gyfagos ac yn gwylio eich gwraig drwy ffenestr fawr. Bydd y gwely y mae eich gwraig yn gorwedd arno yn symud i mewn i'r sganiwr, ac wedyn bydd cyfres o belydrau-X yn cael eu cymryd. Bydd ychydig o sŵn.

Ar y diwedd, bydd cyfres o tua 20 llun yn dangos ymennydd

eich gwraig o'r top i'r gwaelod. Os yw eich gwraig wedi cael sedatif, bydd yn rhaid i chi aros i'r effeithiau ddiflannu; fel arall, byddwch yn gallu mynd adref ar unwaith. Ni fydd y radiograffydd yn gallu rhoi unrhyw ganlyniadau i chi. Bydd y rhain yn cymryd ychydig ddyddiau oherwydd ei bod yn rhaid edrych yn fanwl ar ffilmiau'r sgan. Fel arfer, ni fyddwch yn cael mynd i mewn i'r ystafell gyda'ch gwraig oherwydd bod sgan CT yn defnyddio pelydrau-X.

Beth yw sgan MRI? A yw'n well na sgan CT?

Mae MRI yn fyrfodd am *Magnetic Resonance Imaging* – Delweddu Cyseiniant Magnetig. Fel sganiau CT, mae sganiau MRI yn defnyddio cyfrifiadur i greu lluniau o 'haenau' drwy'r ymennydd. Ond, yn wahanol i sganiau CT, nid yw sganiau MRI yn defnyddio pelydrau-X i gynhyrchu'r ddelwedd. Yn hytrach, maen nhw'n defnyddio signalau radio sy'n cael eu cynhyrchu gan y corff mewn ymateb i effaith magnet cryf iawn sydd yn y sganiwr. Mae'n bwysig peidio â gwisgo unrhyw beth metel, gan gynnwys gemwaith, wrth gael sgan MRI. Mae hefyd yn bwysig dweud wrth y meddyg neu dechnegydd os oes gennych unrhyw fetel yn eich corff (fel rheoliadur y galon). Fel arfer, byddwch yn cael holiadur i'w lenwi ymlaen llaw i wneud yn siŵr eich bod yn addas i gael MRI.

Mae sganiau MRI yn dangos mwy o fanylder na sganiau CT ond maen nhw'n cymryd mwy o amser i'w gwneud ac maen nhw'n ddrutach. Bydd meddyg weithiau yn gofyn am sgan MRI os nad yw'r sgan CT yn rhoi digon o wybodaeth.

Fel sganwyr CT, mae sganwyr MRI yn edrych fel peiriannau golchi mawr rydych yn eu llwytho o'r tu blaen; y twll yn y canol yw mynedfa'r sganiwr. Mae sganiau MRI yn eithaf swnllyd, ac maen nhw'n gallu cymryd hyd at awr; ond erbyn hyn, mae ugain munud yn fwy tebygol. Mae'n hanfodol fod y person sy'n cael y sgan yn aros yn llonydd drwy'r cyfan: mae hyn yn gallu bod yn anghyfforddus, felly mae'n bwysig bod yn hollol gysurus cyn i'r sganio ddechrau.

Es i â fy mhartner i weld arbenigwr, a gofynnodd am sgan SPECT. Beth yw hwn?

SPECT yw *Single Photon Emission Computed Tomography* – Tomograffeg Gyfrifiadurol Allyriadau Ffoton Unigol. Yn wahanol i sgan CT neu sgan MRI, mae'r math yma o sgan yn edrych ar lif y gwaed drwy'r ymennydd, yn hytrach nag ar strwythur yr ymennydd. Mae ymchwil yn awgrymu y gall y wybodaeth y mae sgan SPECT yn ei rhoi yn helpu i gadarnhau diagnosis o ddementia mewn rhai achosion. Hefyd, mae gwahanol fathau o sganiau SPECT yn gallu helpu i ddweud a oes clefyd Alzheimer ar rywun, dementia fasgwlar neu ddementia gyda chyrff Lewy. Nid yw sganiau SPECT yn cael eu cynnal yn aml, oni bai fod gan y meddyg reswm arbennig dros ofyn am un.

Mae sgan SPECT yn syml iawn. Yn gyntaf, rhoddir chwistrelliad o sylwedd ymbelydrol hollol ddiogel i'r person sy'n mynd i gael y sgan. Mae'r sylwedd hwn (radioniwclid) yn teithio yn y gwaed i'r ymennydd. Mae'n rhaid i'r person wedyn eistedd yn llonydd tra mae'r sganiwr, sy'n edrych fel sychwr gwallt yn cylchdroi, yn tynnu lluniau o'r ymennydd. Y canlyniad yw cyfres o luniau o 'haenau' o'r ymennydd a gynhyrchir gyda chymorth cyfrifiadur. Mae'r haenau hyn fel map. Maen nhw'n dangos amrywiadau o ran faint o radioniwclid sydd wedi mynd i'r ymennydd. Mae hyn yn ei dro yn dangos pa mor dda y mae'r gwaed yn llifo i wahanol rannau o'r ymennydd.

SÔN AM Y DIAGNOSIS

Mae fy ngwraig newydd gael diagnosis o glefyd Alzheimer. A ddylid dweud wrthi am y diagnosis, a phwy ddylai ddweud wrthi?

Er eich bod efallai'n meddwl y byddai hynny'n boenus ac yn anodd i'ch gwraig, fel rheol mae'n well i'r claf gael gwybod am y diagnosis. Mae'r rhan fwyaf o feddygon erbyn hyn yn esbonio'r diagnosis i'r rhan fwyaf o bobl, ac mae'n debyg mai'r cam cyntaf i chi fyddai trafod hyn â meddyg neu arbenigwr eich gwraig. Mae nifer o fanteision os yw eich gwraig yn cael gwybod am y diagnosis:

- Efallai y bydd yn gallu deall pam mae hi'n cael problemau gyda'i chof.

- Efallai y bydd yn gallu cynllunio i'r dyfodol gyda chi: er enghraifft, trwy wneud trefniadau cyfreithiol ac ariannol (trafodir hyn ym Mhennod 11) neu fynd ar wyliau.

- Mae'n bosibl y bydd cyfle i drafod a chynllunio triniaeth gyda chyffur i drin dementia (gweler yr adran 'Triniaethau cyffuriau' ym Mhennod 12).

- Ni fydd angen cyfrinachedd yn y teulu.

I ryw raddau, bydd penderfynu a ddylid dweud wrth eich gwraig am y diagnosis yn dibynnu faint y mae clefyd Alzheimer wedi datblygu yn ei hachos hi. Os ydych yn penderfynu dweud wrthi, mae'n bwysig ei bod hi (a chi) yn cael cymorth a chwnsela priodol ar ôl hynny. Mae gan lawer o feddygon teulu gwnselwyr yn y practis, neu mae'n bosibl y bydd Gwasanaeth Seiciatrig Oedolion Hŷn yn eich ardal chi yn gallu rhoi help llaw. (Gweler Pennod 9 am wybodaeth am gael cymorth a chefnogaeth.)

Mae'n werth cofio y gall clywed y diagnosis achosi poen a gofid i'ch gwraig. Efallai na fydd yn ei gredu ar y dechrau (mae gwadu yn ymateb naturiol) neu na fydd yn cofio hynny'n ddiweddarach. Hefyd, nid yw llawer o bobl sydd â chlefyd Alzheimer yn gallu adnabod y symptomau sy'n ymddangos yn amlwg iawn i bobl o'u cwmpas. Mae troedio'n ofalus yn well na bod yn rhy blaen ac agored.

Mae clefyd Alzheimer ar fy ngŵr, ac mae'n ypsetio pan fydd yn anghofio pethau. A ddylwn i ei atgoffa o'i ddiagnosis er mwyn iddo allu deall beth sy'n digwydd iddo?

Mae rhai pobl, yn ystod cyfnod cynnar clefyd Alzheimer, yn synhwyro bod eu cof yn dirywio. Gallai eu hatgoffa'n dyner o'r rhesymau am hyn eu helpu i deimlo llai o straen a phwysau. Fodd bynnag, wrth i amser fynd yn ei flaen, ni fydd pobl sydd â chlefyd Alzheimer yn ymwybodol iawn o'u problemau. Nid yw atgoffa pobl fel hyn bod eu cof yn methu yn debygol o'u helpu i ddeall eu cyflwr, ac yn wir, gallai hynny achosi mwy o ofid. Efallai mai'r ffordd orau ymlaen yw sôn yn ofalus am hyn wrth eich gŵr i weld sut mae'n ymateb. Os yw ei symptomau a'r diagnosis yn achosi gofid iddo, mynnwch air â'ch meddyg teulu.

Mae fy mam yn byw gyda ni, ac yn ddiweddar, cafodd ddiagnosis o glefyd Alzheimer. Rwy'n poeni cymaint amdani fel nad wyf yn siŵr beth i'w ddweud wrth fy mhlant. Maen nhw'n sylweddoli bod rhywbeth o'i le ar eu nain. Beth ddylwn i ei ddweud?

Mae plant yn hynod o wydn ac fel rheol yn ymateb yn dda o gael clywed y gwir. Esboniwch y ffeithiau wrthyn nhw mor glir ag y gallwch, a rhowch ddigon o gyfle iddyn nhw ofyn cwestiynau. Dylech gael y sgwrs hon cyn gynted â phosibl oherwydd efallai y byddan nhw'n beio'u hunain am ymddygiad rhyfedd eu nain a bydd clywed mai salwch sy'n gyfrifol am hynny yn rhyddhad iddyn nhw. Dyma adeg anodd i chi i gyd. Y ffordd orau i helpu eich plant i ymdopi yw drwy roi digon o esboniadau, sicrwydd, cysur a chariad iddyn nhw. Mae rhai llyfrau am glefyd Alzheimer ar gael sydd wedi'u hysgrifennu'n arbennig i blant a phobl ifanc (gweler Atodiad 2), ac mae gan yr Alzheimer's Society (manylion cyswllt yn Atodiad 1) wybodaeth i aelodau'r teulu.

4 | Gofal ymarferol o ddydd i ddydd

Mae gweithgareddau fel gwisgo, ymolchi, defnyddio'r toiled, bwyta a chysgu yn rhan normal o fywyd pob dydd. Fodd bynnag, i bobl sydd â dementia, mae'n dod yn fwyfwy anodd i gyflawni'r tasgau hyn heb gymorth. Mae'r bennod hon yn cynnig canllawiau defnyddiol ynghylch sut all pobl sydd â dementia a'u gofalwyr helpu'r unigolion eu hunain i fyw mor annibynnol ag sy'n bosibl. Bydd faint o help y bydd ei angen yn amrywio o'r naill i'r llall, ond bydd yr angen bron bob tro yn cynyddu gydag amser.

CWESTIYNAU CYFFREDINOL

Mae clefyd Alzheimer ar fy nhad, ac mae'n dod i fyw gyda fi a fy nheulu. Rwy'n ofni y bydd yn anodd gofalu amdano, felly allwch chi roi unrhyw gyngor i mi?

Mae'n gallu bod yn anodd gofalu am rywun sydd â chlefyd Alzheimer. Fodd bynnag, dyma gyngor defnyddiol gan ofalwyr eraill:

- Ceisiwch sefydlu trefn reolaidd.

- Rhowch ychydig o annibyniaeth i'ch tad.

- Helpwch eich tad i gadw ei urddas.

- Ceisiwch osgoi unrhyw wrthdaro pan fydd hynny'n bosibl.

- Cadwch dasgau'n syml.

- Cadwch eich synnwyr digrifwch.

- Gwnewch yn siŵr fod eich cartref mor ddiogel â phosibl.

- Anogwch eich tad i wneud ymarfer corff.

- Helpwch eich tad i wneud yn fawr o'r galluoedd sy'n dal i fod ganddo.

- Cofiwch mai'r clefyd sy'n bennaf cyfrifol am y problemau, ac nid y person.

- Byddwch yn hyblyg bob amser, oherwydd mae dementia yn ymgynyddu a bydd yn rhaid i chi eich dau ymdopi â'r newidiadau sy'n digwydd gydag amser.

- Dysgwch gymaint â phosibl am ei gyflwr.

- Cadwch mewn cysylltiad â gofalwyr eraill.

- Cofiwch gydnabod pan fydd y straen arnoch chi a'ch teulu yn ormod, a gwnewch yn siŵr fod gennych ffyrdd o ymdopi â'r straen eich hun.

Yn ddiweddar, mae fy ngŵr wedi cael diagnosis o glefyd
Alzheimer. Mae yn ei 70au cynnar ac yn dal i fod yn ffit iawn.
Am ba hyd fydda i'n debygol o allu parhau i ofalu amdano yn ein
cartref?

Bydd yr ateb i'r cwestiwn hwn yn dibynnu ar ba mor gyflym y mae salwch eich gŵr yn ymgynyddu, ar gyflwr eich iechyd chi dros amser a faint o gymorth gewch chi gan eich teulu, cyfeillion ac asiantaethau allanol. (Gweler Pennod 9 am wybodaeth am gael cymorth.) Hyd yn oed os oes gennych gymorth, efallai y bydd yn anodd iawn i chi ymdopi â'ch gŵr yn eich cartref yn ddiweddarach yn ei salwch. Fodd bynnag, nid yw'n bosibl rhagfynegi ymlaen llaw pryd fyddwch yn cyrraedd y pwynt hwnnw.

Ydych chi'n meddwl ei bod hi'n bosibl fod fy ngwraig, sydd â
dementia, yn gallu gwneud llai a llai drosti ei hun oherwydd fy
mod i'n gwneud mwy a mwy drosti?

Mae eich gwraig yn gallu gwneud llai a llai oherwydd bod dementia yn gyflwr sy'n ymgynyddu. Mae hyn yn golygu y bydd ei galluoedd yn dirywio dros amser. Bydd angen i chi wneud mwy a mwy drosti wrth i amser fynd heibio, ond os gwnewch chi ormod drosti'n rhy fuan, bydd eu galluoedd yn dirywio'n gyflymach.

Mae'n bwysig gwybod pa bethau y mae eich gwraig yn dal i allu eu gwneud ei hun a'i hannog i'w gwneud, er efallai y bydd yn cymryd llawer o amser i'w gwneud. Os ydych chi'n anwybyddu'r ffaith ei bod yn dal i allu gwneud pethau o hyd ac yn gwneud popeth drosti, bydd yn colli'n gyflym y galluoedd sydd ganddi. Ceisiwch fod yn amyneddgar, a gwneud y pethau mae hi'n methu ymdopi â nhw yn unig – gwnewch hynny mewn modd sydd mor gefnogol â phosibl. Oherwydd bod y clefyd yn ymgynyddu, bydd y sefyllfa'n parhau i newid. Byddwch yn gallu ymateb orau i anghenion newidiol eich gwraig os ydych yn gweithio gyda hi ac yn hyblyg eich agwedd.

Mae clefyd Alzheimer ar fy mam. Mae ganddi hefyd friwiau poenus yr olwg ar ei choesau. Dydy hi ddim yn cwyno amdanyn nhw. Ydy pobl sydd â chlefyd Alzheimer yn gallu teimlo poen?

Gall fod yn eithaf anodd gwybod faint o boen y mae rhywun sydd â chlefyd Alzheimer neu ddementia arall yn ei deimlo. Mae hyn yn arbennig o wir yng nghyfnod diweddarach y salwch; erbyn hyn, ni fydd pobl yn gallu dweud wrthych eu bod mewn poen, ac mae'n anodd dehongli eu hymatebion arferol i boen, hyd yn oed.

Mae deall bod rhywun mewn poen yn llai o broblem yn ystod cyfnod cynnar y salwch; efallai nad oes ond rhaid gofyn iddi a oes ganddi boen. Fel rheol, byddwch hefyd yn gallu dweud bod rhywbeth o'i le wrth edrych ar ymddygiad eich mam. Er enghraifft, efallai y bydd hi'n aflonydd, yn cysgu'n wael neu'n dewis peidio â bwyta. Edrychwch hefyd am newidiadau yn ei hosgo neu i'w mynegiant wyneb. Fodd bynnag, hyd yn oed os ydych yn gallu gweld bod eich mam mewn poen, efallai na fyddwch yn gallu dibynnu arni i ddweud wrthych ble mae'r boen, neu pa mor ddrwg yw'r boen honno. Bydd yn rhaid i chi (neu'r meddyg) ddyfalu o'r hyn rydych chi'n ei wybod am y person.

Yn gyffredinol, mae'n well tybio y bydd triniaeth a fyddai fel arfer yn boenus – fel rhoi dresin ar friw ar y goes – yr un mor boenus i rywun sydd â dementia, er na fydd yn gallu cyfleu hynny i chi. Mae peth tystiolaeth fod cyffuriau lleddfu poen yn gallu helpu i liniaru symptomau eraill, er enghraifft pan fydd rhywun wedi cynhyrfu neu'n aflonydd, drwy drin poen nad yw pobl yn gallu ei mynegi ar lafar.

GWISGO

Fe hoffai'r ddau ohonom i fy ngŵr ddal ati i wisgo'i ddillad amdano cyhyd ag sy'n bosibl. Fodd bynnag, mae'n ei chael hi'n anoddach o hyd. Allwch chi awgrymu sut allwn i wneud y gwaith o wisgo'i ddillad yn haws iddo?

Rydych yn iawn i ddal ati i annog eich gŵr i'w wisgo amdano'i hun. Un ffordd o'i helpu yw sicrhau ei fod wastad yn cael digon o amser. Cyn belled â bod yr ystafell yn gynnes, does dim ots ei fod yn cymryd peth amser i wisgo. Efallai y byddai gosod ei ddillad allan yn y drefn y mae angen iddo'u gwisgo yn help iddo. Yn ddiweddarach yn y salwch, mae'n debyg y bydd yn rhaid i chi roi'r dillad iddo, un ar y tro, a dweud wrtho sut i'w gwisgo.

Mae ambell ddilledyn yn haws i'w wisgo nag eraill. Dylai agoriad y gwddf fod yn ddigon mawr ac mae llewys raglan neu lewys llac yn haws eu gwisgo na llewys tyn, ac mae esgidiau hawdd eu gwisgo, heb gareiau, yn ddefnyddiol. Mae dillad ag agoriad elastig neu sy'n cau â Velcro yn haws i'w wisgo na dillad sy'n cau â botymau. I rai, mae gwisgo crys-T a thracwisg yn haws na chrys, trowsus a siaced gyffredin. Fodd bynnag, os yw eich gŵr wedi arfer gwisgo dillad mwy traddodiadol yn y gorffennol, efallai na fydd yn hoffi'r newid. Os yw'n bosibl, ceisiwch gael eich gŵr i'ch helpu i ddewis y dillad y bydd yn eu gwisgo bob dydd.

Mae dementia cynnar arnaf. Rwy'n cael tipyn o anhawster penderfynu beth i'w wisgo ac rwy'n tueddu i wisgo'r un dillad bob dydd. Mae gormod o ddewis yn fy nghwpwrdd dillad.

Mae cael gormod o ddillad yn eich cwpwrdd dillad yn rhywbeth cyffredin iawn; efallai nad ydych wedi gwisgo rhai ers blynyddoedd ond eich bod yn gyndyn o gael gwared arnyn nhw. Ceisiwch fynd trwyddyn nhw a dewis y dillad rydych yn eu hoffi fwyaf. Byddwch yn ddewr; gwaredwch y lleill neu rhowch rai i rywun arall. Efallai y bydd angen cymorth arnoch i wneud hyn, felly gofynnwch i berthynas neu gyfaill agos eich helpu.

Rwy'n cael anhawster mawr wrth geisio perswadio fy mam i beidio â gwisgo'r un dillad am ddyddiau ar y tro. Mae ei dillad yn mynd yn fudr ac mae'n aml edrych yn flêr. Mae'n digio os wyf yn dweud rhywbeth am hyn. Beth alla i ei wneud?

Mae'n siŵr nad yw eich mam yn deall erbyn hyn fod angen newid ei dillad; nid yw'n gwybod ychwaith pa rai sy'n lân a pha rai sydd angen eu golchi. Un ffordd bosibl o'i helpu fyddai ei hannog i gael bath ac yna achub ar y cyfle i fynd â'r dillad sydd angen eu golchi a rhoi dillad glân yn barod iddi. Os gwnewch chi hyn, mae'n debygol y bydd yn gwisgo'r dillad glân heb i chi frifo'i theimladau.

HYLENDID PERSONOL

Mae fy ngwraig, sydd â chlefyd Alzheimer, yn mwynhau cael bath, ond mae'n protestio pan fydd rhywun yn ceisio golchi ei hwyneb. A yw hyn yn beth cyffredin i bobl sydd â chlefyd Alzheimer, ac a oes ots?

Nid yw hyn yn gyffredin iawn. Mae'n debyg nad yw eich gwraig bellach yn deall bod angen iddi olchi ei hwyneb. Efallai hefyd nad yw'n gallu dygymod â'r ffaith fod angen i rywun arall olchi ei hwyneb drosti. Wrth gwrs, does dim ots os nad yw'n golchi ei hwyneb. Yn sicr, does dim pwynt gwrthdaro dros hyn.

Gallech geisio prynu cadach ymolchi newydd, meddal a hardd iddi. Yna ceisio cael ychydig o hwyl wrth adael i'ch gwraig olchi eich wyneb chi â'r cadach cyn golchi ei hwyneb hithau, neu cyn gadael i chi olchi ei hwyneb hi.

Mae fy ngŵr yn golchi ei ddwylo o hyd. Mae'n anghofio ei fod newydd wneud hynny. Y brif broblem yw ei fod yn gadael i'r tapiau redeg wedyn. Sut alla i ei atal rhag gwlychu'r ystafell ymolchi'n llwyr?

Mae nifer o addasiadau gwahanol ar gael i'w rhoi ar dapiau. Fydd rhai ddim ond yn caniatáu i ddŵr lifo pan fydd dwylo rhywun oddi tanyn nhw. Mae gan eraill fecanwaith sy'n atal y llif yn awtomatig pan fydd rhywfaint o ddŵr wedi rhedeg, neu ar ôl amser penodol. Gofynnwch i'ch cwmni dŵr am gatalog. Mae'r addasiadau hyn yn ymddangos yn ddrud, ond yn debygol o arbed arian i chi os oes gennych fesurydd dŵr, heb sôn am osgoi gorfod mopio dŵr o'r llawr. Os na allwch fforddio'r addasiad, efallai y byddai'n werth cysylltu â'ch Gwasanaethau Cymdeithasol lleol; hyd yn oed os na allan nhw ariannu'r addasiad, dylen nhw fod yn gallu cynnig cyngor defnyddiol i chi. Os nad ydych wedi gwneud hynny eisoes, gallech chwilio am weithgareddau eraill i'ch gŵr a allai dynnu ei sylw o'r holl olchi dwylo.

Sut alla i geisio gwneud y broses o roi bath i fy mam yn fwy diogel?

Mae adeg cael bath yn gallu bod yn beryglus, yn enwedig i bobl oedrannus, eiddil sydd â dementia. Mae ystafelloedd ymolchi yn fannau llithrig ac mae'n gallu bod yn anodd codi rhywun pan mae'n wlyb. Defnyddiwch fatiau gwrthlithro yn y bath ac ar lawr yr ystafell ymolchi. Cofiwch bob amser roi dŵr oer yn y bath cyn ychwanegu dŵr poeth, a chofiwch fod croen person hŷn yn llawer mwy sensitif i wres. Efallai hefyd y bydd arnoch angen rheiliau neu sedd arbennig ar gyfer y bath. Siaradwch â meddyg eich mam neu'r Gwasanaethau Cymdeithasol ynghylch cael gafael ar y cymhorthion hyn. Bydd therapydd galwedigaethol wedyn yn gallu ymweld â'ch cartref i asesu anghenion penodol eich mam. Efallai y bydd hefyd yn bosibl trefnu i gynorthwyydd gofal neu nyrs (gweler yr adran 'Gofal yn y gymuned' ym Mhennod 9) ddod i roi bath i'ch mam. Cofiwch, mae'n hollbwysig nad ydych yn anafu eich hun wrth i chi geisio helpu eich mam i gael bath; gallech hefyd yn anfwriadol anafu'r ddwy ohonoch.

Mae clefyd Alzheimer ar fy ngŵr, ac mae'n anfodlon iawn mynd i'r bath neu'r gawod. O ganlyniad, mae ei hylendid personol yn dioddef. Allwch chi roi cyngor i fi, os gwelwch yn dda?

Mae gofyn bod yn ddoeth a diplomyddol gyda materion fel hylendid personol. Os nad yw atgoffa eich gŵr i gymryd bath neu gawod yn effeithiol bellach, bydd sefydlu trefn reolaidd yn ei helpu i ymgymryd â'r tasgau hynny. Pan fydd yn colli ei awydd i gael bath, ceisiwch sicrhau bod ganddo ddigwyddiad rheolaidd y mae'n werth edrych yn drwsiadus ar ei gyfer – er enghraifft, mynd i'r ganolfan ddydd neu ymweld â chyfaill neu'r dafarn.

Mae llawer o ganmoliaeth ac anogaeth pan fydd eich gŵr newydd gael bath ac wedi gwisgo amdano yn llawer mwy gwerthfawr na beirniadaeth barhaus ynghylch ei hylendid. Os nad yw eich gŵr yn gallu ymdopi â chael bath ar ei ben ei hun, ceisiwch beidio â gwneud mwy na'r hyn sy'n hollol angenrheidiol. Efallai ei fod yn gallu gwneud popeth sydd ei angen i gael bath, ond bod angen cymorth arno i wneud hynny yn y drefn gywir.

Mae'n bosibl y gallai eich gŵr ymateb yn ffafriol pe byddai'n cael ychydig o ddewis yn y mater. Er enghraifft, gallech ofyn iddo a fyddai'n well ganddo gael bath ben bore neu cyn iddo fynd i'w wely. Efallai hefyd y byddai'n fodlon cael bath petaech yn dweud wrtho eich bod wedi rhedeg bath cynnes iddo gan ei fod 'fel rheol yn cael un cyn mynd i'r gwely'. Mae rhai gofalwyr yn dweud bod gofyn i berson a oes eisiau diod boeth arno 'cyn neu ar ôl cael bath' yn gallu bod yn effeithiol. Gwnewch yn siŵr fod yr ystafell ymolchi'n gynnes, a cheisiwch beidio â rhoi unrhyw argraff fod cael bath yn beth llafurus. Ni fydd rhai pobl hŷn byth yn cael bath na chawod oherwydd ei bod yn well ganddyn nhw ymolchi'n drylwyr o flaen y sinc. Os mai dyna oedd dull eich gŵr yn y gorffennol, mae'n well datblygu hynny yn hytrach na cheisio gorfodi system newydd arno.

Mae clefyd Alzheimer ar fy nhad oedrannus, a phan fyddaf yn ei helpu i ddadwisgo neu gael bath, mae'n aml yn gweiddi fy mod yn ei dreisio ac yn ceisio fy ngwthio i ffwrdd.

Ilawer o bobl, mae dadwisgo a chael bath wastad wedi bod yn weithgareddau preifat ac mae'n eithaf posibl fod eich tad hefyd yn credu hynny. Efallai ei fod yn teimlo bod gorfod cael help gyda'r pethau hyn yn beth od iawn. Mae hefyd yn bosibl nad yw bellach yn eich adnabod, a'i fod yn meddwl mai dieithryn sy'n amharu ar ei breifatrwydd ydych chi.

Os yw eich tad yn cynhyrfu pan ydych chi'n ceisio rhoi bath iddo, y peth gorau i'w wneud yw stopio a rhoi cynnig arni rywbryd eto. Os yw'r broblem yn parhau, efallai y byddai'n werth gofyn i ofalwr neu nyrs ddod i'r tŷ i roi bath iddo; mae'n bosibl y byddai eich tad yn fwy parod i dderbyn gweithiwr 'proffesiynol'. Os yw eich tad yn mynd i ganolfan ddydd, efallai y byddai'n bosibl trefnu ei fod yn cael bath neu gawod tra bydd yno.

A yw gwlychu a baeddu yn gyffredin mewn pobl sydd â chlefyd Alzheimer? Ai dryswch yn bennaf sy'n achosi hyn, neu a oes yna resymau eraill?

Mae llawer o bobl sydd â chlefyd Alzheimer yn gwlychu ac yn baeddu ar adegau – ac yn gwlychu yn enwedig. Dryswch yw'r prif achos yn aml, ond dylid bod yn ymwybodol o bosibiliadau eraill hefyd. Os yw rhywun yn gwlychu neu'n baeddu ei hun, y peth gorau i'w wneud fyddai cael sgwrs gyda meddyg, oherwydd mae'n bosibl fod modd trin yr achos.

Os yw'r gwlychu yn dechrau'n sydyn, neu os oes arogl cas ar yr wrin a'i fod yn dywyll ei liw, efallai mai llid y bledren yw'r broblem. Dylai fod yn bosibl i feddyg drin haint o'r fath gyda chyffuriau.

Ymysg yr achosion eraill o wlychu y gellir eu trin y mae chwarren brostad wedi chwyddo (mewn dynion yn unig) a rhwymedd difrifol, gan fod y ddau gyflwr yn gallu amharu ar lif arferol wrin. Mae rhwymedd difrifol hefyd yn gallu achosi baeddu, lle mae deunydd ysgarthol lled solet yn gollwng o amgylch ysgarthion sydd wedi'u cywasgu; mae'n ymddangos wedyn fod gan y person ddolur rhydd, ond mewn gwirionedd, y gwrthwyneb sy'n wir.

Gall defnyddio rhai meddyginiaethau hefyd gyfrannu at wlychu a baeddu. Er enghraifft, mae sedatifau yn aml yn pylu'r teimlad o fod eisiau pasio wrin a hefyd yn arafu'r reddf o fod eisiau mynd i'r toiled. Mae'n bosibl hefyd y bydd diwretigion (tabledi dŵr) a gaiff eu defnyddio i drin problem arall yn gwneud i'r person fod yn fwy tebygol o wlychu'i hun oherwydd ei fod yn cynhyrchu mwy o wrin yn eu sgil.

Mae fy ngŵr wedi cael diagnosis o glefyd Alzheimer, ac mae wedi dechrau gwlychu'r gwely. Beth alla i ei wneud?

Os nad ydych wedi gwneud hynny'n barod, ewch i siarad â meddyg teulu eich gŵr oherwydd mae'n bosibl y gellid trin y gwlychu, o leiaf i ryw raddau (gweler yr ateb blaenorol). Os mai dryswch cynyddol yw'r prif reswm dros wlychu'r gwely, mae nifer o gamau ymarferol y gallwch eu cymryd i leihau'r broblem.

Ceisiwch sicrhau nad yw eich gŵr yn yfed yn helaeth yn hwyr y nos. Rhowch lai o de a choffi iddo hefyd, gan fod y rhain yn cynnwys caffein sy'n peri i bobl fod eisiau pasio mwy o ddŵr. Ceisiwch annog eich gŵr i fynd i'r toiled cyn ei fod yn mynd i'r gwely. Efallai y gallai fod yn ddefnyddiol i chi ei ddeffro unwaith neu ddwy yn ystod y nos er mwyn iddo fynd i'r toiled, er efallai na fydd hyn yn hawdd. Tybed a yw'r toiled yn ddigon agos i'r llofft? Gwnewch yn siŵr ei fod yn ddigon hyderus i ddod o hyd i'r toiled ac agor y drws. Mae rhai gofalwyr yn hoff o ddefnyddio goleuadau nos y gellid eu rhoi mewn soced ar y wal; os ydyn nhw yn y lle cywir, gallant arwain y person at y toiled, a helpu i'w atal rhag llithro neu gwympo.

Gallech hefyd ystyried defnyddio comôd neu botel wely. Byddai gorchudd matres sy'n dal dŵr hefyd yn ddefnyddiol. Dylai'r nyrs ardal, y Gwasanaethau Cymdeithasol neu therapydd galwedigaethol allu rhoi cyngor i chi a rhoi benthyg offer priodol. Dylen nhw hefyd fod yn gwybod am ffynonellau cymorth posibl eraill sy'n lleol i chi, fel Sefydliad y Bledren a'r Coluddyn, neu eich gwasanaeth anymataliaeth lleol, sy'n cynnig cyngor ynghylch problemau gwlychu a baeddu (gweler Atodiad 1).

Rwyf wedi cyrraedd pen fy nhennyn. Mae clefyd Alzheimer ar fy ngwraig ac mae hi'n gwlychu ei hun o hyd. Mae arna i ofn mynd â hi allan. Beth alla i ei wneud?

Yn gyntaf, gofynnwch i feddyg eich gwraig wneud yn siŵr nad yw'r gwlychu'n cael ei achosi gan rywbeth y gellid ei drin (trafodwyd hyn eisoes yn yr adran hon), fel llid y bledren. Os nad oes achos y gellid ei drin, efallai y bydd y camau ymarferol canlynol yn helpu.

Ceisiwch atgoffa eich gwraig i fynd i'r toiled pan fydd yn codi yn y bore, wedyn bob rhyw ddwy awr yn ystod y dydd a chyn mynd i'r gwely. Os yw'n gwagio'i phledren yn aml, efallai y bydd llai o ddamweiniau. Mae'n bosibl hefyd y gwelwch arwyddion sy'n golygu bod angen mynd i'r toiled arni: er enghraifft, dechrau aflonyddu neu symud o gwmpas. Os yw hyn yn digwydd, anogwch hi i fynd i'r toiled. Gwnewch yn siŵr fod y toiled yn hawdd mynd ato, ei fod yn gynnes a bod digon o olau yno.

Bydd padiau anymataliaeth yn amsugno ychydig o wrin ac fe allan nhw roi hyder i'r ddau ohonoch adael y tŷ. Mae mathau amrywiol o'r rhain ar gael, ac mae'n werth holi cynghorwr ymataliaeth amdanyn nhw. Mae pethau eraill i'w hystyried, yn cynnwys cael gorchuddion dal dŵr ar sedd arferol eich gwraig, ar sedd y car ac ar ei matres. Bydd gan gynghorwyr ymataliaeth syniadau amrywiol a allai eich helpu. Dylai eich meddyg teulu fod yn gallu eich rhoi mewn cysylltiad ag un.

Mae gwlychu a baeddu yn gallu achosi croen dolurus, felly bydd angen i'ch gwraig gael bath neu gawod o leiaf unwaith y dydd. Efallai y bydd angen ei glanhau â weips babanod bob hyn a hyn. Os yw croen eich gwraig yn mynd yn goch ac yn ddolurus, siaradwch â'i meddyg; mae'n bosibl y bydd gan eich gwraig haint ffwngaidd. Mae'n rhwydd trin haint fel hyn â'r eli cywir.

Bydd gwlychu a baeddu yn golygu llawer mwy o waith i chi. Mae'n gallu achosi gofid a diflastod, a bydd llawer o bobl yn teimlo bod y cyfan yn hynod o annymunol. Efallai y byddwch yn dechrau teimlo'n flin ac yn chwerw. Mae'n hawdd deall hyn, ond ceisiwch siarad â phobl am y broblem ac am eich teimladau. Bydd eich meddyg teulu, arbenigwr yn yr ysbyty, nyrs ardal, gweithiwr cymdeithasol a chynghorwr ymataliaeth yn gyfarwydd â hyn, a byddan nhw'n gallu helpu. Cofiwch hefyd nad bai eich gwraig yw hyn, ond rhan o'r dementia.

Mae fy mam wedi dechrau rhoi darnau o bapur toiled sydd wedi'u defnyddio i lawr cefn y rheiddiadur yn yr ystafell ymolchi. Pan fyddaf i'n sôn am y peth, mae'n gwadu ei bod wedi gwneud hynny. Sut ddylwn i drin hyn?

Mae'n debyg bod eich mam wedi anghofio beth i'w wneud â'r papur toiled y mae hi wedi'i ddefnyddio. Efallai ei bod hefyd wedi anghofio sut i fflysio'r toiled. Nid yw cerydd yn debygol o helpu'r achos. Os yw'n bosibl, arhoswch y tu allan i ddrws yr ystafell ymolchi a phan fyddwch chi'n meddwl ei bod yn barod, ewch i mewn a'i helpu i fflysio'r papur a ddefnyddiwyd i lawr y toiled.

Pan fyddwn ni'n mynd allan yn y car, mae mynd â fy ngwraig i'r toiled yn gallu bod yn broblem oherwydd nad ydw i'n gallu mynd â hi at y drws ac wedyn ei gadael. Beth yw'r peth gorau i'w wneud os oes angen iddi ddefnyddio toiled cyhoeddus?

Mae llawer o ofalwyr yn wynebu'r broblem hon. Y peth gorau i'w wneud yw defnyddio'r toiled anabl, sydd nawr ar gael yn y rhan fwyaf o adeiladau. Byddwch yn gweld bod y toiledau hyn yn ddigon mawr i chi fynd i mewn iddyn nhw gyda'ch gwraig a'i helpu os bydd angen. Fel rheol, mae gan gaffis mewn sefydliadau cenedlaethol neu gwmnïau cadwyn, fel yr Ymddiriedolaeth Genedlaethol, Marks & Spencer, Caffè Nero a'u tebyg doiled i bobl anabl yn y fan a'r lle. Mewn caffis sydd ag un toiled, i ddynion ac i ferched, mae'r toiled yn aml yn un i bobl anabl.

Mewn rhai mannau, fel gorsaf gwasanaethau traffordd a meysydd parcio aml-lawr, cedwir y toiledau anabl yn aml dan glo. Fel rheol, rhaid defnyddio allwedd RADAR i'w hagor sydd ar gael gan Disability Rights UK (manylion cyswllt yn Atodiad 1). Fel arall, bydd yr allwedd fel rheol ar gael naill ai o'r ciosg neu'r dderbynfa.

Mae yna hefyd fudiad o'r enw Changing Places (manylion cyswllt yn Atodiad 1) sy'n ymgyrchu dros sicrhau toiledau hygyrch gyda digon o le a'r offer cywir, gan gynnwys mainc y gellir addasu ei huchder. Mae hefyd yn cynhyrchu map ar ei wefan sy'n nodi lleoliad cannoedd o doiledau yn y Deyrnas Unedig.

Weithiau, mae'r toiled i bobl anabl y tu mewn i doiledau'r dynion neu'r merched. Os yw hwn yn nhoiledau'r merched, yr unig opsiwn yw bod yn ddigon dewr i fynd yno gyda'ch gwraig. Bydd y rhan fwyaf o bobl yn deall ac yn synhwyrol am y peth.

BWYD A DIOD

Ychydig iawn o fwyd fydd fy ngwraig yn ei fwyta ac weithiau mae'n gwrthod bwyta dim byd o gwbl. Sut alla i ei pherswadio? Ydy gwrthod bwyta yn arferol i rywun sydd â chlefyd Alzheimer?

Dyma broblem gyffredin yng nghyfnodau diweddarach clefyd Alzheimer. Mae'n eithaf posibl nad yw eich gwraig bellach yn deall bod angen iddi fwyta'r hyn sydd o'i blaen. Efallai nad oes chwant bwyd arni; mae hynny'n gallu digwydd os nad yw person yn gwneud ymarfer corff. Mae'n bosibl hefyd nad yw'n deall bellach y teimlad o fod eisiau bwyd, neu ei bod hi'n anodd iddi gnoi neu lyncu (gweler yn ddiweddarach yn yr adran hon).

Ceisiwch sicrhau bod prydau bwyd yn rhan o drefn dawel a

digynnwrf. Anogwch eich gwraig i fwyta a'i chanmol pan fydd yn llwyddo i wneud hynny. Efallai y bydd yn haws iddi ddefnyddio llwy na chyllell a fforc. Neu rhowch fwyd bys a bawd iddi os ydy hyn yn well ganddi. Peidiwch â'i beirniadu os yw'n gwneud llanast (gweler yr ateb yn ddiweddarach yn yr adran hon). Torrwch ei bwyd yn ddarnau hawdd eu cnoi. Os oes ganddi broblem cnoi a llyncu, efallai mai'r peth rhwyddaf fyddai stwnsio neu hylifo'r bwyd. Os yw'n anghofus, efallai y bydd angen i chi ei hannog i gymryd cegaid arall, neu i'w gnoi a'i lyncu.

Fodd bynnag, hyd yn oed os na fydd awydd bwyta ar eich gwraig, mae'n hynod o bwysig eich bod yn ceisio sicrhau ei bod yn yfed digon o hylif – tua wyth cwpanaid y dydd yw'r nod. Mae yfed digon o hylif yn atal rhwymedd a diffyg hylif yn y corff, sef dau beth sy'n gallu gwaethygu dryswch.

Ar wefan yr Alzheimer's Society, ceir syniadau a chanllawiau ar nifer o faterion sy'n ymwneud â bwyta a maeth.

Mae clefyd Alzheimer ar fy mam ers sawl blwyddyn ac mae'n dal i fwyta'n dda, ond mae wedi colli llawer iawn o bwysau ac erbyn hyn, mae'n denau iawn. Ai clefyd Alzheimer sy'n gyfrifol am hyn? Ydych chi'n credu y dylwn roi fitaminau ychwanegol iddi?

Mae'n debyg bod colli pwysau yn un o nodweddion clefyd Alzheimer, er bod angen rhagor o ymchwil i'r maes hwn. Mae hyn yn arbennig o wir am gyfnodau diweddarach y clefyd. Os yw'r unigolyn yn colli llawer o bwysau yn ystod cyfnod cynnar iawn y clefyd, byddai'n werth gweld eich meddyg teulu i wneud yn siŵr nad oes dim byd arall yn gwneud i'r unigolyn golli pwysau.

Gall rhoi fitaminau ar ffurf ychwanegion i bobl yng nghyfnodau diweddarach dementia fod yn ddefnyddiol weithiau, ond byddai'n well siarad â meddyg eich mam yn gyntaf. Bydd yn gallu rhoi cyngor ynghylch pa ychwanegion, os bydd eu hangen, fyddai orau i'ch mam. Os yw'n bwyta'n dda, mae'n annhebygol o fod yn brin o fitaminau.

Mae clefyd Alzheimer ar fy ngŵr a bydd weithiau'n anghofio ei fod newydd gael pryd o fwyd. Bydd wedyn yn cwyno bod eisiau bwyd arno, gan ddweud nad wyf yn rhoi bwyd iddo. Beth alla i ei wneud?

Bydd pobl sy'n dioddef o ddryswch yn aml yn anghofio eu bod newydd gael pryd o fwyd. Mae'n bosibl hefyd nad yw eich gŵr bellach yn gwybod pryd fydd wedi cael digon i'w fwyta – oherwydd bod y clefyd efallai wedi effeithio ar y rhan o'r ymennydd sy'n dweud wrtho ei fod yn llawn.

Os yw eich gŵr yn gofyn am bryd arall o fwyd yn fuan ar ôl bwyta, y peth gorau yw ceisio tynnu ei sylw gyda rhyw weithgaredd arall. Os yw hynny'n methu, rhowch rywbeth bach iddo'i fwyta 'tra bydd yn aros', fel darn o ffrwyth, darn o foron neu seleri. Gyda lwc, bydd wedyn yn anghofio'i fod wedi gofyn am ragor o fwyd.

Mae clefyd Alzheimer ar fy ngwraig. Pam mae hi eisiau bwyta fferins a siocled drwy'r amser?

Mae'n bosibl fod clefyd eich gwraig wedi effeithio ar ran arbennig o'r ymennydd sydd fel rheol yn helpu pobl i reoli faint o bethau melys maen nhw'n ei fwyta. Wrth gwrs, mae'n bosibl fod eich gwraig wastad wedi bod yn hoff iawn o fferins a siocled, ond ei bod yn arfer gallu'i rheoli ei hun. Ceisiwch gynnig ffrwythau ffres neu sych iddi.

Rwy'n gofalu am fy nhad oedrannus ac yn ddiweddar cafodd ddiagnosis o glefyd Alzheimer. Mae'n dioddef o rwymedd yn aml. Oes gennych chi unrhyw gyngor?

Dylech geisio sicrhau bod eich tad yn bwyta deiet cytbwys sy'n cynnwys digon o ffibr deietegol. Bydd yn fwy parod i wneud hyn os ydych chi'n cynnig bwydydd y mae'n eu hoffi. Mae bwydydd sy'n cynnwys llawer o ffibr yn cynnwys bara a phasta cyflawn, bran, grawnfwydydd, codlysiau (*lentils*) a ffrwythau sych.

Un ffordd syml o gynyddu'r ffibr yn y deiet yw ychwanegu bran at rawnfwydydd, ffrwythau wedi'u stiwio a phwdinau. Anogwch eich tad hefyd i fwyta digon o ffrwythau a llysiau ffres a fydd yn rhoi fitaminau iddo yn ogystal â ffibr. Bydd yfed digon o hylif yn ystod y dydd hefyd yn llesol, ynghyd â gwneud digon o ymarfer corff.

Os nad yw eich tad yn fodlon bwyta'r bwydydd a fyddai'n dda iddo, ac felly'n dal i fod yn rhwym, bydd ei feddyg yn gallu'i helpu. Mae'n bwysig trin rhwymedd mewn unigolion sydd â chlefyd Alzheimer oherwydd ei fod yn gallu achosi iddyn nhw gynhyrfu a gwneud unrhyw ddryswch yn waeth. Efallai y bydd y meddyg yn awgrymu bod eich tad yn cymryd carthydd fel *ispaghula* (e.e. Regulan neu Fybogel), sy'n cynnwys ffibr ychwanegol. Mae lactwlos yn fath gwahanol o garthydd sydd hefyd yn gallu bod yn effeithiol iawn. Gellir cymryd y carthyddion hyn (ond nid rhai o'r lleill sydd ar gael dros y cownter) bob dydd heb unrhyw effeithiau niweidiol. Mewn rhai achosion prin, efallai y bydd angen i nyrs ardal ymweld yn rheolaidd i roi enema.

Mae clefyd Alzheimer ar fy ngwraig ac mae hi eisiau bwyta ffa pob yn syth o'r tun; a oes unrhyw beth o'i le ar hyn?

Nac oes, does dim byd o'i le. Wrth ofalu am rywun sydd â chlefyd Alzheimer, mae gofyn bod yn hyblyg gydag arferion bwyta. Fodd bynnag, gwnewch yn siŵr fod y tun newydd ei agor fel bod y ffa yn ffres. Gofalwch hefyd nad yw eich gwraig yn torri ei hun ar y tun os yw'n ei bwydo'i hun.

Nid yw fy mam bellach yn gallu defnyddio cyllell a fforc yn iawn, ac mae'n gwneud llanast ofnadwy. Mae rheoli hyn yn anodd iawn i fi. A oes gennych chi unrhyw gyngor?

Er lles ei hymdeimlad o annibyniaeth a'i hunan-barch, mae'n bwysig eich bod yn annog eich mam i barhau i'w bwydo'i hun cyhyd ag y bo modd. Fodd bynnag, byddwch eich dwy yn siŵr o deimlo'n rhwystredig ar adegau.

Ceisiwch fod mor hyblyg a goddefgar ag y gallwch bob amser, a chofiwch nad yw eich mam yn gyfrifol am ei hymddygiad wrth y bwrdd. Mae'n debyg y bydd hi'n ymdopi orau os gallwch chi sicrhau bod prydau bwyd mor ymlaciol a hamddenol â phosibl. Ceisiwch hefyd ei chanmol am fwyta a mwynhau ei bwyd, yn hytrach na chynhyrfu o weld unrhyw lanast.

Bydd glanhau wedyn yn haws os byddwch yn defnyddio lliain bwrdd plastig. Os nad yw eich mam yn gallu defnyddio napcyn wrth y bwrdd, gallech ei hannog i wisgo ffedog neu smoc hawdd ei golchi pan fydd yn bwyta. Ceisiwch ei hannog yn dawel i ddefnyddio llwy yn hytrach na chyllell a fforc, a gwnewch yn siŵr fod y bwyd wedi'i dorri'n barod iddi. Mae bwyd bys a bawd hefyd yn syniad da. Bydd yn haws o lawer iddi godi bwyd â'i bysedd. Mae nygets cyw iâr, wyau selsig, darnau bach o gaws a myffins yn enghreifftiau da, neu ddarn o dost gyda beth bynnag y mae'n ei hoffi arno.

I leihau dryswch, mae'n syniad da gweini un dogn o fwyd ar y tro. Hefyd, os yw'n bosibl, symudwch halen, pupur a sawsiau o'r bwrdd cyn gynted ag y byddan nhw wedi eu defnyddio.

Mae'n werth gofyn a all therapydd galwedigaethol alw heibio i roi rhagor o gyngor i chi. Mae cymhorthion defnyddiol ar gael gan gynnwys matiau gwrthlithro, platiau â phadiau sugno, gard o amgylch platiau, a chyllyll a ffyrc â charnau hawdd gafael ynddyn nhw.

Pam mae fy mhartner, sydd â dementia, wedi troi'n llysieuwr yn sydyn? Roedd yn arfer hoffi cig.

Mae'n bosibl nad yw bellach yn gwybod beth yw cig a'i fod yn cael trafferth ei gnoi a'i lyncu, o'i gymharu â bwydydd meddalach. (Gweler hefyd yr ateb nesaf.) Ni fydd bod yn llysieuwr yn achosi niwed iddo, ond ceisiwch sicrhau eich bod yn rhoi digon o lysiau gwyrdd iddo, fel sbigoglys, sy'n cynnwys haearn.

Mae dementia arna i, ac rwy'n cymryd amser hir i fwyta nawr. Mae cig a bwyd sydd angen ei gnoi wedi oeri cyn y galla i orffen bwyta. Mae'n well gen i fwyd meddal erbyn hyn. Pa opsiynau eraill sydd ar gael i fi a fy ngŵr, heblaw am friwgig?

Mae'n hawdd bwyta bwyd y gallwch ei dorri'n fân gydag ymyl fforc. Rhai enghreifftiau yw wyau wedi'u sgramblo, pysgod heb esgyrn neu gacennau pysgod mewn saws, a phasta meddal mewn saws llyfn. Mae hefyd yn hawdd bwyta tatws stwnsh, pannas, pys stwnsh, bananas neu ffrwythau wedi'u stiwio.

Mae clefyd Alzheimer ar fy ngwraig ers peth amser, ac mae cnoi a llyncu'n anodd iawn iddi. Mae hyn yn achosi gofid i fi, a dydw i ddim yn gwybod beth i'w wneud.

Mae problemau cnoi a llyncu weithiau'n digwydd yng nghyfnodau diweddarach clefyd Alzheimer, ac mae hynny'n achosi llawer o ofid. Fel rheol, yr achos mwyaf tebygol yw nad yw'r cyhyrau a'r atgyrchau (*reflexes*) a ddefnyddir i gnoi a llyncu yn gweithio cystal erbyn hyn. Fodd bynnag, dannedd gosod nad ydyn nhw'n ffitio'n iawn neu ddeintgig (*gums*) dolurus yw'r broblem weithiau, ac mae'n bosibl datrys hynny. Gallai gofyn am gyngor proffesiynol fod yn ddefnyddiol, yn ogystal ag ymweld â'r deintydd.

Y peth pwysicaf i chi yw ceisio derbyn nad oes eisiau llawer iawn o fwyd ar eich gwraig. Bydd rhoi bwyd meddal, wedi'i stwnsio, iddi yn rheolaidd, ynghyd â digon i'w yfed, yn ddigonol.

Os ydych chi'n llwyddo i fod yn eithaf hyblyg ynghylch hyn i gyd, gan helpu eich gwraig i fwyta digon o fwyd i ddiwallu ei hanghenion, ni fyddwch yn gwneud iddi deimlo'n fwy lletchwith neu anghysurus wrth geisio sicrhau ei bod yn dal ati i fwyta fel o'r blaen. Os ydych yn meddwl ei bod yn tagu ar ei bwyd neu fod y bwyd yn 'mynd i lawr y ffordd anghywir', siaradwch â'ch meddyg cyn gynted â phosibl, oherwydd gall bwyd fynd i lawr i'r ysgyfaint ac achosi heintiau difrifol yn y frest.

Mae dementia ar fy ngŵr, a chyn iddo ddatblygu'r clefyd, ni fyddai byth yn cael mwy nag un ddiod cyn swper. Nawr, mae'n mynd i'r cwpwrdd diodydd yn rhy aml ac mae'r canlyniadau'n drychinebus. Os ydw i'n symud y poteli oddi yno, mae'n dal i allu mynd allan i brynu rhagor. Beth ddylwn i ei wneud?

Mae'n edrych fel petai eich gŵr wedi mwynhau yfed yn gymedrol ers tro, ac mae'n debyg mai'r peth gorau iddo fyddai gallu parhau â'r arfer hwnnw.

Mae'n debygol mai'r prif reswm dros broblem yfed eich gŵr ar hyn o bryd yw ei fod yn anghofio'i fod eisoes wedi cael diod, a'i fod felly'n cael un arall. Efallai y bydd angen i chi fod yn ddyfeisgar wrth ddelio â hyn; er enghraifft, cael ychydig o boteli a sicrhau nad oes fawr ddim ynddyn nhw, a'u llenwi wedyn pan fyddan nhw'n wag. Efallai y gallech ofyn i'r bobl sy'n gweithio yn y siop leol i beidio â gwerthu alcohol iddo. Yn ystod cyfnodau diweddarach dementia, gallech geisio gwanhau'r alcohol â dŵr; yn aml, bydd pobl yn cysylltu yfed â'r botel y mae'r ddiod ynddi ac ni fyddan nhw'n sylwi bod y ddiod ychydig yn wannach.

Wedi dweud hynny, mae'n rhesymol cynnig diod iddo gyda'i bryd bwyd bob dydd. Mae'n bosibl hefyd ei fod yn ddiflas ac y byddai'n yfed llai, efallai, petaech yn gallu ffeindio rhyw weithgareddau i dynnu ei sylw (gweler Pennod 5 am wybodaeth am weithgareddau).

CADW'N IACH

Beth alla i a fy ngofalwr ei wneud i gadw'n gorfforol ffit ac iach?

Mae'n bwysig cael deiet cytbwys, yfed digon o hylif, gwneud ymarfer corff yn rheolaidd, peidio ag ysmygu, ac yfed alcohol yn gymedrol. Cerdded yw'r ymarfer corff gorau: ceisiwch fynd allan bob bore a phrynhawn. Os na allwch fynd allan, bydd gwneud ymarferion ymestyn neu ymarferion hyblygrwydd yn eich cadair yn ddefnyddiol.

Gofynnwch i'ch meddyg teulu a yw'r tabledi rydych yn eu cymryd yn hollol angenrheidiol. Weithiau, mae gan feddyginiaeth sgileffeithiau sy'n gallu gwneud i chi deimlo'n waeth yn hytrach nag yn well. Gwnewch yn siŵr hefyd eich bod yn cael profion golwg, profion clyw a phrofion deintyddol rheolaidd.

Rwy'n teimlo'n isel drwy'r amser ac yn eithaf ofnus. Beth alla i ei wneud?

Mae'n debyg eich bod yn dioddef o iselder, ond mae modd trin hynny. Beth am fynd i siarad â'ch meddyg teulu i drafod eich teimladau? Efallai y cewch eich atgyfeirio wedyn at gwnselydd cymwysedig. Mae cefnogaeth teulu a chyfeillion hefyd yn gallu eich helpu. Ceisiwch gynnal eich diddordebau a bod yn ddefnyddiol i bobl eraill – bydd hyn yn help i fagu eich hyder. Os nad yw'r pethau hyn yn gweithio, ewch yn ôl at eich meddyg teulu i drafod y posibilrwydd o gael tabledi gwrthiselder neu gael eich atgyfeirio at seiciatrydd sy'n arbenigo mewn iselder.

CYMRYD TABLEDI

Mae'r meddyg wedi rhoi tabledi i fi oherwydd bod clefyd Alzheimer arna i, ond rwy'n poeni y bydda i'n anghofio'u cymryd. Beth alla i ei wneud?

Mae'n debygol fod eich meddyg wedi rhagnodi un o'r cyffuriau a ddatblygwyd i drin clefyd Alzheimer (gweler 'Triniaethau cyffuriau' ym Mhennod 12). Mae angen cymryd y cyffuriau hyn bob dydd er mwyn iddyn nhw gael siawns o wella eich cyflwr.

Tybed a oes modd i rywun eich atgoffa i gymryd eich tabledi bob dydd? Gallai galwad ffôn sydyn fod yn ddigon. Posibilrwydd arall fyddai defnyddio blwch fel Dosette neu Medidose, sydd ar gael mewn fferyllfa. Mae'r blychau hyn yn cynnwys adran wahanol ar gyfer pob dydd o'r wythnos. Wedyn, ar ddechrau'r wythnos, gallwch chi (neu eich gofalwr, os oes gennych un) roi'r tabledi yn yr adrannau hyn. Gallai blwch o'r fath fod yn ddigon i'ch atgoffa i gymryd eich tabledi, ac mae'n ffordd hawdd hefyd o wybod a ydych eisoes wedi cymryd eich tabledi. Mae llawer o ddyfeisiau eraill i'w cael hefyd erbyn hyn, fel math o oriawr neu ffonau symudol, sy'n gallu helpu i'ch atgoffa i gymryd meddyginiaeth. Gofynnwch i therapydd galwedigaethol am arweiniad gyda hyn.

Mae'r meddyg wedi rhagnodi nifer o dabledi gwahanol i fy ngŵr. Nid wyf yn siŵr beth yw pwrpas pob un ohonyn nhw, ond rwy'n cael anhawster mawr i berswadio fy ngŵr i'w llyncu, yn enwedig y rhai mwyaf. Beth ddylwn i ei wneud?

Yn aml iawn, bydd pobl sydd â dementia yn amharod i gymryd tabledi. Fel rheol, bydd hyn yn digwydd oherwydd nad yw pobl yn gallu deall bod unrhyw beth o'i le arnyn nhw, ac felly nid ydyn nhw'n sylweddoli bod angen iddyn nhw gymryd meddyginiaeth. Yn ystod cyfnodau diweddarach dementia, mae problem o ran llyncu tabledi weithiau oherwydd bod yr unigolyn yn cael trafferth llyncu'n gyffredinol (gweler yr adran 'Triniaethau cyffuriau' ym Mhennod 12).

Y peth cyntaf i'w wneud yw siarad â meddyg eich gŵr. Bydd y meddyg wedyn yn gallu dweud wrthych beth yw pwrpas y tabledi gwahanol a hefyd a yw rhai ohonyn nhw'n bwysicach nag eraill. Efallai y byddai'n bosibl i chi wedyn ganolbwyntio eich ymdrechion ar gael eich gŵr i gymryd rhai o'r tabledi.

Weithiau, mae meddyg yn gallu lleihau cyfanswm y tabledi sy'n cael eu rhagnodi. Ond ni fydd yn bosibl yn aml oherwydd bod eu hangen i gyd – gan gynnwys trin anhwylderau difrifol, efallai, fel pwysedd gwaed uchel, methiant y galon, diabetes neu epilepsi. Os yw llyncu'n broblem fawr i'ch gŵr, efallai y byddai'n bosibl iddo gael rhai meddyginiaethau ar ffurf hylif.

Fodd bynnag, efallai y bydd angen i chi benderfynu rywbryd yn y dyfodol i ba raddau rydych yn fodlon gorfodi eich gŵr i gymryd meddyginiaeth. Mae rhai gofalwyr yn teimlo na ddylid gorfodi na thwyllo rhywun i gymryd meddyginiaeth yn erbyn ei ewyllys. Mae eraill wedyn yn poeni llai am hynny os yw'r feddyginiaeth er lles pennaf y person ac nad yw'r gallu ganddo i ganiatáu triniaeth. Dyma sgwrs bwysig i'w chael gyda'ch meddyg.

CYSGU

Mae dementia yn golygu fy mod wedi colli'r 'switsh diffodd' yn fy ymennydd sy'n fy ngalluogi i fynd i gysgu. Rwy'n cynhyrfu gyda'r nos ac yn methu ymlacio a thawelu erbyn amser gwely. Beth alla i ei wneud? A fydd tabledi cysgu yn helpu?

Mae nifer o bethau ymarferol weithiau'n gallu bod yn well na chymryd tabledi cysgu. Ceisiwch sefydlu trefn reolaidd. Er enghraifft, efallai y byddwch yn cysgu'n well os cewch chi eich prif bryd o fwyd amser cinio, ac yna ychydig o gwsg. Gwnewch rywfaint o ymarfer corff bob bore a phrynhawn, peidiwch ag yfed te na choffi. Cadwch gyda'r nos yn dawel, cymerwch fath cynnes, efallai, a gwnewch yn siŵr fod eich llofft yn gysurus. Mae rhai pobl yn hoffi cael diod cyn mynd i'r gwely: te llysieuol, llaeth cynnes neu wydraid bach o chwisgi. Gallai chwarae eich hoff gerddoriaeth yn dawel yn y cefndir hefyd helpu – ond nid roc metel trwm!

Os nad yw hyn yn gwella pethau ac os yw eich blinder yn ei gwneud hi'n anodd i chi ymdopi, mae'n bosibl y bydd angen i chi ystyried tabledi cysgu. Mae'n bosibl hefyd y bydd y rhain yn gwneud eich dryswch yn waeth. (Gweler yr adran 'Trin symptomau' ym Mhennod 12 am ragor o wybodaeth am dabledi cysgu.)

Mae fy mam, sy'n 85 oed, wedi dechrau cysgu'n hwyr iawn, weithiau tan 2 y prynhawn. Pan fydd hi'n codi, mae'n hwyliog iawn ond yn hynod o anghofus. A ddylwn i boeni am hyn, ac os felly, beth alla i ei wneud am y peth?

Mae'n amhosib rhag-weld sut fydd dementia'n effeithio ar gwsg. Bydd rhai pobl yn cysgu llai, neu'n cysgu yn ystod y dydd ac yn effro yn ystod y nos. Bydd eraill, fel eich mam, yn cysgu llawer mwy. Gall patrymau cwsg newid dros amser. Os yw eich mam yn ymddangos yn hapus ac yn cysgu yn ystod y nos hefyd, efallai mai'r peth gorau fyddai gadael iddi gysgu'n hwyr. Os yw ar ei thraed am gyfnodau yn ystod y nos, yna gallai ceisio sefydlu patrwm cysgu gwell fod yn fuddiol. Ni fydd cysgu 14 neu 16 awr y dydd yn achosi niwed i'ch mam, cyn belled â'i bod yn bwyta ac yn yfed digon pan fydd yn effro. Mae'n bosibl y bydd ceisio'i deffro cyn pryd yn arwain at fwy o ddryswch neu hwyliau drwg.

Weithiau mae fy ngŵr yn cysgu drwy'r dydd, ac wedyn bydd yn effro drwy'r nos. O ganlyniad, nid wyf yn cael unrhyw gwsg o gwbl, ac mae fy hwyliau'n gwaethygu. Beth alla i ei wneud?

Mae'n ymddangos bod eich gŵr wedi colli ymdeimlad o amser a'i fod yn methu gwahaniaethu rhwng nos a dydd. Ceisiwch sefydlu trefn reolaidd a fydd yn ei gadw mor brysur a gweithgar â phosibl yn ystod y dydd. (Mae gwybodaeth am weithgareddau ym Mhennod 5.) Oni bai fod eisiau seibiant arnoch chi, peidiwch â gadael iddo gysgu yn ystod y dydd. Mae'n bosibl y bydd yn cysgu'n well yn y nos os ydych yn gallu mynd am dro gyda'ch gilydd bob dydd.

I'w helpu i gysgu yn y nos, gwnewch yn siŵr ei fod yn gysurus yn y gwely; ni ddylai'r llofft fod yn rhy boeth nac yn rhy oer. Bydd llenni trwchus i atal y golau yn ddefnyddiol. Os nad yw'n gallu setlo'n rhwydd mewn gwely, efallai y bydd yn gallu cysgu'n gyfforddus mewn cadair fawr neu ar soffa.

Cyn iddo fynd i'r gwely gyda'r nos, gwnewch yn siŵr ei fod yn defnyddio'r toiled. Ni fydd mor debygol wedyn o ddeffro yn y nos a bydd hynny hefyd yn helpu i'w rwystro rhag gwlychu'r gwely. Os yw'n codi yn ystod y nos, ceisiwch ei atgoffa'n dawel ei bod yn dal i fod yn nos a'i dywys yn ôl i'r gwely. Posibilrwydd arall yw tynnu ei sylw am ychydig, ac yna awgrymu ei bod yn amser i chi'ch dau fynd yn ôl i'r gwely. Ceisiwch fod mor bendant a chysurlon â phosibl.

5 | Cyfathrebu a gweithgareddau

Wrth i ddementia ymgynyddu, mae cyfathrebu'n mynd yn anoddach. Mae pobl sydd â dementia'n datblygu problemau o ran mynegi eu hunain yn glir a hefyd o ran deall beth sy'n cael ei ddweud wrthyn nhw. Mae problemau cyfathrebu'n gallu achosi rhwystredigaeth a gofid i bawb – i ofalwyr ac i bobl sydd â dementia fel ei gilydd. Nod y bennod hon yw eich helpu i gynnal dulliau cyfathrebu cyhyd ag y gallwch. Ceir hefyd awgrymiadau ymarferol ar gyfer helpu pobl sydd â dementia i ddefnyddio'u cof i'r eithaf er ei fod yn dirywio'n raddol. Yn olaf, mae'r bennod yn edrych ar syniadau ar gyfer cadw pobl sydd â dementia yn brysur, a'u helpu i fwynhau bywyd i'r eithaf.

GWELLA CYFATHREBU

Mae dementia fy mam yn gwaethygu ac rwyf am wneud fy ngorau glas i beidio â cholli'r gallu i gyfathrebu â hi. Oes gennych chi unrhyw gyngor?

Mae cyfathrebu'n mynd yn anoddach wrth i ddementia ymgynyddu. Er hynny, mae nifer o bethau y gallwch eu gwneud a fydd yn eich helpu chi a'ch mam i gyfathrebu:

- Gwnewch yn siŵr ei bod yn gallu gweld, clywed a siarad cystal â phosibl (archwiliwch gymhorthion clyw, sbectol a dannedd gosod).

- Tynnwch sylw eich mam cyn i chi siarad â hi, efallai drwy gyffwrdd â'i braich yn ysgafn.

- Ceisiwch ofalu nad oes dim i dynnu ei sylw, fel y teledu (dywedwch wrthi yn gyntaf eich bod am ddiffodd y teledu er mwyn i chi allu siarad â hi).

- Pan fyddwch yn siarad â hi, ceisiwch gadw eich pen a'ch ysgwyddau ar yr un lefel â'i rhai hi.

- Ceisiwch gynnal cyswllt llygaid pan fyddwch chi neu hi'n siarad (bydd hyn yn helpu i gynnal ei sylw).

- Daliwch ei llaw yn ystod y sgwrs (ffordd arall o gynnal ei sylw).

- Peidiwch â chynhyrfu wrth siarad â hi.

- Siaradwch mor glir ag y gallwch.

- Defnyddiwch frawddegau byr a cheisiwch siarad am un peth yn unig ar y tro. Efallai y bydd hi'n help defnyddio cwestiynau sy'n gofyn iddi eu hateb yn syml – 'ie' neu 'na' yn unig.

- Rhowch ddigon o amser i'ch mam ateb neu ddangos ei bod wedi deall.

- Rhowch bethau ar bapur os yw hynny'n ddefnyddiol i'ch mam.

- Gwyliwch iaith corff eich mam am gliwiau gweledol am ei theimladau.

- Cofiwch, gallwch ddefnyddio dulliau dieiriau i gyfathrebu â'ch mam hefyd – er enghraifft, gyda mynegiant eich wyneb neu drwy ei chofleidio.

Mae dementia ar fy ngŵr. Yn aml, bydd yn dechrau dweud rhywbeth ac yna'n methu mynd yn ei flaen. Mae hyn yn rhwystredig i ni'n dau. Beth allwn ni ei wneud?

Bydd hi'n help i'ch gŵr ddeall eich bod yn rhoi eich holl sylw iddo pan fydd yn siarad a'ch bod yn deall ei anawsterau. Gallwch gyfleu hyn drwy gynnal cyswllt llygaid drwy'r sgwrs, a thrwy fod yn bositif a hwyliog os yw'n colli'i ffordd. Gallai nodio eich pen o bryd i'w gilydd i ddangos eich bod yn dilyn yr hyn y mae'n ei ddweud fod yn help iddo hefyd.

Cofiwch fod cyffwrdd â rhywun yn gallu helpu cyfathrebu'n fawr. Bydd dal llaw eich gŵr yn ystod y sgwrs yn ei helpu i ganolbwyntio, a hefyd yn rhoi cysur iddo yn wyneb cyflwr sy'n gallu achosi dryswch mawr. Mae cyfathrebu dieiriau o'r fath yn bwysicach fyth yn ystod cyfnodau diweddarach dementia, pan na fydd cyfathrebu normal weithiau'n bosibl o gwbl.

Wrth i gyfathrebu â'ch gŵr fynd yn anoddach, mae'n bwysig iawn eich bod yn cael digon o gyfle i sgwrsio ag eraill. Bydd cyfeillion, aelodau'r teulu, cymdogion, gofalwyr eraill a hyd yn oed y siopwr lleol yn gallu eich helpu gyda hyn.

Mae fy ngwraig yn meddwl mai hi sy'n gyfrifol am yr holl waith tŷ fel coginio a siopa, ac nid yw'n gallu derbyn fy mod i nawr yn gorfod gwneud popeth. Sut alla i esbonio hyn wrthi?

Efallai nad yw eich gwraig erbyn hyn yn gallu cofio beth mae hi newydd ei wneud. Fodd bynnag, mae'n gallu cofio gwneud gwaith tŷ yn y gorffennol a dyna sydd yn ei meddwl nawr. Does dim diben ceisio esbonio'r sefyllfa wrthi. Ni fydd yn gallu cydnabod na diolch i chi am yr holl waith ychwanegol rydych chi'n ei wneud.

Ceisiwch atgoffa eich hun o bryd i'w gilydd na fyddai eich gwraig yn gallu parhau i fyw gartref heb eich gofal a'ch ymroddiad chi; efallai y bydd hyn yn gwneud i chi deimlo'n well.

CYMHORTHION COF

Rwyf wedi cael diagnosis o glefyd Alzheimer. A yw gwneud ymarferion i'r ymennydd yn arafu datblygiad dementia?

Nid oes ateb clir i'r cwestiwn hwn, ond efallai fod gweithgarwch meddwl – fel darllen, chwarae gemau, peintio, ac ati – yn gallu helpu. Ond peidiwch â gorwneud pethau. Gwnewch yn siŵr fod y gweithgareddau a ddewiswch o fewn eich cyrraedd a'ch bod yn eu mwynhau. (Gweler hefyd yr adran 'Gweithgareddau' yn ddiweddarach yn y bennod hon.)

Mae fy ngwraig yng nghyfnod cynnar clefyd Alzheimer ac mae'n rhwystredig wrth i'w chof waethygu. Beth alla i ei wneud i'w helpu?

Ffordd ddefnyddiol o helpu'ch gwraig i ymdopi â'i phroblemau cofio yw ei hannog i fanteisio ar gymhorthion cof cyffredin yn ogystal â dyfeisio system syml a fydd yn ei helpu i gofio pethau. Mae pawb yn dibynnu ar wybodaeth a roddir gan glociau, calendrau, dyddiaduron, papurau newydd ac ati, ac mae'r pethau hyn yn bwysicach fyth i bobl sydd â phroblemau cofio. Byddan nhw hefyd yn gallu ymdopi'n well os ydyn nhw'n defnyddio eitemau sy'n procio'r cof, fel byrddau negeseuon, rhestrau defnyddiol a thaflenni cyfarwyddyd.

Byddai'n fuddiol i chi a'ch gwraig geisio cydweithio i ddyfeisio cymhorthion cof sy'n addas ar ei chyfer hi. Fodd bynnag, dyma rai pwyntiau i'w hystyried:

- Cadwch eitemau cyfarwydd yn eu lle arferol, lle gall eich gwraig eu gweld yn rhwydd.
- Gwnewch yn siŵr fod pob oriawr a chloc yn dangos yr amser cywir.

- Dangoswch ddyddiad heddiw ar unrhyw galendr, efallai drwy roi llinell drwy'r dyddiau yn eu tro.

- Rhowch fwrdd negeseuon mewn lle amlwg a gwnewch bwynt o'i ddefnyddio'n rheolaidd.

Os yw eich gwraig yn cael trafferth i gofio rhai pethau penodol, fel cofio diffodd y popty neu gloi'r drws, gallwch roi nodiadau bach (fel nodiadau Post-it) wrth ymyl y gwrthrych i brocio'i chof.

- Gwnewch restr o weithgareddau'r diwrnod a'i rhoi mewn lle amlwg. Anogwch eich gwraig i gyfeirio at y rhestr yn aml ac i roi tic wrth ymyl pob gweithgaredd ar ôl iddi ei gwblhau.

- Os oes rhaid ei gadael gartref ar ei phen ei hun, gadewch nodyn clir yn dweud ble rydych chi a phryd fyddwch chi'n dychwelyd. Ceisiwch sefydlu patrwm rheolaidd fel bod eich absenoldeb yn rhan o'r drefn arferol.

- Rhowch ffotograffau o aelodau'r teulu a chyfeillion agos mewn mannau amlwg, â'u henwau arnyn nhw'n glir. Neu ychwanegwch enwau at luniau mewn albwm ac anogwch eich gwraig i edrych arnyn nhw'n aml.

- Yn aml, mae gan bobl yng nghyfnod cynnar clefyd Alzheimer eu ffyrdd personol o brocio'r cof – defnyddiwch beth sy'n addas i'ch gwraig gan y bydd hyn yn debygol o lawer o fod yn llwyddiannus.

Rwy'n teimlo'n rhwystredig iawn pan fydd fy ngwraig yn anghofio pethau sydd newydd ddigwydd. A yw'n bosibl ailhyfforddi cof rhywun sydd â chlefyd Alzheimer?

Un o'r prif broblemau gyda chlefyd Alzheimer yw fod y cof tymor byr yn dirywio. Mae hyn yn golygu bod pobl yn anghofio pethau sydd newydd ddigwydd. Meddyliwch am hyn – heb edrych ar eich oriawr, fe fyddech yn gallu dweud pa amser o'r dydd yw hi. Byddech hefyd yn debygol o allu cofio pryd gawsoch chi ddiod ddiwethaf, beth gawsoch chi i frecwast a pha fis o'r flwyddyn yw hi. Mae pethau fel hyn yn tueddu i gael eu colli gyda chlefyd Alzheimer ac o ganlyniad, mae pobl yn profi dryswch. Er enghraifft, gallan nhw anghofio eu bod newydd fwyta cinio a gofyn am ginio eto.

Mae'r rhan fwyaf o bobl yn credu nad yw'n bosibl ailhyfforddi cof rhywun sydd â chlefyd Alzheimer. Fodd bynnag, efallai y bydd yn bosibl ei helpu i ddyfeisio cymhorthion a phethau i brocio'r cof er mwyn ei helpu o ddydd i ddydd, yn enwedig yng nghyfnodau cynnar y salwch. Er enghraifft, gallai person sydd â chlefyd Alzheimer deimlo'n ddigon hyderus i wneud paned o de os yw'r cyfarwyddiadau wedi'u hysgrifennu ar gerdyn iddo neu iddi. Fodd bynnag, byddai'n rhaid i'r person fod yn gallu cofio edrych ar y cerdyn a dilyn y camau yn eu tro.

Mae bwrdd negeseuon a llyfr nodiadau sydyn yn ddefnyddiol i rai pobl yng nghyfnodau cynnar y salwch. (Gweler hefyd yr ateb blaenorol am fwy o syniadau i brocio'r cof.) Mae'r Alzheimer's Society yn cyhoeddi llyfr o'r enw *Memory Handbook,* sydd ar gael yn rhad ac am ddim i bobl sydd â dementia.

Mae clefyd Alzheimer ar fy ngwraig. A yw'n beth da mynd dros ddigwyddiadau'r dydd gyda hi er mwyn ceisio'i helpu i'w cofio? Neu a yw hynny'n wastraff amser?

Hyd yn oed os ydych yn mynd drostyn nhw gyda hi, efallai na fydd eich gwraig yn gallu cofio pethau y mae newydd eu gwneud neu bethau sydd newydd gael eu dweud. Mae colli cof tymor byr yn un o brif symptomau clefyd Alzheimer. Os ydych eisiau helpu eich gwraig i gofio pethau, y strategaeth orau yw defnyddio datganiadau yn hytrach na chwestiynau. Yn hytrach nag 'Wyt ti'n cofio ...', soniwch am ddigwyddiadau'r dydd. Bydd hyn yn helpu eich gwraig i gael rhyw syniad o beth sydd wedi digwydd a bod amser wedi mynd heibio. Yn fwy na dim, ceisiwch fwynhau pethau gyda'ch gilydd pan fyddwch yn eu gwneud.

GWEITHGAREDDAU

Mae fy ngŵr yng nghyfnod cynnar clefyd Alzheimer. Allwch chi awgrymu ambell beth y gallai fod yn eu gwneud?

Yng nghyfnodau cynnar y cyflwr, ni fydd yn rhy anodd i'ch gŵr barhau i fod yn brysur. Efallai y bydd yn fodlon eich helpu gyda thasgau pob dydd yn y cartref, fel gosod a chlirio'r bwrdd. Does dim ots os yw'n anghofio beth mae wedi'i wneud a'i fod yn ail-wneud pethau droeon. Efallai y bydd hefyd yn gallu helpu i baratoi bwyd a golchi'r llestri. Os oes gennych chi ardd, mae digon o weithgareddau syml y gallai fod yn eu gwneud yno.

Bydd mynd am dro bob dydd yn llesol i chi eich dau a hefyd yn ysgogi sgwrs. Os ydych yn cadw llygad arno, mae'n debyg y bydd yn gallu mynd gyda chi i'r siopau lleol. Yn y cyfnodau cynnar iawn, dylai fod yn gallu parhau i wneud hyn ar ei ben ei hun. Os oedd yn arfer mynd i'r dafarn neu fwyta allan, mae'n syniad da ei helpu i barhau i wneud hyn cyhyd ag y mae'n gallu.

Mewn rhai ardaloedd (cysylltwch â'ch cymdeithas Alzheimer leol), mae'n bosibl y bydd grwpiau cymorth i bobl sydd â dementia, neu 'Gaffi Dementia' lle mae pobl yn cwrdd i gymdeithasu. Gallai fod yn syniad da hefyd i'ch gŵr fynd i ganolfan ddydd os oes cyfleusterau addas yn eich ardal (gweler yn ddiweddarach yn yr adran hon a hefyd yr adran 'Gofal dydd' ym Mhennod 9).

Os yw'n eithaf hoff o gymdeithasu, mae'n bosibl y bydd eich gŵr yn mwynhau gweld cyfeillion a pherthnasau'n galw heibio. Yn gyffredinol, mae'n well iddo osgoi digwyddiadau lle mae llawer o bobl yn bresennol ynddyn nhw oherwydd bydd yn anoddach iddo ddelio â hynny. Os yw'n bosibl, rhybuddiwch unrhyw ddarpar ymwelwyr ymlaen llaw os nad ydyn nhw eisoes yn ymwybodol o broblemau cofio eich gŵr.

Gan fod eich gŵr yn dal i fod yng nghyfnod cynnar y salwch, byddai'n syniad da ei helpu i baratoi llyfr lloffion o'i fywyd, gyda ffotograffau ac eitemau eraill o'r gorffennol. Bydd hyn yn ei helpu i gofio'i orffennol yn hirach wrth i'r clefyd ddatblygu. Gallai fod yn ddefnyddiol hefyd i ddieithriaid a fydd efallai'n helpu i ofalu amdano'n ddiweddarach. Byddan nhw'n gallu pori drwy'r llyfr lloffion gydag ef.

Bydd cadw eich gŵr yn brysur yn ystod cyfnodau diweddarach y salwch yn fwy o broblem, ond mae'n werth gwneud ymdrech. Bydd hyn yn ei helpu i fanteisio ar fywyd i'r eithaf ac i osgoi problemau iechyd eraill a allai godi oherwydd diffyg ymarfer corff. Mae ymarferion ysgafn, fel symud i gerddoriaeth, yn aml yn boblogaidd iawn. Gallai tasgau ailadroddus, yn seiliedig ar ei ddiddordebau blaenorol, efallai, fod yn ddefnyddiol o ran cynnal ei ddiddordeb a phasio'r amser. Efallai y bydd eich gŵr yn mwynhau gwrando arnoch yn darllen neu wrando ar gerddoriaeth – hyd yn oed os yw eisiau clywed yr un darn drosodd a throsodd!

Mae fy ngŵr yn dal i fwynhau mynd allan ar ei ben ei hun a ffeindio'i ffordd adref. Fodd bynnag, mae'n mynd i'r un siop bob tro – optegydd lleol. Mae'n sefyll wrth y cownter ac yn sgwrsio. Mae'n gadael y siop ar ôl peth amser, ond mae'n edrych fel petai wedi datblygu obsesiwn gyda'r siop arbennig hon. Beth alla i ei wneud am y peth?

Mae'r cyfan yn swnio'n eithaf diniwed. Byddai'n syniad da esbonio wrth weithwyr y siop fod gan eich gŵr broblem ac awgrymu eu bod yn ei gysuro ac yn ei atgoffa'n garedig i fynd adref. Os ydych yn poeni y bydd eich gŵr yn mynd ar goll, gallech drefnu ei fod yn cario rhyw fath o gerdyn â'i fanylion arno (gweler hefyd yr adran 'Crwydro' ym Mhennod 6).

Mae fy mam wedi cael diagnosis o glefyd Alzheimer ond mae'n dal i fyw ar ei phen ei hun gyda dwy gath. Mae'n meddwl y byd o'i chathod. Ydych chi'n credu y bydd yn iawn iddi barhau i'w cadw?

Mae cadw anifeiliaid yn gallu bod yn llesol i rai pobl sydd â chlefyd Alzheimer, yn enwedig yng nghyfnod cyntaf y salwch, ac mae peth ymchwil yn awgrymu bod hynny hyd yn oed yn gallu gwella symptomau fel cynnwrf meddyliol mewn pobl sydd â chlefyd Alzheimer. Mae anifeiliaid hefyd yn gwmni ac yn annog pobl i symud. Cyn belled â'ch bod yn teimlo bod eich mam yn gallu gofalu'n iawn am ei chathod, byddai'n well gadael pethau fel ag y maen nhw. Os ydych chi'n credu nad yw hi'n ymdopi, byddai'n well gwneud trefniadau eraill. Efallai y byddai rhai o gymdogion eich mam yn gallu cymryd y cathod, a byddai eich mam wedyn yn dal i allu eu gweld. Os nad yw hynny'n bosibl, trafodwch y broblem â'ch cangen leol o'r Gynghrair Amddiffyn Cathod neu'r RSPCA.

Mae'r meddyg wedi awgrymu y dylai fy ngwraig ddechrau mynd i ganolfan ddydd. Pa fath o weithgareddau fydd yno i rywun sydd â chlefyd Alzheimer?

Mae canolfannau dydd yn amrywio, ond mae'n siŵr y bydd amrywiaeth o weithgareddau'n digwydd yno. Mae beth yn union sy'n digwydd yn dibynnu ar faint o bobl sy'n mynd yno, pa mor ddifrifol yw eu dementia, a faint o hyfforddiant mae'r staff wedi'i gael.

Mae'r help ymarferol a roddir mewn canolfan ddydd yn gallu cynnwys cael bath, gwasanaeth torri gwallt a gwasanaeth trin traed. Yn aml, bydd cinio hefyd yn cael ei ddarparu yno. Gall gweithgareddau grŵp gynnwys gwrando ar gerddoriaeth, gwneud ymarferion syml a therapi hel atgofion (gweler yr adran 'Triniaethau seicolegol' ym Mhennod 12). Weithiau, trefnir tripiau i siopau ac i lefydd o ddiddordeb. (Gweler hefyd yr adran 'Gofal dydd' ym Mhennod 9 am ragor o wybodaeth am ganolfannau dydd.)

GWYLIAU

Roedd fy ngŵr a minnau bob amser wedi mwynhau mynd ar wyliau gyda'n gilydd. Mae dementia arno erbyn hyn ac mae ei ddryswch yn golygu na allwn fynd ar wyliau arferol bellach. Tybed a oes unrhyw fodd i ni'n dau fynd i ffwrdd gyda'n gilydd? Fe fyddai gwyliau'n gwneud byd o les i fi!

Mae yna lawer o fannau gwyliau amrywiol sy'n darparu ar gyfer pobl ag anableddau gwahanol, sef mannau y bydd croeso i chi a'ch gŵr. Maen nhw'n amrywio o dai llety preifat i ganolfannau gwyliau arbenigol, moethus. Os ydych yn dewis yr un mwyaf addas, byddwch yn gweld bod pobl yn dangos cydymdeimlad ac yn deall eich anawsterau.

Mae llawer o grwpiau lleol yr Alzheimer's Society yn trefnu gwyliau grŵp yn ogystal â thripiau diwrnod i bobl sydd â dementia a'u gofalwyr. Mae gan yr Alzheimer's Society hefyd drefniant gyda Revitalise, elusen sy'n darparu gwyliau i bobl ag anableddau. Caiff wythnosau arbennig eu neilltuo yn eu canolfannau gwyliau arbennig i bobl sydd â dementia a'u gofalwyr. Cysylltwch â Revitalise am ragor o wybodaeth (cyfeiriad yn Atodiad 1). Gallai Alzheimer Scotland hefyd roi cyngor ar wyliau. (Gweler Atodiad 1 am fanylion cyswllt mudiadau perthnasol.)

Rwy'n trefnu gwyliau ac rwyf newydd gael diagnosis o glefyd Alzheimer. A ddylwn i ddweud wrth y cwmni yswiriant am hyn?

Dylech. Mae'n rhaid i chi ddweud wrthyn nhw neu ni fydd eich yswiriant yn ddilys. Pe baech yn cael eich taro'n wael ar wyliau, gallai'r cwmni wrthod talu. Pan fyddwch yn dewis polisi yswiriant ar gyfer teithio neu wyliau, edrychwch yn ofalus am eithriadau a allai effeithio arnoch. Bydd cwmnïau yswiriant weithiau'n yswirio pobl sydd â dementia ond ni fyddan nhw'n talu am salwch nac unrhyw ddamweiniau sy'n digwydd yn uniongyrchol o ganlyniad i ddementia.

Mae'n bosibl y bydd rhai cwmnïau'n gwrthod eich yswirio. Bydd eraill yn ystyried achosion fesul un, ond mae'n bosibl y byddan nhw'n codi pris uwch. Cofiwch chwilio am y polisi gorau i chi.

Rydym wedi bod yn trefnu gwyliau ers tro i ymweld â'n mab a'i deulu ifanc yn Awstralia. Fodd bynnag, mae fy ngwraig newydd gael diagnosis o glefyd Alzheimer. Ydych chi'n credu y dylem fynd i Awstralia?

Mae trip i weld aelodau'r teulu'n gallu bod yn bwysig iawn. Fodd bynnag, byddai'n ddoeth gofyn am gyngor y meddyg gan y bydd gallu eich gwraig i ymdopi â'r daith hir yn dibynnu ar ei chyflwr penodol hi.

Mae pobl sydd â dementia ysgafn hyd yn oed yn ei chael yn

anodd iawn teithio'n bell. Heblaw am y daith ei hun a'r blinder sy'n gysylltiedig â hynny, mae'n bosibl y bydd eich gwraig yn methu dygymod â'r amgylchedd newydd. Efallai y gallech rannu'r daith yn ddwy ac aros yn rhywle ar y ffordd.

Os ydych yn penderfynu mynd, bydd angen cyngor arnoch ynghylch yswiriant teithio i'ch gwraig (gweler yr ateb blaenorol). Mae cwmnïau awyrennau a meysydd awyr yn gallu cynnig mathau gwahanol o gymorth; mae'n bwysig eich bod yn cysylltu â nhw cyn eich taith (er enghraifft, mae British Airways yn cynnig gwasanaeth o'r enw Passenger Medical Clearance Unit, sy'n gallu rhoi cyngor am deithiau awyren i weithwyr iechyd proffesiynol yn ogystal ag i deithwyr).

6 | Diogelwch personol

Mae materion sy'n ymwneud â diogelwch personol pobl sydd â dementia yn dod yn bwysicach wrth i'r clefyd ddatblygu. Yn y bennod hon, rhoddir sylw i nifer o broblemau cyffredin, y tu mewn a'r tu allan i'r cartref. Mae'n rhoi cyngor defnyddiol i ofalwyr ynghylch sut allan nhw helpu i leihau'r perygl o ddamweiniau, ond gan barhau i alluogi'r bobl y maen nhw'n gofalu amdanyn nhw i fod mor annibynnol â phosibl. Mae'n bwysig cydbwyso'r peryglon ag amddifadu rhywun o'i annibyniaeth.

BYW AR EICH PEN EICH HUN

Mae fy nhad yn dangos arwyddion o ddryswch cynyddol. Sut alla i ddweud pan na fydd yn ddiogel iddo fyw ar ei ben ei hun?

Mae'n anodd gwneud rheolau pendant. Mae llawer o bobl ffwndrus yn byw ar eu pen eu hunain am flynyddoedd mewn cyflwr sy'n gallu ymddangos yn beryglus. Gellir eu helpu i wneud hynny drwy asesu'r amgylchedd yn drylwyr a symud neu ddileu'r peryglon mwyaf amlwg. Fodd bynnag, mae yna nifer o arwyddion sy'n dangos na ddylai person barhau i fyw ar ei ben ei hun. Dylech gymryd sylw o'r arwyddion hyn:

- esgeulustod ynghylch peryglon tân (tanau nwy yw'r gwaethaf);

- gadael y cartref, yn enwedig gyda'r nos, a methu ffeindio'r ffordd yn ôl;

- cymdogion yn cwyno'n gyson neu'n mynegi gorbryder, pobl a oedd gynt yn oddefgar a chefnogol;

- budreddi sy'n anghyson â phersonoliaeth ac urddas personol blaenorol y person ffwndrus.

Mae gan bobl hawl i fyw yn eu cartrefi eu hunain os yw'n bosibl, a dylech geisio helpu eich tad os yw'n awyddus i barhau i wneud hynny (gweler Pennod 9 am wybodaeth ynghylch chwilio am gymorth). Mae nifer o ddyfeisiau electronig a chyfrifiadurol wedi'u datblygu i helpu pobl sydd â phroblemau cofio i ymdopi yn y cartref. Gofynnwch i'r Alzheimer's Society (manylion cyswllt yn Atodiad 1) am gyngor neu cysylltwch â'ch Gwasanaethau Cymdeithasol lleol.

PERYGLON YN Y CARTREF

Mae'n well gan fy mam barhau i fyw ar ei phen ei hun er bod dementia arni. Rwy'n poeni'n arw y bydd yn cael damwain gyda'r nwy. Beth alla i ei wneud?

Mae cyflenwyr nwy yn cadw cofrestr o gwsmeriaid mae angen sylw arbennig a gwasanaethau arbennig arnyn nhw. Os nad yw eich mam eisoes ar gofrestr o'r fath, dylech gysylltu â'i chyflenwr nwy. Mae'n werth nodi hefyd fod archwiliadau diogelwch nwy ar gael am ddim yn aml i bobl sy'n byw ar eu pen eu hunain ac sydd wedi'u cofrestru'n anabl, sy'n cael budd-dal drwy brawf modd neu sydd dros oed cael pensiwn. Os nad yw diogelwch nwy cartref eich mam wedi cael ei wirio'n ddiweddar, dylech drefnu archwiliad cyn gynted â phosibl. Ceisiwch fod yn bresennol yn ystod yr archwiliad. Bydd hyn yn tawelu meddwl eich mam ac yn rhoi cyfle i chi ofyn cwestiynau os oes angen rhagor o wybodaeth arnoch.

Os yw troi'r tapiau nwy ymlaen heb danio'r nwy yn arferiad gan eich mam, dylech drefnu bod y nwy yn cael ei ddatgysylltu. Mae'n debygol ei bod bellach yn dibynnu ar rywun arall i goginio iddi beth bynnag. Efallai y byddai hob trydan yn fwy diogel os yw hyn yn bosibilrwydd. Os yw eich mam yn mynd i barhau i ddefnyddio nwy, gallai fod yn ddefnyddiol gofyn i'w chyflenwr nwy osod synhwyrydd nwy. Fodd bynnag, er mwyn i hynny fod o werth, mae'n rhaid i'ch mam fod yn gallu ymateb yn briodol os yw'r ddyfais yn canu.

Mae dementia ar fy modryb oedrannus ac mae'n dal i fyw ar ei phen ei hun, gyda gofalwyr yn galw heibio bob bore a gyda'r nos. Weithiau, mae'n anghofio diffodd y goleuadau ac rwy'n poeni y bydd yn gadael gwresogydd trydan ymlaen gan achosi tân. A alla i wneud rhywbeth?

Os nad yw'r gwifrau trydan a'r dyfeisiau trydanol yng nghartref eich modryb yn newydd, efallai y byddai'n syniad da gofyn i drydanwr cymwysedig eu harchwilio. Bydd cyflenwyr trydan weithiau'n gwneud hyn yn rhad ac am ddim.

Gallech hefyd ei chynghori i ddefnyddio dull gwresogi trydan mwy diogel. Er enghraifft, mae rheiddiaduron llawn olew a gwresogyddion ffan modern yn fwy diogel na thanau trydan â bariau. Bydd torrwr cylched rhwng dyfais drydanol a'r soced drydan yn rhoi mwy fyth o ddiogelwch. Os oes gan eich modryb wres canolog, efallai y byddai'n well cael gwared ar y tanau trydan yn llwyr.

Mae switshys amseru hefyd yn ffordd syml o sicrhau bod goleuadau a dyfeisiau trydanol eich modryb yn cael eu cynnau a'u diffodd ar adegau priodol.

Dylai cyflenwyr trydan gadw cofrestr o gwsmeriaid hŷn a'r rhai a allai fod mewn perygl, felly byddai'n syniad da rhoi gwybod i gyflenwr eich modryb fod ganddi anghenion arbennig.

Mae clefyd Alzheimer ar fy nhad ac mae'n byw gyda ni erbyn hyn. Mae'n ysmygu ac rwy'n poeni efallai y bydd tân yn cynnau. Sut alla i ei atal rhag ysmygu?

Wrth i salwch eich tad ddatblygu, mae'n debygol y bydd yn anghofio am ysmygu. Efallai y gallech guddio ei sigarennau a pheidio â gwneud dim i'w atgoffa amdanyn nhw. Os ydych chi'n ysmygu, ceisiwch roi'r gorau iddi neu o leiaf ewch i ysmygu yn rhywle lle na all eich tad eich gweld.

Os yw eich tad yn cynhyrfu'n lân wrth fethu dod o hyd i'w sigarennau, efallai mai'r peth doethaf fyddai gadael iddo barhau i ysmygu am ychydig cyn ceisio rhoi cynnig arall ar eich tacteg. Yn y cyfamser, gallech geisio ei annog i ysmygu llai o sigarennau a'i gael i roi cynnig ar glytiau nicotin. Mae'r rhain i'w cael ar bresgripsiwn neu gallwch eu prynu heb bresgripsiwn ('dros y cownter') mewn fferyllfa – ond gwnewch yn siŵr eich bod yn ymgynghori â meddyg neu fferyllydd cyn eu defnyddio.

Cyhyd ag y bydd yn dal i ysmygu, bydd angen i chi a'r bobl eraill sy'n gofalu amdano geisio'i oruchwylio pan fydd yn cael sigarét. Gnwewch yn siŵr fod ei ddillad a'i ddodrefn yn rhai gwrth-dân ac nad oes biniau sbwriel yn agos i'w gadair. Yn hytrach na matshys, gwnewch yn siŵr fod ganddo daniwr sy'n peidio â llosgi ar ôl iddo'i roi i lawr. Gosodwch larymau tân drwy'r tŷ. Mae'r gwasanaeth tân yn cynnig archwiliadau cartref, yn rhad ac am ddim, i edrych ar ddiogelwch tân. Efallai y bydd yn cynnig larymau tân am ddim i chi.

Mae fy ngwraig wedi syrthio yn y tŷ sawl gwaith yn ddiweddar. Allwch chi awgrymu sut alla i leihau'r perygl o syrthio?

Mae ceisio sicrhau bod y cartref mor rhydd o beryglon ag sy'n bosibl yn gwneud synnwyr i bawb ac yn hynod o bwysig pan fydd henaint neu ddryswch yn cynyddu'r perygl. Dyma rai peryglon cyffredin y dylid ceisio'u hosgoi:

- carpedi rhydd neu wedi'u rhwygo, yn enwedig ar y grisiau neu wrth ddrysau;

- matiau rhydd;

- lloriau wedi'u sgleinio;

- rhodiau grisiau wedi torri neu'n rhydd;

- diffyg canllawiau ar y grisiau;

- goleuadau gwael (byddai'n werth cael goleuadau nos os yw eich gwraig yn codi yn ystod y nos);

- fflecsys trydanol yn llusgo;

- dodrefn simsan neu ddodrefn wedi torri;

- dodrefn â choesau sy'n ymwthio allan;

- annibendod ar y llawr, fel esgidiau neu bapurau newydd;

- diffyg mesurau diogelwch neu rai annigonol (e.e. matiau gwrthlithro yn yr ystafell ymolchi);

- sliperi wedi treulio neu esgidiau eraill a all achosi i rywun faglu.

Os ydych chi'n credu bod angen mwy o help arnoch, mae'n siŵr y bydd meddyg eich gwraig neu rywun o'r Gwasanaethau Cymdeithasol yn gallu trefnu bod therapydd galwedigaethol yn gallu dod i'ch cynghori. Cofiwch nad amgylchedd y cartref sy'n gyfrifol bob tro y bydd yn syrthio a bod pobl weithiau'n syrthio am resymau eraill, oherwydd eu meddyginiaeth neu rai mathau o salwch.

Mae fy ngŵr wedi cael codwm eithaf drwg ar sawl achlysur. Hyd yn hyn, mae ein mab wedi bod o gwmpas i helpu, ond rwy'n 85 oed a fyddwn i ddim yn gallu codi fy ngŵr heb gymorth. Beth ddylwn i ei wneud os yw'n cael codwm pan fyddwn ni ar ein pen ein hunain?

Os yw eich gŵr yn cwympo ac mewn poen, y peth gorau i'w wneud yw rhoi blanced drosto, rhoi gobennydd iddo os yw'n gallu symud ei ben, ei gysuro a dweud wrtho eich bod yn mynd i chwilio am help. Yna, ffoniwch y meddyg os yw'ch gŵr wedi'i anafu, neu chwiliwch am help gan rywun cyfagos.

Os yw'r sefyllfa'n ymddangos yn un mwy difrifol – er enghraifft, os yw eich gŵr yn llewygu neu'n edrych fel petai'n gwaedu – ffoniwch 999 am ambiwlans. Os nad yw pethau'n ymddangos mor ddifrifol, opsiwn arall yw ffonio Galw Iechyd Cymru ar 0845 46 47. Os ydych yn Lloegr, ffoniwch 111 – dyma wasanaeth rhad ac am ddim a sefydlwyd gan y Gwasanaeth Iechyd Gwladol (GIG) i ddelio ag achosion brys nad ydyn nhw'n argyfwng (fe'i sefydlwyd i gymryd lle NHS Direct).

Os yw'n ymddangos nad yw eich gŵr wedi'i anafu, ceisiwch roi cadair wrth ei ymyl a'i annog i ddefnyddio'r gadair i godi'i hun; rhowch gymaint o help iddo ag y gallwch. Os nad yw'n gallu deall beth i'w wneud neu os nad yw'n gallu codi pan mae'n trio, gofalwch ei fod yn gysurus ac yna ewch i chwilio am help.

CRWYDRO

Mae clefyd Alzheimer ar fy nhad ac mae'n dal i hoffi mynd am dro ar ei ben ei hun. Dydy o ddim yn mynd yn bell, ond rwy'n poeni y bydd yn mynd ar goll ac yn cael niwed. Beth alla i ei wneud i'w gadw'n ddiogel?

Os nad yw eich tad yn mynd yn bell, ac os yw allan am gyfnod byr ac yn gallu dychwelyd heb unrhyw anhawster, does dim rheswm i chi ofidio rhyw lawer. Yn wir, dylai'r ymarfer corff hwn fod yn llesol i'r ddau ohonoch – ac mae'n llai tebygol o fod yn aflonydd pan ddaw adref.

Byddai'n beth call sicrhau bod enw, cyfeiriad a rhif ffôn cartref eich tad arno bob amser, neu rif rhywun arall sy'n gofalu amdano. Mae Alzheimer Scotland a'r Alzheimer's Society wedi cynhyrchu cardiau y gall person sydd â dementia eu cario. Gallech hefyd brynu breichled MedicAlert arbennig neu SOS Talisman (mae manylion cyswllt y cwmnïau hyn yn Atodiad 1) â'r manylion cyswllt angenrheidiol ynddyn nhw. Neu gallech ofyn i emydd lleol ysgythru'r manylion ar freichled.

Gallech hefyd roi gwybod i'ch swyddfa heddlu leol fod gan eich tad broblemau gyda'i gof a'i ddealltwriaeth o amser a lle. Mae'n syniad da hefyd sicrhau bod eich cymdogion, y siopau lleol ac unrhyw gyrchfannau tebygol eraill yn ymwybodol o'r broblem.

Dylech baratoi eich hun ar gyfer dirywiad tebygol yng nghof eich tad; felly gallai fynd ar goll am gyfnod byr. Mae hyn yn achosi llawer o ofid, ond os yw'n mynd ar goll, rhowch wybod i'r cymdogion yn ogystal â'r heddlu.

Mae fy ngwraig wedi dechrau crwydro allan o'r tŷ, ac fe wnaeth hynny unwaith yn ystod y nos. Mae fy nheulu yn dweud wrthyf y dylwn ofyn i'r meddyg am feddyginiaeth iddi. A oes gennych unrhyw gyngor?

Mae'n well peidio â rhoi meddyginiaeth iddi oherwydd gallai'r cryfder angenrheidiol achosi sgileffeithiau annymunol, fel teimlo'n swrth, cwympo a gwlychu a baeddu (am ragor o wybodaeth am dabledi cysgu, gweler yr adran 'Trin symptomau' ym Mhennod 12). Mae'n well ceisio sicrhau bod eich cartref mor ddiogel â phosibl; yn ddelfrydol, gallech roi bolltau ar bob drws allanol.

Mae fy ngŵr yn tueddu i grwydro allan o'r tŷ a mynd ar goll. Rwy'n teimlo'n hynod o euog pan fydd yr heddlu'n dod ag e'n ôl. Pam mae'n gwneud hyn?

Ni ellir disgwyl i neb wylio rhywun arall bob awr o'r dydd a'r nos, felly ni ddylech feio eich hun nac eraill sy'n gyfrifol am eich gŵr. Mae crwydro'n beth cyffredin iawn mewn pobl sydd â dementia.

Mae'n bosibl fod eich gŵr yn crwydro am sawl rheswm. Os yw wedi bod yn un gweithgar erioed, mae'n debygol fod ganddo ormod o egni a bod angen defnyddio'r egni hwnnw arno. Mae'n bosibl hefyd ei fod yn crwydro oherwydd ei fod wedi diflasu gan nad yw'n gallu canolbwyntio ar unrhyw beth (gweler Pennod 5 am syniadau i'w gadw'n brysur). Posibilrwydd arall yw ei fod yn chwilio am rywun neu rywbeth yn ei orffennol nad yw'n gallu ei gofio'n iawn.

Mae fy ngwraig wedi crwydro a mynd ar goll sawl gwaith. Mae hi wedi dod adref bob tro, neu mae rhywun arall wedi dod â hi adref, ond dydw i byth yn gwybod beth i'w wneud. A oes gennych unrhyw gyngor?

Mae'r rhywun sydd â dementia'n crwydro yn achosi llawer o ofid ond nid yw'n debygol o gael niwed. Wrth gwrs, bydd y risg i'ch gwraig yn amrywio gan ddibynnu ymhle y bydd yn mynd ar goll.

Y cyngor cyffredinol gorau yw peidio â mynd i banig os yw eich gwraig yn mynd ar goll. Y peth cyntaf i'w wneud fyddai gwirio'r mannau amrywiol lle mae pobl yn adnabod eich gwraig, fel eich siopau lleol. Dylech hefyd ddweud wrth gymdogion a chyfeillion.

Fel rheol, mae'n well cysylltu â'r heddlu'n weddol fuan. Byddai'n syniad da cadw ffotograff diweddar o'ch gwraig wrth law i helpu'r heddlu a phobl eraill sy'n chwilio amdani, a dylech hefyd allu rhoi disgrifiad clir o'r dillad y mae'n eu gwisgo. Byddai'n werth perswadio'ch gwraig i wisgo rhywbeth sy'n nodi ei manylion, fel y trafodwyd yn ateb cyntaf yr adran hon.

Erbyn hyn, gwneir defnydd helaeth o 'dechnoleg cynorthwyo', megis dyfeisiau tracio, i ddod o hyd i bobl sy'n crwydro. Fodd bynnag, mae sut a phryd i'w defnyddio yn dal i fod yn destun trafodaeth, felly gofynnwch i'ch Gwasanaethau Cymdeithasol lleol neu therapydd galwedigaethol am ragor o wybodaeth. Mae dyfeisiau eraill ar gael sy'n gallu rhoi gwybod i'r person sydd â dementia neu ei ofalwr pan fydd yn symud y tu hwnt i ffin benodol (sef y cartref fel rheol).

GYRRU

A yw'n wir fod modd i bobl sydd â dementia yrru car?

Mae ymchwil yn awgrymu bod llawer o bobl sydd â dementia'n parhau i yrru ar ôl i'r salwch ddechrau arnyn nhw, ond bod hynny mewn modd anniogel. Fodd bynnag, mae nifer fach o bobl sydd â dementia yn ymddangos fel petaen nhw'n gallu dal ati i yrru am beth amser. Mae'n bosibl fod hyn yn gysylltiedig â'r ffaith fod pobl yng nghyfnod cynnar dementia yn aml yn gallu gwneud y pethau a ddysgwyd ganddyn nhw'n gynharach yn eu bywydau.

Wrth i'r dementia ddatblygu, mae'n anochel fod y gallu i yrru'n dirywio, ond fel rheol ni fydd y person sy'n cael ei effeithio'n sylweddoli bod hyn yn digwydd. Mae'n hynod o bwysig sicrhau nad yw rhywun sydd bellach yn gyrru'n anniogel yn parhau i yrru, waeth faint o ofid fydd hynny'n ei achosi. Felly mae'n bwysig asesu ac adolygu'r sefyllfa'n rheolaidd.

Mae dementia ar fy ngŵr, sut alla i ei berswadio nad yw'n ddiogel bellach iddo yrru car?

Mae rhai pobl sydd â chlefyd Alzheimer yn sylweddoli nad ydyn nhw'n ddiogel bellach ac yn rhoi'r gorau i yrru heb unrhyw broblem. Fodd bynnag, mae llawer o rai eraill, fel eich gŵr, yn methu amgyffred bod eu sgiliau'n dirywio ac nad yw ei allu i ymateb a chofio yn ddigon da ar gyfer gyrru. Mae hon yn gallu bod yn broblem anodd iawn ei rheoli.

Os nad oes angen defnyddio'r car arnoch chi, dylech ystyried ei werthu fel nad yw eich gŵr yn cael ei atgoffa amdano o hyd. Os ydych eisiau parhau i yrru'r car, un posibilrwydd yw sicrhau na fydd eich gŵr yn gallu dod o hyd i'r allweddi ac yna meddwl am ffyrdd o dynnu ei sylw os yw'n awgrymu ei fod yn gyrru. Os ydych yn mynd allan gyda'ch gilydd yn y car, gallech awgrymu bod angen ymarfer gyrru arnoch gan nad ydych mor brofiadol ag ef.

Mae'r gyfraith yn nodi ei bod yn rhaid i unrhyw un sydd â chyflwr meddygol sy'n amharu ar ei allu i yrru hysbysu'r Asiantaeth Trwyddedu Gyrwyr a Cherbydau (DVLA: *Driver and Vehicle Licensing*

Agency) – mae'r manylion cyswllt yn Atodiad 1. Os nad yw eich gŵr yn gallu neu'n fodlon gwneud hyn, dylech chi neu ei feddyg hysbysu'r DVLA ar ei ran. Mae'n bosibl y bydd y DVLA yn rhoi cyfle iddo ailsefyll y prawf gyrru. Dylech hefyd hysbysu'r cwmni sy'n yswirio'r car o ddiagnosis eich gŵr. Bydd y DVLA yn debygol o ofyn i chi a'ch gŵr am ganiatâd i gysylltu â meddyg eich gŵr i gael rhagor o wybodaeth.

Ar ôl i'ch gŵr roi'r gorau i yrru, efallai y gallech ei helpu i gynnal ymdeimlad o annibyniaeth drwy awgrymu ei fod yn agor cyfrif gyda chwmni tacsi.

Mae fy meddyg wedi dweud wrthyf fod dementia arnaf. Alla i ddal ati i yrru car?

Nid yw diagnosis o ddementia yn rheswm ynddo'i hun i roi'r gorau i yrru. Bydd yn rhaid i chi wneud hynny yn y pen draw, ond mae llawer o bobl yn parhau i yrru'n ddiogel am beth amser ar ôl iddyn nhw gael diagnosis. Fodd bynnag, efallai na fyddwch yn gallu barnu pryd y dylech roi'r gorau i yrru ac felly rhaid i chi ofyn i rywun rydych yn ymddiried ynddo ddweud wrthych a sicrhau eich bod yn gwrando arno. Mae'n rhaid i chi hefyd hysbysu'r DVLA a'r cwmni yswiriant (gweler uchod). Cofiwch fod cerdded yn dda i chi hefyd!

7 | Ymddygiad sy'n gallu achosi anawsterau

Mae clefyd Alzheimer a mathau eraill o ddementia weithiau'n achosi i bobl ymddwyn mewn ffordd sy'n anodd i eraill ddygymod â hi. Er enghraifft, mae pobl sydd â dementia'n gallu bod yn aflonydd neu'n ymosodol heb reswm amlwg dros hynny. Mae'n bwysig cofio mai eu salwch sy'n effeithio ar eu hymddygiad, ac nad ydyn nhw'n debygol o fod yn ymddwyn yn wael yn fwriadol. Cofiwch hefyd fod eu gallu a'u hymddygiad yn gallu amrywio o ddydd i ddydd a hyd yn oed yn ystod adegau gwahanol o'r dydd. Mae'r bennod hon yn awgrymu sut allwch chi ddelio â rhai o'r anawsterau mwyaf cyffredin.

YMDDYGIAD SY'N GWYLLTIO ERAILL

Mae fy ngwraig weithiau'n gwneud pethau gwirion iawn ac yna'n edrych yn syn arnaf. Rwy'n teimlo'i bod yn gwneud hyn yn fwriadol. Ydy hynny'n debygol o fod yn wir?

Mae'n annhebygol iawn fod hynny'n wir. Mae'r rhan fwyaf o bobl sydd wedi gofalu am rywun sydd â dementia wedi teimlo ar ryw adeg neu'i gilydd eu bod yn cael eu twyllo neu fod y person arall yn fwriadol ddrygionus. Mae pobl sydd â dementia yn aml yn gwneud pethau plentynnaidd, neu'n ymddangos yn ddryslyd neu fel petaen nhw mewn penbleth ar adegau. Y salwch sy'n gyfrifol am hyn. Nid yw'n ymgais fwriadol i wylltio eraill.

Wrth i ddementia eich gwraig ddatblygu, efallai y bydd ei hymddygiad anodd yn gwneud i chi deimlo'n fwy chwerw a blin. Peidiwch â theimlo'n euog am hynny gan fod teimladau o'r fath yn hynod o gyffredin. Os ydych yn trafod hyn â'ch grŵp gofalwyr lleol, fe gewch eich synnu o weld cynifer o bobl eraill sy'n teimlo'r un fath.

Mae fy ngŵr yn gofyn yr un cwestiwn dro ar ôl tro. Sut alla i ddysgu bod yn amyneddgar?

Mae eich gŵr yn gofyn yr un cwestiwn dro ar ôl tro oherwydd ei fod yn anghofio'r ateb, ac wedyn hefyd yn anghofio'r cwestiwn a ofynnodd.

Weithiau, yn lle ateb y cwestiwn am y canfed tro, dywedwch wrth eich gŵr fod popeth yn iawn a'ch bod yn gofalu am bethau. Ceisiwch wneud iddo deimlo'n fwy diogel. Gallai ysgrifennu'r ateb i lawr helpu hefyd. Os yw'n gofyn y cwestiwn eto, gallwch wedyn gyfeirio at yr ateb ysgrifenedig yn lle ateb y cwestiwn eich hun.

Os yw eich gŵr yn parhau i ofyn un cwestiwn penodol, er gwaethaf eich atebion, ceisiwch dynnu ei sylw drwy newid y pwnc neu ei gofleidio. Hefyd, pan nad yw'n gofyn y cwestiwn, dangoswch iddo eich bod yn ei garu. Yn y pen draw (ond mae'n siŵr y bydd raid aros am ychydig), efallai y bydd yn rhoi'r gorau i ofyn y cwestiwn. Mae'n bwysig cofio hefyd nad yw'n gwneud hyn i'ch gwylltio; byddwch mor amyneddgar ag y gallwch.

COLLI PETHAU

Mae dementia ar fy mam ac mae'n dal i fyw ar ei phen ei hun. Mae'n colli ei llyfr siec byth a beunydd, ond rwyf bob amser yn dod o hyd iddo yn rhywle, fel rheol dan glustog neu dan y gwely – rhywle allan o'r golwg. A oes gennych unrhyw gyngor?

Gan fod dementia ar eich mam, mae'n anochel y bydd yn colli pethau. Yn y pen draw, efallai y bydd angen i chi ofalu am ei llyfr siec a dogfennau pwysig eraill. Yn y cyfamser, mae'n bosibl iawn y byddwch yn darganfod ei hoff fannau cuddio. Anogwch hi i edrych yno yn gyntaf.

Mae fy nhad weithiau'n colli ei allwedd ac yn ei gloi ei hun allan o'i fflat. Mae'n awyddus i barhau i fyw ar ei ben ei hun er bod clefyd Alzheimer arno. Beth alla i ei wneud?

Byddai'n syniad da i chi wneud sawl copi o allwedd eich tad. Gallech wedyn roi un mewn lle diogel yn fflat eich tad, cadw un eich hun a rhoi un arall, yn ddelfrydol, i gymydog. Peidiwch â rhoi enw a chyfeiriad eich tad ar ei allwedd rhag ofn i ddarpar leidr gael gafael arno.

Mae fy mam yn colli pethau byth a beunydd ac yna mae hi'n fy nghyhuddo i a'i chynorthwyydd gofal cartref o'u dwyn. Sut ddylem ni ymateb i'r cyhuddiadau hyn a delio â nhw?

Yn gyffredinol, dylech geisio peidio â chymryd y cyhuddiadau hyn ormod o ddifrif. Wrth i broblemau cofio eich mam waethygu, bydd yn siŵr o golli pethau. Mae'n bosibl ei bod yn creu mannau diogel ar eu cyfer oherwydd ei bod yn meddwl bod ei phethau yn mynd 'ar goll'. Yn anffodus, bydd hefyd yn anghofio lleoliad y mannau cudd hyn, gan waethygu'r broblem.

Fel rheol, nid oes pwynt dadlau yn wyneb cyhuddiadau o'r fath. Mae perygl i hynny ddatblygu'n gweryl gyda'ch mam, gan achosi iddi gynhyrfu fwy fyth. Y peth gorau yw chwilio am yr eitem dan sylw a'i sicrhau eich bod yn gwybod ble mae'r eitem goll. Ceisiwch ddarganfod ei mannau cudd rheolaidd a gwnewch yn siŵr fod ganddi fwy nag un sbectol, set o allweddi neu bethau pwysig eraill. Ceisiwch gofio edrych drwy'r biniau sbwriel cyn eu gwagio.

Ceisiwch sicrhau bod cynorthwyydd gofal cartref eich mam, ei chyfeillion a'i chymdogion yn deall y rheswm am ei hymddygiad.

Er hynny, mae'n werth cofio bod ychydig o wirionedd weithiau yn yr hyn a ddywed person sydd â dementia. Os yw cyhuddiadau eich mam yn ymwneud ag arian, dylech ymchwilio i'r mater mor drwyadl ag sy'n bosibl. Ceisiwch sicrhau nad oes angen iddi gadw gormod o arian neu bethau gwerthfawr yn y cartref; bydd llai o gyfle i ladron wedyn.

Yn dibynnu ar bersonoliaeth eich mam, mae'n bosibl y bydd yn rhaid i chi fod yn barod am ragor o gyhuddiadau o'r fath. Mae rhai pobl yn fwy drwgdybus nag eraill ac mae dementia'n gallu gorbwysleisio tueddiadau o'r fath. Fodd bynnag, mae'n bosibl hefyd i rywun nad oedd gynt yn ddrwgdybus ddatblygu'r nodwedd hon wrth i'w ddementia ddatblygu. Mae meddyginiaeth weithiau'n gallu helpu gyda'r broblem. Bydd eich meddyg teulu yn gallu rhoi cyngor i chi.

METHU ADNABOD POBL A PHETHAU

Weithiau, gyda'r nos, mae fy ngŵr yn edrych arnaf ac yn gofyn pryd fydda i'n gadael. Bydd wedyn yn rhoi'r ffôn i fi ac yn dweud, 'Dywedwch wrth fy ngwraig am ddod adref er mwyn i chi gael mynd adref hefyd'. Beth alla i ei wneud?

Dyma sefyllfa dorcalonnus iawn. Cof gwael eich gŵr sy'n gyfrifol am hyn a'i anallu i'ch adnabod yn iawn. Mae'n eich cofio chi fel yr oeddech cyn hyn yn ei fywyd. Y peth gorau i'w wneud mewn sefyllfa o'r fath yw ei gofleidio a'i atgoffa pwy ydych chi. Yna ceisiwch dynnu ei sylw, efallai drwy fynd i'r gegin i wneud paned o de neu ryw weithgaredd arall y gallwch ei fwynhau gyda'ch gilydd.

Mae fy ngwraig yn dweud wrthyf yn aml, 'Pryd ydych chi'n mynd â fi adref?' Yna mae'n pacio ychydig o bethau yn ei bag – lluniau, ornaments, ac ati. Sut alla i esbonio wrthi mai hwn yw ei chartref?

Mae cartref yn gallu golygu cymaint o bethau gwahanol. Gallai olygu cartref eich gwraig pan oedd hi'n blentyn – cartref y mae'n dal i'w gofio fel lle diogel, cynnes a chyfarwydd. Mae hi'n anodd yn aml i bobl sydd â dementia wneud synnwyr o'u hamgylchedd. Pan fyddan nhw'n edrych o gwmpas, efallai na fyddan nhw'n gallu adnabod unrhyw beth, a bydd hynny wedyn yn achosi ansicrwydd a gofid iddyn nhw.

Bydd angen i chi gofleidio eich gwraig a'i chysuro. Gofynnwch iddi sôn am ei chartref, a'i sicrhau bod popeth yn iawn a'ch bod yn gofalu amdani. Peidiwch â dadlau â hi. Os yw'n argyhoeddedig nad yw yn ei chartref, ewch â hi allan am dro gyda'i bag, ac yna dychwelyd a'i helpu i ddadbacio.

RHITHIAU

Mae clefyd Alzheimer ar fy mam ac mae'n ymddangos fel petai'n cael rhithiau. Mae'n sgwrsio pan nad oes neb yno ac mae fel petai hi'n gweld pethau nad ydyn nhw'n bodoli. Ar adegau, mae'n dychryn ac yn cynhyrfu'n lân. Sut ddylwn i ymateb?

Mae rhithiau – pan fydd pobl yn gweld, yn clywed neu'n synhwyro presenoldeb rhywun neu rywbeth nad yw yno – yn symptom cyffredin gyda chlefyd Alzheimer a dementia gyda chyrff Lewy. Felly, pa ryfedd fod eich mam weithiau'n dychryn ac yn cynhyrfu, oherwydd mae rhithiau'n gallu ymddangos yn real iawn.

Os yw eich mam yn cynhyrfu wrth weld rhith, cysurwch hi drwy ei chofleidio neu afael yn ei llaw. Peidiwch ag esgus bod cynnwys ei rhith yn real ond ceisiwch beidio â dadlau am hynny ychwaith. Byddwch mor ddigyffro â phosibl a cheisiwch dynnu ei sylw'n ofalus, efallai drwy gynnig diod iddi neu gyfeirio at rywbeth arall yn yr ystafell. Dim ond am rai dyddiau neu wythnosau y bydd rhithiau'n para fel rheol, cyn iddyn nhw fynd yn angof.

Mae cysylltiad weithiau rhwng rhithiau a golwg neu glyw gwael, felly mae'n werth trefnu i brofi llygaid a chlyw eich mam. Bydd eich mam hefyd yn llai tebygol o gamddehongli'r hyn y mae'n ei weld os oes digon o olau mewn ystafelloedd.

Byddai'n ddoeth siarad â meddyg eich mam, yn enwedig os oes ganddi ddementia gyda chyrff Lewy, sy'n gofyn am gyngor arbenigol. Mae triniaeth feddygol yn ddefnyddiol weithiau (trafodir hyn yn yr adran 'Triniaethau cyffuriau' ym Mhennod 12), neu efallai y bydd angen addasu meddyginiaethau eraill sy'n gallu achosi rhithiau fel sgileffaith.

AFLONYDDWCH A CHYNNWRF MEDDYLIOL

Rwy'n gynhyrfus iawn gyda'r nos ac ar bigau'r drain. Sut all fy chwaer, sy'n gofalu amdana i, fy helpu i ymdawelu?

Gallai'r ddwy ohonoch sefydlu trefn gyda chyfnod o lonyddwch tuag at ddiwedd y prynhawn, gan eistedd yn dawel ac osgoi caffein. Mae angen i'ch chwaer wneud yn siŵr nad oes dim ar eich meddwl fin nos, a'i bod yn gwneud i chi deimlo fod popeth dan reolaeth ganddi.

Mae clefyd Alzheimer ar fy ngŵr ac mae'n cael pyliau o fod yn aflonydd. Pam mae hyn yn digwydd, a sut ddylwn i ddelio â'r peth?

Mae aflonyddwch yn un o nodweddion cyffredin clefyd Alzheimer. Mae'n gallu achosi cynnwrf meddyliol a bydd weithiau'n peri i'r person grwydro (trafodir hyn ym Mhennod 6). Mae sawl achos posibl am aflonyddwch, a gellir osgoi rhai ohonyn nhw.

Os yw'r aflonyddwch yn dechrau'n sydyn, efallai mai poen neu anghysur yw'r achos. Mae'r ddannodd yn fath cyffredin o boen a dylid bob amser archwilio'r boen a'i thrin. Mae problemau treulio, fel diffyg traul a rhwymedd, hefyd yn achosi poen neu anghysur, ond yn aml gellir eu hosgoi os rhoddir sylw arbennig i'r deiet (gweler yr adran 'Bwyd a diod' ym Mhennod 4). Mae pledren lawn yn gallu achosi anghysur ac aflonyddwch ac yn rhywbeth cyffredin iawn, felly mae'n werth sicrhau bod eich gŵr yn mynd i'r toiled yn aml. Os yw'n cael trafferth i basio wrin, efallai mai haint ar y llwybr wrinol yw'r achos, ac mae gofyn iddo gael sylw meddygol.

Gallai bron unrhyw gyffur y mae eich gŵr yn ei gymryd achosi aflonyddwch. Felly dylech gysylltu â'i feddyg i weld a oes angen lleihau neu atal unrhyw feddyginiaethau y mae'n eu cymryd. Mae diodydd â chaffein ynddyn nhw, fel te neu goffi, hefyd yn gallu achosi aflonyddwch a chynnwrf meddyliol neu eu gwaethygu; ceisiwch osgoi'r rhain gyda'r nos neu defnyddiwch ddiodydd tebyg heb gaffein ynddyn nhw.

Mae'n bosibl hefyd mai diflastod sy'n gyfrifol am aflonyddwch eich gŵr; os felly, gallai chwilio am ragor o weithgareddau iddo fod yn help (gweler Pennod 5 am syniadau). Gall mynd am dro neu wneud rhyw fath arall o ymarfer corff leddfu pyliau sydyn o aflonyddwch.

Os nad oes un o'r awgrymiadau hyn yn helpu, efallai fod eich gŵr yn teimlo'n orbryderus a gofidus. Os felly, cofleidiwch ef ac eistedd gydag ef am ychydig, gan afael yn ei law efallai neu ddarllen iddo.

Mae gan fy mam oedrannus ddementia ac mae'n byw gyda ni. Weithiau, mae'n cael pyliau o sgrechian. Pam mae hyn yn digwydd a beth alla i ei wneud am y peth?

Mae pobl sydd â dementia'n aml yn cael pyliau o sgrechian. Y peth cyntaf i'w wneud yw gofyn i feddyg eich mam ei harchwilio i weld a oes unrhyw resymau corfforol posibl am y sgrechian, fel poen neu rwymedd. Dywedwch wrth y meddyg os ydych wedi sylwi bod patrwm i'r sgrechian; er enghraifft, a yw'n digwydd adeg prydau bwyd?

Os na welir bod unrhyw achos corfforol, mae'n debygol fod eich mam yn teimlo dryswch mawr. Peidiwch â chynhyrfu; daliwch eich mam yn aml a gwneud iddi deimlo'i bod mewn amgylchedd cariadus a diogel. Os yw'r sgrechian yn parhau, efallai y bydd angen i'r meddyg roi ychydig o sedatif iddi, ond daliwch ati i'w chysuro.

Bydd y cyfnod gofidus hwn fel rheol yn pasio, ac ni fydd angen y sedatif arni wedyn.

DICTER AC YMDDYGIAD YMOSODOL

Pan fyddaf yn ceisio esbonio wrth fy ngwraig ei bod wedi gwneud neu ddweud rhywbeth anghywir, mae hi'n troi'n amddiffynnol ac yn ddig iawn; mae fel rheol yn fy meio i ac yn dweud wrthyf am adael. Mae hyn yn achosi llawer o ofid i mi. Beth alla i ei wneud?

Does dim syndod bod hyn yn achosi gofid i chi. Fodd bynnag, mae'n rhaid i chi eich atgoffa eich hun mai'r clefyd sy'n achosi problemau eich gwraig. Nid yw'n deall ei bod yn gwneud neu'n dweud rhywbeth o'i le. Ar ôl gwneud y camgymeriad, mae hi naill ai'n ceisio cuddio hynny neu'n methu cofio beth mae hi wedi'i wneud. Yn y naill achos a'r llall, y peth gorau i chi ei wneud yw peidio â thynnu sylw at fethiannau eich gwraig, a cheisio bod mor ddigynnwrf â phosibl. Mae unrhyw fath o wrthdaro yn debygol o achosi gofid i chi a'ch gwraig. Un tric defnyddiol yw rhoi'r geiriau 'y dementia' yn lle 'fy ngwraig' yn eich meddwl. Er enghraifft, newid 'mae fy ngwraig yn lletchwith ac yn boenus' i 'mae'r dementia yn lletchwith ac yn boenus'. Gall hyn eich helpu chi a phobl o'ch cwmpas i gofio bod y dementia'n effeithio ar ymddygiad eich gwraig, ac nad yw hi'n gwneud pethau i'ch gwylltio'n fwriadol.

Mae gennyf ddementia ac rwy'n tueddu i ddilyn fy ngŵr o gwmpas ac mae'n rhaid i mi wybod beth mae'n ei wneud drwy'r amser. Weithiau, rwy'n teimlo rhwystredigaeth ac yn rhegi a gweiddi a dweud pethau ofnadwy wrtho. Sut alla i rwystro fy hun rhag gwneud hyn?

Mae dilyn rhywun o gwmpas yn eithaf normal. Mae angen i'ch gŵr ddeall eich bod yn gwneud eich gorau i ymdopi â'ch dementia. Mae'n swnio fel petaech chi eisiau iddo ddarllen eich meddwl a'ch cysuro drwy'r amser. Wrth gwrs, nid yw hynny'n bosibl, ond gallwch geisio trafod hyn yn agored eich dau a gwneud eich gorau i gyfathrebu a gwrando ar eich gilydd. Efallai y gallai eich gŵr wneud yn siŵr eich bod yn gwybod beth mae'n ei wneud, a gadael nodyn i chi os yw'n mynd allan.

Rwy'n meddwl weithiau fod fy nhad yn fy nghasáu. Mae clefyd Alzheimer arno ac rwyf wedi symud i fyw ato. Rwyf eisiau parhau i ofalu amdano ond mae'n flin iawn wrthyf ac yn dweud pethau ofnadwy. Beth ydw i'n ei wneud o'i le?

Er ei bod yn naturiol i chi feio eich hun, mae'n bwysig iawn eich bod yn deall nad yw dicter eich tad wedi'i anelu atoch chi. Nid chi sy'n achosi ei ddicter. Mae'r dicter yn rhan o'i salwch. Mae'n gyffredin i bobl sydd â chlefyd Alzheimer fynd drwy gyfnod o fod yn ddig ac efallai'n ymosodol.

Bydd y cyfnod dig hwn yn pasio, ond yn y cyfamser, ceisiwch ystyried rhai o'r pethau sydd efallai'n ysgogi dicter eich tad. Gallai nyrs iechyd meddwl gymunedol (gweler yr adran 'Gwasanaethau i bobl yn eu cartrefi' ym Mhennod 9) ymweld â'ch cartref i'ch helpu gyda hyn.

Gallai eich tad fod yn teimlo'n flin am sawl rheswm. Er enghraifft, efallai nad yw'n hoffi gorfod cael help i wneud pethau yr arferai eu gwneud ei hun, fel ymolchi. Neu efallai ei fod yn teimlo'n rhwystredig gan nad yw'n gallu gwneud rhai pethau. Posibilrwydd arall yw fod eich tad wedi drysu ac yn ofnus gan nad yw bellach yn deall beth sy'n digwydd o'i gwmpas. Er enghraifft, efallai nad yw'n deall pam rydych wedi dychwelyd i fyw ato. Mae'n bosibl ei fod hefyd yn ddiflas neu fod ganddo ormod o egni. Weithiau, mae'r angen i basio wrin, rhwymedd neu deimlad o fod eisiau bwyd yn gallu arwain at ymddygiad trafferthus. Os mai yn ddiweddar y dechreuodd y pyliau blin hyn, mae'n bosibl mai haint neu boen yw'r achos. Ceisiwch ganfod ambell beth sy'n tueddu i wneud i'ch tad golli'i dymer er mwyn ceisio lleihau'r pyliau blin.

Mae dementia ar fy ngŵr; mae'n mynd yn ddig yn aml ac yn fy nharo. Ni fyddai byth yn gwneud hynny. Beth alla i ei wneud i'w dawelu?

Mae'n bwysig cofio nad yw dicter eich gŵr wedi'i anelu'n uniongyrchol atoch chi – mae'n rhan o'i salwch (gweler yr ateb blaenorol). Yn wir, efallai eich bod yn mynd yn ddig eich hun a'ch bod eisiau ei daro yn ôl, hyd yn oed. Fodd bynnag, mae hynny'n debygol o wneud y sefyllfa'n waeth. Pan fydd hyn yn digwydd, ceisiwch ymateb yn dawel. Os gallwch chi dynnu ei sylw, mae'n debygol iawn y bydd yn anghofio'n gyflym pam yr oedd mor ddig. Os ydych yn teimlo'ch bod mewn perygl, byddai'n ddoeth gadael yr ystafell am ychydig. Gallech hefyd alw ar gyfaill neu gymydog. Os ydych yn teimlo bod pyliau blin yn eich peryglu, mae'n rhaid i chi ystyried eich diogelwch eich hun a buddiannau tymor hir eich gŵr, a rhoi gwybod i'r Gwasanaethau Cymdeithasol.

Mewn rhai amgylchiadau, efallai y bydd cyffuriau'n helpu i dawelu eich gŵr. Dylech siarad â meddyg eich gŵr ynghylch manteision ac anfanteision y tawelyddion sydd ar gael (gweler yr adran 'Trin symptomau' ym Mhennod 12).

Yn anad dim, ceisiwch beidio â digalonni a theimlo'n rhwystredig gyda'r gofal rydych yn ei roi i'ch gŵr. Mae'r cyfnod gofidus hwn bob amser yn pasio ymhen hir a hwyr. Pan fydd eich gŵr yn dawel, rhowch ddigon o gariad a chysur iddo.

Mae dementia ar fy mam. Nid oedd yn arfer rhegi, ond nawr, mae'n rhegi drwy'r adeg. Does dim gwahaniaeth pwy sy'n bresennol. Beth ddylwn i ei wneud?

Mae'n siŵr eich bod yn synnu bod eich mam hyd yn oed yn gwybod yr holl eiriau y mae'n eu defnyddio! Y gwir amdani yw fod y rhan fwyaf ohonom yn gwybod y geiriau hyn ond na fyddem fel rheol yn eu defnyddio wrth sgwrsio. Mae gan yr ymennydd normal fecanwaith cynhenid sy'n gwahaniaethu rhwng ymddygiad ac iaith briodol ac amhriodol. Pan fydd dementia neu glefyd arall yn effeithio ar rannau penodol o'r ymennydd (yn enwedig rhan flaen yr ymennydd, y 'llabed flaen'), bydd yn amharu ar y mecanwaith hwn. Efallai mai rhegi yw'r unig ffordd y gall eich mam fynegi dicter, gorbryder, anghysur neu boen.

Gallai fod yn ddefnyddiol i chi ofyn i nyrs iechyd meddwl gymunedol (gweler yr adran 'Gwasanaethau i bobl yn eu cartrefi' ym Mhennod 9) neu weithiwr iechyd meddwl proffesiynol arall i'ch helpu i ganfod a oes unrhyw sefyllfaoedd penodol sy'n ysgogi iaith anweddus eich mam. Wedyn, efallai y gallech ei helpu i osgoi'r sefyllfaoedd hyn. Mae'n bosibl fod yr ymddygiad hwn yn codi cywilydd arnoch pan fyddwch yng nghwmni pobl eraill, ond cofiwch fod eich mam wedi colli'r ymwybyddiaeth gymdeithasol sy'n gwneud iddi deimlo embaras. Ceisiwch gadw eich synnwyr digrifwch. Y dementia sy'n rhegi, nid eich mam.

YMDDYGIAD RHYWIOL

A yw'n beth cyffredin i bobl sydd â dementia ddangos ymddygiad rhywiol anarferol?

Mae pobl sydd â dementia, yn ddynion a merched, weithiau'n dangos ymddygiad rhywiol amhriodol, er nad yw hynny'n beth cyffredin. Gall ymddygiad o'r fath gynnwys dadwisgo'n gyhoeddus, cyffwrdd â'u genitalia neu gyffwrdd â rhywun yn amhriodol. Ceisio peidio â gorymateb sydd orau a chofio mai'r clefyd sy'n gyfrifol am yr ymddygiad. Yna'n dawel a diffwdan, ceisiwch dynnu sylw'r person a'i annog i wneud rhywbeth arall.

Mae clefyd Alzheimer ar fy ngŵr, ac mae eisiau cael rhyw efo fi'n llawer amlach nag yr oedd yn y gorffennol. Alla i ddim ymdopi â'i chwant am gymaint o ryw ac mae'r cyfan yn achosi gofid i mi. Weithiau, rwyf eisiau ymateb drwy gysgu mewn gwely ar wahân. Beth ddylwn i ei wneud?

Mae'n hawdd deall pam mae hyn yn achosi gofid i chi. Efallai y byddwch yn teimlo'n well os gallwch chi gofio bod ymddygiad rhywiol gwahanol eich gŵr yn rhan o'i salwch. Mae'n debygol nad yw eich gŵr yn cofio'i fod newydd gael rhyw gyda chi a dyna pam ei fod eisiau dechrau eto.

Os yw eich gŵr yn dangos dicter tuag atoch pan rydych yn ei wrthod, mae'n debyg mai cadw o'i ffordd sydd orau nes bydd y foment wedi pasio iddo neu nes bydd wedi cysgu. Gallai hyn olygu cysgu mewn gwely ar wahân weithiau. Bydd yn fwy anodd penderfynu a ydych am gysgu ar wahân yn barhaol. Ceisiwch dynnu sylw eich gŵr, efallai drwy ofyn iddo aros tan yfory cyn cael rhyw. Gallai fod yn ddefnyddiol i chi siarad â rhywun sydd wedi'i hyfforddi i helpu pobl i ddelio â phroblemau rhywiol. Gallai eich nyrs iechyd meddwl gymunedol (nyrs seiciatrig gymunedol gynt), cwnselydd sy'n arbenigo mewn problemau rhywiol, neu Relate eich helpu (manylion cyswllt yn Atodiad 1).

AGWEDDAU POBL ERAILL

Mae dementia ar fy ngŵr. Rydym yn byw mewn fflat ac mae weithiau'n gwneud llawer o sŵn yn y nos. Rwy'n teimlo cywilydd mawr. Beth ddylwn i ei ddweud wrth ein cymdogion?

Mae angen bod yn ddewr, ond bydd hi'n haws i chi ymdopi yn y tymor hir os ydych yn ymddiheuro i'ch cymdogion gan ddweud wrthyn nhw hefyd fod dementia ar eich gŵr ac nad yw'n sylweddoli weithiau ei fod yn swnllyd. Os nad yw eich cymdogion yn gwybod beth yw dementia, efallai y bydd angen i chi esbonio'i fod yn anhwylder corfforol ar yr ymennydd sy'n effeithio ar gof, iaith a dealltwriaeth person. Mae rhoi nodyn dan y drws weithiau'n gallu bod yn ffordd haws o godi'r pynciau anodd hyn, neu gallech wahodd eich cymdogion am baned a sgwrs. Efallai'n wir y bydd yn haws iddyn nhw ddeall ar ôl gweld pethau o'r tu mewn i'ch cartref.

Mae dementia ar fy nhad. Mae'n byw gyda ni ac rwy'n falch fy mod yn gallu gofalu amdano. Fodd bynnag, nid yw fy mab naw mlwydd oed yn gofyn i'w ffrindiau ddod i'r tŷ bellach gan fod ymddygiad ei daid yn codi cywilydd arno. Mae hyn yn fy ngwneud yn drist iawn. Beth alla i ei wneud?

Dylech siarad â'ch mab am hyn. Mae'n bwysig fod plant yn deall bod salwch fel dementia yn rhan o fywyd – mae angen iddyn nhw allu trafod y peth â'u rhieni a'u hathrawon.

Anogwch eich mab i ddweud wrth ei ffrindiau am salwch ei daid. Gyda'ch cymorth chi, efallai y gallai wahodd ei ffrindiau i'ch cartref, eu cyflwyno i'w daid ac yna mynd i'w ystafell i chwarae. Mae nifer o lyfrau am ddementia ar gael i blant o bob oed (gweler Atodiad 2).

Rwyf wedi cael diagnosis o ddementia. Beth ddylwn i ei ddweud wrth bobl eraill?

Efallai y bydd hyn yn anodd iawn i chi ei drafod, ond mae pobl eraill yn gallu bod yn help mawr ac yn gefn i chi os ydyn nhw'n deall eich anawsterau. Efallai y gallech ddechrau drwy ddweud wrthyn nhw fod gennych broblemau cofio a'u bod yn debygol o waethygu. Efallai hefyd yr hoffech ddweud wrth bobl sut allan nhw wneud eich bywyd chi'n haws, neu beth nad yw yn eich helpu. Er enghraifft, mae'n bosibl nad ydych yn hoff o gael pobl yn gwneud pethau drosoch.

8 | Emosiynau gofalwyr

Mae gofalu am rywun sydd â dementia'n gallu bod yn werth chweil ond hefyd yn anodd. Efallai fod gennych eich problemau iechyd eich hun. Efallai eich bod yn flinedig oherwydd diffyg cwsg neu'r angen cyson i roi sylw i rywun arall. Efallai fod gennych broblemau ariannol neu eich bod yn meddwl am ba hyd y gallwch ymdopi. Efallai'n wir eich bod yn dyheu am seibiant. Mae eich anghenion chi yr un mor bwysig ag anghenion y sawl rydych chi'n gofalu amdano. Mae hawl gennych i iechyd a gorffwys, i amser personol ac i roi'r gorau i'r gofalu os mai dyna yw eich dymuniad. Byddwch yn gallu gofalu am rywun arall yn well os ydych hefyd yn gofalu amdanoch chi'ch hun.

CEFNOGAETH EMOSIYNOL

Ers i fy ngwraig fynd yn sâl, mae'r rhan fwyaf o'n ffrindiau wedi peidio ag ymweld â ni. Sut allwn ni berswadio pobl nad oes modd 'dal' clefyd Alzheimer a bod angen ffrindiau ac ymwelwyr ar fy ngwraig a minnau o hyd?

Mae'n debygol iawn fod eich ffrindiau yn dal i'ch hoffi a'u bod yn meddwl amdanoch, ond efallai nad ydyn nhw'n gwybod sut i ymateb i'r newidiadau yn eich bywydau.

Ceisiwch siarad yn uniongyrchol â'r bobl sydd wedi bod yn agos atoch chi a'ch gwraig. Rhowch ganiad ffôn iddyn nhw neu ewch i'w gweld ac esbonio ychydig am y salwch. Gadewch iddyn nhw wybod nad ydych chi wedi newid a bod angen cwmni'n fwy nag erioed arnoch chi a'ch gwraig. Os ydyn nhw'n ffrindiau go iawn, byddan nhw'n gefn i chi'ch dau.

Fel gofalwr, mae angen ffrindiau arnoch. Ceisiwch gael seibiant o'r gofalu er mwyn cadw mewn cysylltiad â'ch hen fywyd cymdeithasol – mynd i'r dafarn, chwarae golff, mynd i'r sinema, beth bynnag fyddech chi'n arfer ei fwynhau. Mae angen i chi sicrhau bod gennych le ac amser i'ch diddordebau a'ch gweithgareddau eich hun.

Mae llawer o ofalwyr yn gallu gwneud ffrindiau newydd wrth ymuno â grŵp cymorth i ofalwyr neu â changen leol yr Alzheimer's Society Yn sicr, bydd pobl yno sy'n deall eich angen am gwmni. Mewn rhai ardaloedd, mae cynlluniau ymweld ar gael lle bydd gwirfoddolwr yn dod i ymweld â chi a'ch gwraig yn rheolaidd. Efallai fod gwybodaeth am fudiadau neu gynlluniau o'r fath ar gael yn eich llyfrgell leol, neu gallwch ofyn i'r Gwasanaethau Cymdeithasol am gyngor.

Weithiau, rwy'n teimlo'n hynod o unig: hen deimlad annifyr mai fi a fy ngŵr yw'r unig bobl yn yr holl fyd. Mae dementia arno. Does dim angen help arna i, dim ond rhywun i gael sgwrs ag ef neu hi. Beth alla i ei wneud?

Gall cael rhywun i sgwrsio ag ef neu hi fod yn help mawr i ofalwyr. Mae llawer o bobl yn ei chael hi'n haws ymdopi os ydyn nhw'n gallu rhannu eu teimladau a'u profiadau.

Gallwch gysylltu â phobl a fydd yn gwrando ac yn deall mewn sawl ffordd. Mae gan yr Alzheimer's Society linellau cymorth (manylion cyswllt yn Atodiad 1) a gallan nhw eich rhoi mewn cysylltiad â grŵp lleol.

Mewn rhai ardaloedd, mae cynlluniau cyfeillio'n trefnu bod rhywun yn dod i ymweld â chi yn eich cartref. Os oes eisiau mynd allan o'r tŷ arnoch, ceisiwch ddod o hyd i grŵp gofalwyr yn y cyffiniau sy'n cyfarfod yn rheolaidd. Mudiadau gwirfoddol sydd wedi sefydlu llawer o'r grwpiau hyn, ond mae'r Gwasanaethau Cymdeithasol hefyd yn gyfrifol am rai ohonyn nhw.

Rwy'n ddyn hoyw ac rwy'n gofalu am fy mhartner. Rydym wedi bod gyda'n gilydd ers ugain mlynedd ac mae dementia arno. Rwy'n mynd i grŵp gofalwyr ond yn teimlo nad oes llawer o groeso i mi yno. Dydy'r lleill ddim yn angharedig ond rwy'n gwybod eu bod nhw'n teimlo nad yw fy mherthynas i 'run fath â'u perthynas nhw na'r boen mor real. Tybed a oes rhywle arall lle y galla i gael help gan bobl sy'n deall go iawn?

Mae rhai grwpiau gofalwyr yn well am groesawu pobl nag eraill. Mae'n drueni nad yw'r grŵp yma wedi'ch helpu. Nid yw eich profiad o ofalu yn wahanol oherwydd eich rhywioldeb ac mae eich teimladau chi yr un mor bwysig.

Mae grwpiau i ofalwyr hoyw mewn sawl dinas erbyn hyn. Mae'r rhan fwyaf ohonyn nhw'n canolbwyntio ar ofalu am bobl sydd ag AIDS, gan fod rhai ohonyn nhw'n datblygu dementia. Efallai y bydd un o'r grwpiau hyn yn berthnasol i'ch anghenion. Ffoniwch eich llinell gymorth leol i bobl leol i gael gwybodaeth am grwpiau gofalwyr yn eich ardal, neu cysylltwch â'r Terrence Higgins Trust (manylion cyswllt yn Atodiad 1).

COLLED AC ANOBAITH

Rwyf weithiau'n cael teimlad o golled ac anobaith ofnadwy ers i fy ngŵr gael clefyd Alzheimer. Rwy'n teimlo fel eistedd ac ildio'n llwyr. Sut alla i gael help i ddelio â 'nheimladau?

Rydych wedi cymryd y cam cyntaf wrth gyfaddef bod gennych deimladau sy'n eich llethu. Wrth i glefyd Alzheimer ymgynyddu, mae'n bosibl i chi deimlo weithiau fod y salwch yn dwyn y person yr oeddech yn ei adnabod oddi arnoch. Mewn sawl ystyr, mae colli cwmnïaeth fel galaru am farwolaeth rhywun sy'n dal i fod yn fyw.

Mae galar yn gyffredin ymysg pobl fel chi sy'n gofalu am rywun sydd â salwch tymor hir. Mae'n ddigon posibl eich bod yn pendilio rhwng gobaith ac anobaith, yn meddwl y bydd eich gŵr yn gwella ond eto'n gwybod na fydd hynny'n digwydd.

Peidiwch ag ofni'r teimladau hyn. Maen nhw'n real ac yn naturiol. Ceisiwch ganolbwyntio ar y pethau bach y gallwch eu gwneud i wneud bywyd mor ddymunol â phosibl i'ch gŵr, a chwiliwch am y rhannau o'i bersonoliaeth sy'n dal i fod yno.

Mae siarad â rhywun bob amser yn help. Rhannwch eich teimladau ag aelodau o'r teulu a ffrindiau, ymunwch â grŵp gofalwyr neu siaradwch â'ch gweithiwr cymdeithasol, nyrs iechyd meddwl gymunedol neu rywun yn eich cangen leol o'r Alzheimer's Society. Cofiwch fod gofalwyr yn fwy tebygol o ddioddef cyfnodau o iselder na phobl na ydyn nhw'n ofalwyr. Mae teimlo colled ac anobaith yn hollol naturiol i rywun sy'n gofalu am eraill, ond mae'n bwysig peidio ag anwybyddu symptomau a allai ddeillio o iselder clinigol – siaradwch â'r meddyg teulu os ydych yn meddwl bod hynny'n bosibl yn eich achos chi.

Mae clefyd Alzheimer ar fy nhad ers chwe blynedd. Mae'n hynod o aflonydd ac mewn gwewyr bron iawn drwy'r adeg. Mae'n chwilio drwy'r tŷ'n ddiddiwedd am fy mam a fu farw bedair blynedd yn ôl. Mae'n crio'n aml. Alla i ddim rhoi unrhyw gysur iddo. Pan fydd yn cysgu yn y nos, rwy'n meddwl weithiau y byddai'n well i'r ddau ohonom petawn i'n ei fygu â gobennydd. Rwy'n gwybod nad yw hynny'n wir, ond rwy'n ofni cael fy ngyrru i wneud hynny. Beth alla i ei wneud?

Mae teimladau o'r fath yn gyffredin. Mae dementia'n achosi teimlad o golled ofnadwy i bawb sy'n ymwneud â'r cyflwr. Rydych yn teimlo colled fawr am eich tad fel y person a oedd unwaith yn gofalu amdanoch chi. Mae eich tad yn teimlo bod ei holl fywyd yn llithro oddi wrtho ac mae'n dyheu am ddiogelwch y gorffennol pan oedd ei wraig yn gwmni iddo. Mae'n boenus iawn gweld gwewyr rhywun arall a theimlo nad ydych yn gallu gwneud dim i'w helpu.

Mae'n rhaid i chi siarad â rhywun am eich teimladau, aelod agos o'r teulu efallai, ffrind neu linell gymorth yr Alzheimer's Society neu Alzheimer Scotland. Mae'r Samariaid yn gyfrifol am ddarparu llinell gymorth gyfrinachol 24 awr (gweler Atodiad 1).

Ni ddylai'r teimladau a'r ofnau hyn achosi cywilydd i chi. Ceisiwch sicrhau eich bod yn cael seibiant bob hyn a hyn a gofynnwch i aelodau eraill y teulu am gymorth. Trafodwch â'ch meddyg neu'ch gweithiwr cymdeithasol sut allwch chi leddfu gorbryder eich tad. Gwnewch yn siŵr eu bod yn gwybod pa mor anodd yw'r sefyllfa i chi a mynnwch eich bod yn cael cymorth priodol a seibiant rheolaidd (gweler yr adran 'Gofal seibiant' ym Mhennod 9). Ni ddylech chi orfod ysgwyddo'r baich ar eich pen eich hun.

DICTER A CHWERWDER

A yw teimlo dicter a cholli fy nhymer pan fydd fy mam yn ailadrodd pethau'n ddiddiwedd yn ymddygiad cyffredin? A yw gofalwyr i fod yn seintiau?

Na, does dim angen i chi fod yn sant a dydy gofalwyr eraill ddim yn seintiau ychwaith. Person cyffredin ydych chi, sy'n gwneud eich gorau mewn sefyllfa anodd iawn. Mae ymddygiad ailadroddus – gofyn yr un cwestiynau'n ddiddiwedd, gweiddi, colli pethau – yn gyffredin ymysg pobl sydd â dementia, ac mae'r ymddygiad hwnnw yn gallu bod yn dân ar eich croen. Does dim syndod eich bod weithiau'n colli eich tymer gan deimlo mai sant yn unig all ymdopi â'r sefyllfa.

Nid yw colli eich tymer yn llesol i chi, ac yn sicr nid yw'n helpu eich mam. Ceisiwch ddeall ymddygiad eich mam a gweld a allwch chi roi stop arno neu ei leihau rhywfaint (gweler Pennod 7 am awgrymiadau). Os ydych yn teimlo eich bod yn mynd i golli eich tymer, ceisiwch fynd i ystafell arall neu i'r ardd. Efallai y gallwch sgrechian neu grio yno, neu ddim ond cael cyfle i gymryd anadl ddofn ac ymdawelu.

Nid oes raid i chi reoli'r problemau hyn ar eich pen ei hun. Mae gan yr Alzheimer's Society linellau cymorth (manylion cyswllt yn Atodiad 1). Gorau oll, ceisiwch gael cyngor gan eich meddyg neu gan y nyrs iechyd meddwl gymunedol (gweler 'Gwasanaethau i bobl yn eu cartrefi' ym Mhennod 9) ar ffyrdd o ddelio ag ymddygiad ailadroddus eich mam. Gwnewch yn siŵr hefyd eich bod yn cael seibiant yn rheolaidd (gweler 'Gofal seibiant' ym Mhennod 9).

Mae fy ngŵr yn crwydro o hyd ac mae'r heddlu yn aml yn dod ag ef yn ôl. Mae hyn yn gwneud i mi deimlo mor ddig ac rwy'n gweiddi arno'n aml. Rwy'n gwybod nad yw hyn yn llesol i'r ddau ohonom. Beth ddylwn i ei wneud?

Mae'n naturiol eich bod yn teimlo'n flin mewn amgylchiadau o'r fath ac mae dicter yn ymateb cyffredin ar ôl cyfnod o ofidio. Mae'n siŵr eich bod yn ddig gyda'ch gŵr oherwydd eich bod yn poeni amdano ac yn ofni bod rhywbeth ofnadwy wedi digwydd. Mae'n rhaid i chi ddweud wrthych eich hun nad yw'ch gŵr yn gallu gwneud dim yn ei gylch. Mae crwydro yn beth cyffredin iawn ymysg pobl sydd â dementia (gweler hefyd yr adran 'Crwydro' ym Mhennod 6). Mae'n eithaf tebyg hefyd fod eich gŵr yn teimlo dryswch a dychryn pan fydd rhywun yn dod ag ef adref. Yn hytrach na bod yn ddig gydag ef, ceisiwch eich gorau i'w gysuro a'i gael i ailafael yn ei drefn gyfarwydd.

Mae fy ngŵr yn fy nilyn o ystafell i ystafell a hyd yn oed yn sefyll tu allan i'r drws pan fyddaf yn y toiled. Rwy'n teimlo nad wyf yn cael lle i fi fy hun ac mae hyn yn fy rhoi dan straen ac yn peri i fi golli fy nhymer. Beth alla i ei wneud?

Mae eich gŵr yn eich dilyn o gwmpas oherwydd ei fod yn teimlo'n ansicr. Efallai ei fod yn meddwl nad ydych chi'n mynd i ddod yn ôl ac mae hynny'n gwneud iddo deimlo'n anhapus iawn.

Pan fyddwch yn gadael yr ystafell, mae'n bwysig eich bod yn ceisio'i gysuro gan ddweud y byddwch yn dod yn ôl ymhen rhai munudau. Fodd bynnag, er mwyn i chi gael mwy o le ac amser i chi eich hun, byddai'n syniad da gofyn i gyfaill neu gymydog eistedd gyda'ch gŵr weithiau. Bydd hyn, gobeithio, yn rhoi cyfle i chi ymlacio ac yn ei gwneud yn haws i chi ymdopi â'ch gŵr yn glynu wrthoch chi pan fyddwch yn dychwelyd.

Mae clefyd Alzheimer ar fy mam ac nid yw'n gallu ymdopi ar ei phen ei hun. Nid yw gofalu am fy mam yn fy mhoeni i, ond rwy'n teimlo'n chwerw iawn tuag at fy mrawd a'i wraig. Dydyn nhw ddim yn fodlon iddi aros gyda nhw nac yn dod i'w gweld ychwaith. Rwyf wedi rhoi'r gorau i'm swydd, felly un incwm sy'n dod i'r tŷ, ond nid yw fy mrawd yn cyfrannu'n ariannol. Rwy'n meddwl ei fod heb ffonio ers tri mis. Beth alla i ei wneud am hyn?

Nid yw clefyd Alzheimer yn effeithio ar y person sy'n sâl yn unig, mae hefyd yn effeithio ar y teulu cyfan a sawl perthynas wahanol. Weithiau, bydd un aelod o'r teulu, fel chi, yn ysgwyddo'r holl faich tra bydd eraill, fel eich brawd, yn cadw draw ac yn esgus nad eu cyfrifoldeb nhw yw'r problemau. Mae hyn yn aml yn arwain at chwerwder a gelyniaeth o fewn y teulu.

Gwnewch eich gorau i geisio gweld eich brawd a chael sgwrs gydag ef. Mae'n bosibl fod y sefyllfa'n anodd iddo yntau, ei fod yn meddwl eich bod chi'n berson mwy gofalgar nag ef, neu efallai nad yw'n gallu derbyn salwch eich mam.

Os na allwch feddwl am ffordd i'ch brawd fod yn rhan o'r gofal, byddai'n well chwilio am gymorth yn rhywle arall. Gwnewch yn siŵr eich bod yn cael y seibiannau a'r gofal seibiant (gweler 'Gofal seibiant' ym Mhennod 9) angenrheidiol. Gofynnwch i'ch gweithiwr cymdeithasol helpu gydag unrhyw fudd-daliadau y gallwch eu hawlio (gweler hefyd 'Budd-daliadau'r wladwriaeth' ym Mhennod 11). Os ydych yn gofalu amdanoch chi'ch hun yn iawn, efallai y byddwch yn teimlo llai o straen a chwerwder tuag at eich brawd.

TEIMLADAU RHYWIOL

Mae clefyd Alzheimer ar fy ngŵr, ac mae fel petai wedi colli diddordeb mewn cynnal perthynas rywiol â mi. Rwy'n gweld eisiau'r agwedd hon ar fy mywyd ac yn teimlo'n euog iawn am hynny. Beth alla i ei wneud?

Mae'n naturiol eich bod yn teimlo fel hyn. Mae ar bawb angen cael eu caru a'u cyffwrdd gydol eu hoes, ac mae rhywioldeb yn rhan normal o fywyd oedolion. Cofleidiwch a daliwch eich gilydd, ac efallai y bydd hynny'n dangos i chi a yw eich gŵr yn gallu mynd gam ymhellach, neu a oes awydd arno i wneud hynny. Ceisiwch fod yn amyneddgar. Efallai fod cyflwr eich gŵr yn amrywio o bryd i'w gilydd ac mae'n bosibl y bydd mwy o awydd cyfathrach rywiol arno ar rai adegau.

Mewn sefyllfa fel hon, mae rhai pobl yn chwilio am gysur rhywiol gwahanol, er enghraifft drwy fastwrbio neu mewn perthynas arall, ond efallai nad dyma'r ateb i bawb.

Rwyf wedi cwrdd â ffrind newydd yn y grŵp gofalwyr y byddaf yn mynd iddo. Rydym yn agosáu at ein gilydd a dydw i ddim yn gwybod beth i'w wneud. Nid yw fy ngwraig yn fy adnabod bellach er fy mod yn ei charu, ond rwyf hefyd yn magu teimladau tuag at fy ffrind newydd. Ydy dechrau perthynas arall tra mae fy ngwraig yn dal i fod yn fyw yn beth anghywir i'w wneud? Rwy'n meddwl bod y cyfeillgarwch hwn yn fy helpu i ofalu'n well.

Mae'n hawdd deall sut mae hyn wedi digwydd. Mae rhannu profiadau tebyg yn aml yn dod â phobl at ei gilydd. Dylech drafod eich teimladau â'ch ffrind newydd i weld a ydy hi'n teimlo'r un fath. Mae angen i chi ddod o hyd i ffyrdd o gefnogi eich gilydd yn ogystal â'ch partneriaid.

EUOGRWYDD

Mae clefyd Alzheimer ar fy ngwraig ers wyth mlynedd ac rwyf wedi blino'n lân er gwaetha'r holl gymorth a gaf. Rwy'n gwybod ei bod hi'n bryd ystyried ei rhoi mewn cartref ond dydw i ddim yn gwybod sut fyddwn i'n gallu ymdopi â'r euogrwydd o wneud hynny. A oes gennych unrhyw gyngor?

Rydych eisoes wedi gofalu am eich gwraig am gyfnod hir iawn. Hefyd, rydych wedi ei charu ac rydych yn ei hadnabod yn well na neb. Rwy'n siŵr eich bod wedi meddwl y byddech yn gallu parhau i ofalu amdani tan y diwedd. Yn anffodus, mae gofalu am rywun sydd â chlefyd Alzheimer yn dod yn waith 24 awr y dydd ac ni ellir disgwyl i neb barhau i ofalu fel hyn heb unrhyw seibiant. Mae'n siŵr eich bod eisoes wedi cael help gan y gwasanaethau iechyd a'r Gwasanaethau Cymdeithasol a'ch grŵp lleol o'r Alzheimer's Society. Fodd bynnag, daw adeg pan nad yw cyfnodau byr o ofal seibiant yn ddigon i'r gofalwr.

Dylech geisio ymweld ag ambell gartref, cael eich gwraig i ddod yn gyfarwydd ag un ohonyn nhw'n raddol ac aros yno am gyfnodau byr. Mae llawer o gartrefi'n fodlon i chi wneud hyn. O wneud hynny, bydd y staff yn dod i'w hadnabod. Os bydd eich gwraig yn mynd yno'n barhaol, dylai fod yn bosibl i chi barhau i ofalu amdani drwy helpu ar adegau bwyd a'i golchi. Gallech hefyd dynnu ei sylw a mynd â hi allan a pharhau i gyfrannu'n helaeth at ei bywyd. Ar yr un pryd, byddwch yn rhoi llawer o gefnogaeth i staff y cartref. Wedi'r cyfan, rydym yn siŵr eich bod yn sylweddoli na fyddai eich gwraig eisiau i chi beryglu eich iechyd eich hun wrth ofalu amdani. Ceisiwch gofio cymaint rydych chi wedi'i wneud iddi eisoes; dylech deimlo'n falch eich bod wedi gallu gwneud cymaint i'w helpu ond gan sylweddoli nad yw parhau i wneud hynny'n bosibl.

Ers i fi roi fy mam mewn cartref nyrsio, rwy'n teimlo mor euog. Roedd yn amhosibl gofalu amdani gartref ac mae gennym ddau blentyn ifanc. Ond alla i ddim anghofio pa mor dorcalonnus oedd yr holl symud iddi. A ydw i wedi gwneud y peth anghywir?

Yn aml, y penderfyniad i symud rhywun y maen nhw'n ei garu i gartref gofal yw un o'r penderfyniadau mwyaf anodd a phoenus erioed y mae'n rhaid i ofalwyr ei wneud. Mae gennych lawer o gyfrifoldebau, i'ch plant ac i'ch gŵr yn ogystal ag i'ch mam. Weithiau, nid yw'n bosibl i bobl gadw'r fantol yn wastad rhwng eu gwahanol gyfrifoldebau ac mae'n rhaid gwneud penderfyniadau anodd. Weithiau mae'n rhaid i'ch anghenion chi ddod yn gyntaf. Weithiau, mae anghenion y person rydych chi'n ei garu mor gymhleth, fel na allwch chi ofalu amdano'n dda gartref.

Mae'n rhaid i chi wynebu'r penderfyniad a meddwl am y manteision i chi, eich mam a'ch teulu. Ceisiwch ganolbwyntio ar y gofal cadarnhaol a roddir i'ch mam yn y cartref. Ewch i'w gweld mor aml â phosibl ac anogwch aelodau eraill o'r teulu a'i chyfeillion i ymweld â hi hefyd. Gwnewch yn siŵr ei bod yn gwybod nad ydych wedi anghofio amdani a'ch bod chi a'r teulu'n dal i'w charu. Ewch â'ch plant gyda chi os gallwch chi. Os yw eich mam wedi setlo yn y cartref, cofiwch mai dyma'r peth pwysicaf yr oeddech yn dymuno'i weld a cheisiwch anghofio'r gofid wrth iddi symud yno. Os yw'n parhau i deimlo'n ansicr, siaradwch â'r staff neu â gweithiwr cymdeithasol ynghylch beth allai ei helpu i deimlo'n fwy cartrefol.

9 | Cael cymorth

Nid yw hi'n hawdd bob amser cael gafael ar yr help sydd ei angen arnoch pan fydd clefyd Alzheimer neu fath arall o ddementia arnoch, neu pan fyddwch yn gofalu am rywun sydd â dementia. Er bod llawer iawn o wybodaeth a chyngor, gwasanaethau a chymorth ar gael, mae'n gallu bod yn anodd delio â'r gwahanol sefydliadau ac asiantaethau sy'n cynnig hynny. Y tri chyswllt allweddol yw meddyg teulu'r sawl sydd â dementia, y Gwasanaethau Cymdeithasol lleol a'r Alzheimer's Society. Mae nifer o sefydliadau lleol a grwpiau eraill ar gael hefyd. Mae'r bennod hon yn ateb cwestiynau cyffredin ynghylch y mathau o help a sut i gael gafael arno.

FFYNONELLAU CYMORTH A GWYBODAETH

Ble alla i gael cymorth a gwybodaeth?

Gall nifer o bobl a sefydliadau, yn rhai proffesiynol a gwirfoddol, gynnig help i wneud eich bywyd yn haws. Peidiwch ag ofni gofyn amdano. Mae rhestr o gyfeiriadau a rhifau ffôn defnyddiol yn Atodiad 1, gan gynnwys rhai o'r sefydliadau y sonnir amdanyn nhw isod.

Mae'r Alzheimer's Society ar gael i helpu pawb sydd wedi'u heffeithio gan ddementia o bob math. Mae hyn yn wir am gymdeithasau Alzheimer ledled y byd. Byddan nhw'n gwybod am wasanaethau lleol. Bydd nifer o ofalwyr a rhai pobl sydd â dementia'n aelodau o'r gymdeithas, pobl sy'n deall eich gofidiau ac a fydd yn gallu eich helpu. Wrth ymuno â'r Gymdeithas, bob deufis byddwch yn cael cylchgrawn defnyddiol, yn llawn newyddion a chyngor ymarferol, a chylchlythyrau rheolaidd.

Mae Carers Wales yn cefnogi gofalwyr o bob math. Mae'r Carers Trust Wales yn rhoi gwybodaeth a chymorth ymarferol i ofalwyr a bydd Age Cymru hefyd yn gallu eich helpu. Gall y ganolfan Cyngor Ar Bopeth (CAB) roi cyngor arbenigol ar fudd-daliadau.

Mae hawl i gael asesiad amlddisgyblaethol o'u hanghenion gan bawb sydd ag angen gofal, a'r meddyg teulu neu Wasanaethau Cymdeithasol yr awdurdod lleol fydd yn rhoi hyn ar waith. Mae hawl gan y person sy'n gofalu hefyd i gael asesiad ar wahân o'i anghenion (am ragor o wybodaeth ynghylch asesiadau gofal yn y gymuned, gweler yr adran 'Gofal yn y gymuned' yn ddiweddarach yn y bennod hon).

A oes unrhyw gyrsiau hyfforddi ar gael i bobl sy'n gofalu am rywun sydd â dementia?

Mae yna nifer o gyfleoedd i ofalwyr teuluol ddysgu am ddementia a sut i ofalu am rywun sydd â'r cyflwr (manylion cyswllt yn Atodiad 1). Mae grwpiau gofalwyr lleol yn aml yn gwahodd siaradwyr ac yn cynnal sesiynau ymarferol ar destunau fel ymddygiad anodd, agweddau ar ddiogelwch neu godi pobl. Mewn rhai ardaloedd, mae'r Gwasanaethau Cymdeithasol yn cynnal cyrsiau ffurfiol i helpu gofalwyr gyda'u tasg. Mae deunyddiau hyfforddi ar fideo hefyd ar gael o ffynonellau amrywiol. Cynhelir llawer o gynadleddau i ofalwyr – cewch wybodaeth amdanyn nhw yng nghylchgrawn yr Alzheimer's Society (manylion cyswllt yn Atodiad 1).

Yn ddiweddar, rwyf wedi cael gwybod fy mod yng nghyfnod cynnar dementia. A oes grŵp y galla i fynd ato, neu rywle ble y galla i gwrdd â phobl eraill sydd fel fi?

Oes yn wir, mae grwpiau'n bod i gefnogi pobl sydd â dementia. Maen nhw'n cyfarfod yn rheolaidd a gallwch sôn am eich teimladau, cyfnewid syniadau ynghylch ymdopi â'ch problemau cofio ac efallai fynd ar dripiau gyda'ch gilydd. Cysylltwch â'r Alzheimer's Society am gymorth ac i gael gwybod a oes grŵp yn agos atoch chi. Mae nifer o wasanaethau'r GIG, fel gwasanaethau cof, hefyd yn cynnal grwpiau a chyrsiau i bobl sy'n cael diagnosis o ddementia, er enghraifft 'caffis cof'. Siaradwch â phwy bynnag a roddodd y diagnosis o ddementia i chi i gael rhagor o gyngor ynghylch ble i chwilio am y cymorth hwn.

ANGHENION YSBRYDOL

Mae fy ngŵr a minnau'n arfer mynd i'r eglwys bob dydd Sul. Er nad yw'n deall llawer erbyn hyn, mae'n ymddangos fel petai'n dal i fwynhau'r gwasanaethau ac yn cael pleser ohonyn nhw. Ond rwy'n poeni am bobl eraill, gan ei fod yn gwneud synau anghyffredin. Oes gennych chi unrhyw gyngor i mi?

Os oes gennych ffydd grefyddol, byddwch yn credu bod rhywun sydd â dementia'n parhau i fod â dimensiwn ysbrydol er gwaetha'r clefyd. Felly, mae'n iawn i geisio diwallu'r anghenion ysbrydol hynny. Gall defodau gwasanaeth crefyddol cyfarwydd helpu i dawelu person sydd â dementia a dylid rhoi'r cyfle iddo fynychu ei fan addoli cyhyd ag y gall wneud hynny. Os ydych yn esbonio'r sefyllfa wrth y gweinidog a'r addolwyr, mae'n debygol iawn y byddan nhw'n hynod o oddefgar ac yn barod iawn i helpu.

Pan fydd rhywun sydd â dementia'n methu mynd allan, bydd gweinidog yn dod i'r cartref ac yn adrodd gweddi neu'n gweinyddu'r sacramentau, yn ôl y gofyn.

Mae Christians on Ageing yn ymwneud ag anghenion ysbrydol pobl sydd â dementia ac yn cyhoeddi llawlyfrau defnyddiol. Bydd Jewish Care hefyd yn gallu rhoi cymorth. (Gweler Atodiad 1.) Mae crefyddau eraill hefyd yn gallu helpu drwy ddarparu cymorth ymarferol ac ysbrydol.

Sut allwn ni geisio diwallu anghenion ysbrydol pobl sydd â dementia?

Mae profiadau artistig a chrefyddol yn gallu rhoi boddhad i lawer o bobl a gwneud iddyn nhw deimlo'n hapus. Nid ffydd yn unig sy'n gwneud hynny; mae cerddoriaeth a'r celfyddydau, garddio a mwynhau natur hefyd yn cyfrannu at deimladau o foddhad gan eu bod yn weithgareddau sy'n cyffwrdd â'r person yn fewnol. Mae gan bobl ym mhob cyfnod o ddementia'r gallu i fwynhau'r pethau hyn. Weithiau, gall rhywbeth nad oedd o ddiddordeb iddyn nhw yn y gorffennol fod yn destun cysur iddyn nhw; mentrwch a rhowch gynnig ar bethau gwahanol.

GOFAL YN Y GYMUNED

Sut alla i gael cymorth i ofalu yn y cartref?

Mae gofal yn y gymuned yn derm cyffredinol am wasanaethau i helpu pobl sydd â salwch neu anabledd i barhau i fyw yn eu cartrefi eu hunain ac i annog annibyniaeth. Mae polisi gofal yn y gymuned hefyd yn annog darparu tai gwarchod a chartrefi preswyl a nyrsio (cartrefi gofal) o fewn y gymuned yn gyffredinol.

Mae deddfwriaeth yn nodi cyfrifoldeb adrannau o'r Gwasanaethau Cymdeithasol i asesu anghenion pobl trwy gyfrwng 'asesiad gofal yn y gymuned' (neu 'asesiad o anghenion'), a drafodir isod, ac i ddarparu neu brynu ystod o wasanaethau i ddiwallu'r anghenion hynny. Y nod yw sicrhau darparu gwasanaethau i gadw pobl yn eu cartrefi eu hunain am gymaint o amser ag sy'n bosibl.

Mae nifer o wasanaethau gwahanol ar gael i gynorthwyo pobl yn eu cartrefi eu hunain. Fodd bynnag, mae ystod a lefel y gwasanaethau'n amrywio'n fawr iawn o'r naill ardal i'r llall. Mae'n bosibl y bydd yn rhaid i chi fod yn eithaf penderfynol os ydych am sicrhau digon o ofal i rywun allu byw gartref gyda chymorth. Nid oes gorfodaeth gyfreithiol ar awdurdodau lleol i ddarparu gofal yn y gymuned i unigolion os byddai hyn yn costio mwy na'u symud i gartref preswyl neu gartref nyrsio, er eu bod weithiau'n fodlon gwneud hynny.

I sicrhau gwasanaethau'r GIG – cymorth nyrsio neu ffisiotherapi, er enghraifft – dylech ofyn i feddyg teulu neu arbenigwr ysbyty'r sawl sydd â dementia. Os ydych am gael gwasanaethau eraill – fel cynorthwywyr gofal cartref neu brydau ar glud – gofynnwch yn gyntaf i'ch adran Gwasanaethau Cymdeithasol am asesiad gofal yn y gymuned. Yna gofynnwch i'r Gwasanaethau Cymdeithasol beth ddylen nhw ac y gallen nhw ei ddarparu i ddiwallu'r anghenion hynny. Cewch wybod â phwy y dylech siarad drwy ffonio swyddfeydd eich cyngor lleol. (Gweler yr adran 'Gwasanaethau i bobl yn eu cartrefi' yn ddiweddarach yn y bennod hon am wybodaeth am y mathau gwahanol o wasanaethau a allai fod ar gael.) Erbyn hyn, mae llawer mwy o gydweithredu'n digwydd rhwng y gwasanaethau iechyd a gofal cymdeithasol, a dylai hynny eich galluogi i gael rhagor o help a chyngor o un man.

Mewn rhai achosion, bydd y GIG yn talu costau gofal personol a llety, hyd yn oed os yw'r rhain yn cael eu darparu yn y cartref, er bod hynny'n anarferol. I fod yn gymwys am y gofal hwn, a elwir yn ofal iechyd parhaus y GIG ('gofal parhaus'), mae'n rhaid bod gan y person gyflwr meddygol cymhleth ac anghenion gofal sylweddol ac eang. Mae angen asesiad arbenigol mewn achosion o'r fath: bydd eich meddyg teulu neu eich awdurdod lleol yn gallu dweud wrthych a yw hyn yn briodol a sut y gellir trefnu hynny.

Rwy'n deall y bydd angen 'asesiad o anghenion' arnaf ar gyfer gofal yn y gymuned. Beth yw hyn?

Bydd y Gwasanaethau Cymdeithasol yn trefnu 'asesiad o anghenion' pan fyddan nhw'n tybio bod ar berson angen gofal yn y gymuned. Gelwir yr asesiad hwn yn asesiad gofal yn y gymuned, ac fel rheol bydd gweithiwr cymdeithasol neu therapydd galwedigaethol yn ei gynnal. Bydd yn siarad â chi ac yn ystyried barn eich meddyg teulu a'r tîm iechyd meddwl cymunedol, os oes gennych chi un. Dylai eich gofalwr neu'ch perthynas agos fod yn bresennol er mwyn cyfrannu at yr asesiad. (Mae'n bosibl hefyd i ofalwyr ofyn am asesiad o anghenion gofalwr – gweler yn ddiweddarach yn yr adran hon.)

Bydd yr asesiad yn cynnwys adroddiadau gan y gweithwyr proffesiynol amrywiol sydd wedi bod yn ymwneud â chi. Efallai y bydd hefyd yn cynnwys holiadur. Gwnewch yn siŵr fod yr holiadur yn cael ei lenwi'n iawn. Dylech ofyn am sicrwydd fod y system asesu sy'n cael ei defnyddio yn addas i bobl sydd â dementia. Os oes gennych unrhyw amheuon, cysylltwch â'r Alzheimer's Society.

Pan fydd yr asesiad gofal yn y gymuned wedi'i wneud, dylai eich 'gweithiwr allweddol' (mae'n bosibl y bydd enw gwahanol ar y rôl yma mewn gwahanol ardaloedd) – sef gweithiwr cymdeithasol, nyrs neu reolwr gofal – drafod â chi pa wasanaethau sydd ar gael yn eich ardal i ddiwallu eich anghenion. Bydd y rheolwr gofal (gweler yr ateb nesaf) yn llunio cynllun gofal i chi ac yn ei fonitro.

Beth yw rheolwr gofal?

Mae rheolwr gofal, sydd fel rheol – ond nid bob amser – yn weithiwr cymdeithasol, yn berson sy'n llunio ac yn rheoli cynllun gofal i rywun sydd wedi cael asesiad gofal yn y gymuned (gweler yr ateb blaenorol). Mae'r cynllun gofal yn nodi'r math o ofal yn y gymuned a ddylai fod ar gael i ddiwallu anghenion y person sydd wedi ei asesu.

Mae'r rheolwr gofal yn berson pwysig iawn i chi gydweithio ag ef neu hi. Bydd rheolwr gofal da yn gefnogol iawn ac yn ffynhonnell gwybodaeth a chyngor. Dylai ddarparu copi o'r asesiad gofal yn y gymuned yn ogystal â'r cynllun gofal, a dylai fod yn barod i'w drafod â chi. Dylai fonitro'r cynllun gofal a gwneud newidiadau priodol iddo pan fydd yr anghenion gofal yn newid. Dylech gysylltu â'ch rheolwr pan fydd eich anghenion yn newid, os nad ydych yn ei weld yn rheolaidd.

Beth alla i ei wneud os nad wyf yn cytuno â'r asesiad gofal yn y gymuned, neu â'r cymorth sy'n cael ei gynnig i fy nhad sydd â dementia?

Os nad ydych yn cytuno â'r asesiad gofal yn y gymuned neu â chynllun gofal eich tad, dylech drafod y broblem â'i reolwr gofal. Os na allwch gytuno â rheolwr gofal eich tad, dylech ddilyn y drefn gwyno. Bydd eich adran Gwasanaethau Cymdeithasol neu Wasanaeth Cyngor a Chyswllt Cleifion (PALS: *Patient Advice and Liaison Service*) eich Ymddiriedolaeth GIG yn gallu eich cynorthwyo.

Mae clefyd Alzheimer ar fy mam ond nid yw ei meddyg teulu'n fawr o help. Mae'n dweud y dylai fy mam fynd i gartref nyrsio ond fe hoffai fy nhad iddi aros gartref gydag ef. Os yw hynny'n digwydd, bydd angen llawer mwy o gymorth arno. Beth alla i ei wneud?

Ycam cyntaf i chi yw meddwl yn ofalus a fydd eich tad yn debygol o allu ymdopi â gofalu am eich mam ac am ba hyd. Mae angen i chi ystyried hefyd faint o gymorth ychwanegol allai fod arno'i angen i'w alluogi i wneud hyn.

Mae barn eich meddyg teulu'n gallu bod yn werthfawr, ond y teulu, gyda chymorth y Gwasanaethau Cymdeithasol, ddylai benderfynu beth sydd orau. Gofynnwch i'r Gwasanaethau Cymdeithasol am asesiad (neu ailasesiad) o anghenion eich mam neu asesiad ar wahân i'ch tad (gweler yr adran 'Gwasanaethau i bobl yn eu cartrefi' yn ddiweddarach yn y bennod hon).

Os mai'r penderfyniad yw cadw eich mam gartref, a bod ei meddyg teulu'n dal i fod yn anhapus gyda hyn, efallai y byddwch chi am drafod y sefyllfa â'r meddyg teulu er mwyn iddo ddeall eich sefyllfa'n well. Efallai yr hoffech fynd â rhywun o'r Alzheimer's Society gyda chi i helpu'r trafod. Er hyn i gyd, byddai'n syniad da i chi ddechrau edrych ar opsiynau o ran gofal nyrsio preswyl rhag ofn y bydd angen y lefel hon o ofal ar eich mam yn y dyfodol (gweler Pennod 10).

Rai blynyddoedd yn ôl, cefais strôc fach ac o ganlyniad rwy'n wan iawn ar un ochr ac ychydig yn simsan. Nawr mae fy ngwraig yn dechrau ffwndro. Mae'r meddyg yn dweud bod clefyd Alzheimer arni. Fe hoffem ni barhau i ofalu am ein gilydd ond rwy'n ofni'r dyfodol. Sut alla i ofalu amdani os wyf i'n anabl fy hun?

Os nad ydych wedi gwneud hynny'n barod, gofynnwch i'r Gwasanaethau Cymdeithasol wneud asesiad gofal yn y gymuned. Dylen nhw asesu eich anghenion chi ac anghenion eich gwraig, gan gofio bod gennych eich dau anghenion gofal yn ogystal â'ch bod yn ofalwyr (gweler yr adran 'Gwasanaethau i bobl yn eu cartrefi' yn ddiweddarach yn y bennod hon). Gwnewch yn siŵr eich bod yn cael holl fudd-daliadau'r wladwriaeth y mae gennych hawl iddyn nhw, fel Lwfans Gweini neu Lwfans Gofalwr (gweler yr adran 'Budd-daliadau'r wladwriaeth' ym Mhennod 11).

Bydd y ffaith fod y strôc wedi achosi problemau gyda'ch nerth a'ch symudedd yn gwneud rhai pethau'n anoddach i chi, ac mae natur eich cartref yn mynd i wneud llawer o wahaniaeth. Efallai yr hoffech ystyried symud i dŷ gwarchod (gweler yr ateb nesaf).

Ceisiwch wneud asesiad realistig o'r hyn y gallwch ac na allwch ei wneud, a chofiwch y bydd angen llawer mwy o ofal ar eich gwraig yn ddiweddarach yn ei salwch. Gyda chymorth ychwanegol, mae'n bosibl y byddwch eich dau yn gallu parhau i ofalu am eich gilydd am beth amser. Fodd bynnag, efallai na fydd hynny'n bosibl pan fydd ei hanghenion hi, ac o bosibl eich anghenion chi hefyd, yn mynd yn ormod. Mae'n bwysig neilltuo amser nawr i wneud cynlluniau ymarferol ar gyfer y dyfodol, naill ai ystyried symud i dŷ gwarchod neu i gartref gofal (gweler Pennod 10). Mae hynny'n anodd wrth gwrs, ond mae'n rhan bwysig o ofalu am rywun.

Rwyf eisiau parhau i ofalu am fy ngŵr, sydd â dementia, ond mae fy arthritis yn effeithio ar fy symudedd. A fyddai symud i dŷ gwarchod yn ateb, efallai?

Mae'r math hwn o lety wedi'i gynllunio'n arbennig ar gyfer pobl ag anghenion symudedd a gofal. Bydd y preswylwyr yn parhau i fyw mor annibynnol â phosibl, mewn fflatiau hunangynhwysol neu mewn grŵp o dai. Mae'n bosibl y bydd yr unedau'n cynnwys nodweddion fel tapiau hawdd eu defnyddio a chanllawiau diogelwch, i helpu pobl sydd â phroblemau symudedd. Yn ogystal, bydd larwm ynddyn nhw i alw warden mewn argyfwng. Efallai y bydd y Gwasanaethau Cymdeithasol hefyd yn gallu cynnig help gyda siopa, coginio ac ati. Gall rhai mannau roi rhagor o gymorth wrth i anghenion pobl gynyddu; fe'u gelwir yn aml yn dai gwarchod 'gofal ychwanegol'. Dylech siarad â'ch Gwasanaethau Cymdeithasol lleol am y lefelau gwahanol o gymorth sydd ar gael.

Mae fy nghymydog yn byw ar ei ben ei hun ac yn dechrau mynd yn hynod o ffwndrus. Rwy'n ceisio cadw llygad arno, ond rwy'n poeni am ei ddiogelwch. Beth os yw'n anghofio diffodd y nwy? Does dim sôn am unrhyw berthnasau. Â phwy ddylwn i gysylltu?

Os yw'r Gwasanaethau Cymdeithasol eisoes yn helpu eich cymydog, er enghraifft os oes ganddo gynorthwyydd gofal cartref neu os yw'n cael pryd ar glud, dylech rannu eich pryderon â nhw.

Gallwch gysylltu â'r Gwasanaethau Cymdeithasol hyd yn oed os nad ydyn nhw eisoes yn cadw llygad arno, os ydych yn poeni am ddiogelwch eich cymydog.

O safbwynt diogelwch nwy, mae cyflenwyr nwy yn cadw cofrestr o gwsmeriaid sydd ag angen sylw a gwasanaethau arbennig. Mae llawer o ddyfeisiau ar gael i helpu gyda diogelwch yn y cartref. Os nad oes modd sicrhau diogelwch eich cymydog, efallai y bydd yn rhaid i'r Gwasanaethau Cymdeithasol ddatgysylltu'r popty a threfnu bod cynorthwyydd gofal cartref neu wasanaeth pryd ar glud yn paratoi bwyd iddo.

Mae dementia ar fy nhad ac nid yw bellach yn gallu ymdopi ar ei ben ei hun, ond mae'n gwrthod yn lân â symud allan o'i fflat. Dywedodd un o'r gweithwyr cymdeithasol wrthyf y gellid ei anfon i ysbyty meddwl. Beth mae hyn yn ei olygu?

Weithiau, mae pobl sydd â dementia'n gallu ymddwyn mewn ffyrdd sy'n rhoi eu diogelwch nhw neu ddiogelwch eraill mewn perygl. Er enghraifft, efallai fod eich tad yn gadael y nwy ymlaen neu'n mynd allan yng nghanol y nos. Mae ymddygiad o'r fath yn hynod o beryglus pan fydd rhywun yn byw ar ei ben ei hun.

Os yw gweithwyr cymdeithasol a meddygon o'r farn nad yw hi'n ddiogel i berson sydd â dementia fyw ar ei ben ei hun bellach, byddan nhw yn gyntaf yn ceisio'i berswadio i fynd i rywle sy'n darparu gofal, lle bydd yn fwy diogel. Fodd bynnag, nid yw rhai pobl sydd â dementia'n deall bod ganddyn nhw broblem ac felly maen nhw'n amharod iawn i adael eu cartref. Nid peth hawdd yw sicrhau cydbwysedd rhwng eu diogelwch nhw, diogelwch eraill a'u rhyddid.

Pan fydd popeth arall wedi methu, mae'n bosibl i weithwyr cymdeithasol a meddygon orfodi rhywun y maen nhw'n credu sydd mewn perygl i fynd i ysbyty neu i gartref gofal. Mae'r broses hon yn defnyddio pwerau dan adran benodol o Ddeddf Iechyd Meddwl 1983 (diwygiwyd yn 2007) ar gyfer Cymru a Lloegr. Mae telerau'r adran yn nodi bod modd mynd â pherson sydd mewn perygl i le diogel heb ei ganiatâd. Nid ar chwarae bach y gwneir hyn, ond mae'n bosibl, er hynny, y bydd yn angenrheidiol mewn sefyllfaoedd difrifol iawn.

Fel arall, mae'n bosibl y bydd sefydliadau gofal cymdeithasol ac iechyd (fel cartrefi preswyl ac ysbytai) yn gallu cymryd rhywun yn erbyn ei ewyllys dan Ddeddf Galluedd Meddyliol 2005. Mae'r gyfraith wedi'i llunio'n ofalus i sicrhau bod pobl sy'n cael gorchymyn dan adran o'r Ddeddf Iechyd Meddwl neu'r Ddeddf Galluedd Meddyliol yn cael digon o gymorth, eiriolaeth ddigonol a hawl i apelio.

GWASANAETHAU I BOBL YN EU CARTREFI

Rwyf wedi cael diagnosis o glefyd Alzheimer. Dymuniad fy mhartner yw ceisio gofalu amdana i yn ein cartref. Pa fath o wasanaethau fyddai ar gael? A fydd yn rhaid i ni dalu?

Ygred gyffredinol yw y dylid helpu pobl i aros yn eu cartrefi eu hunain cyhyd ag sy'n bosibl os mai dyna yw eu dymuniad. Fodd bynnag, mae rhai awdurdodau lleol a Gwasanaethau Cymdeithasol yn cynnig mwy o ofal yn y gymuned nag eraill. Mae'n bosibl y byddai person yn gallu parhau i fyw gartref gyda'r gefnogaeth a ddarperir mewn rhai mannau, ond nid mewn mannau eraill. Mae gorfod talu am wasanaethau'n beth cyffredin, yn ôl incwm a chynilion person. Mae'r union swm y mae'n rhaid i bobl ei dalu yn gymhleth ond efallai y bydd gofyn i chi gwblhau asesiad ariannol. Mae rhai newidiadau i'r modd caiff gofal cymdeithasol ei ariannu ar y gweill, a llawer o'r rheiny'n rhai positif. Mae'n bosibl y bydd rhestrau aros.

Dyma rai o'r gwasanaethau sydd weithiau'n cael eu darparu yn y cartref:

- cynorthwywyr gofal cartref (gweler hefyd yr ateb nesaf);

- pryd ar glud;

- cyngor ar ymataliaeth (*continence*) a gwasanaethau arbennig i olchi dillad;

- cyngor ar gymhorthion i wneud y cartref yn fwy diogel (gweler yr adran 'Peryglon yn y cartref' ym Mhennod 6);

- cyfarpar (er enghraifft, sedd i'r bath);

- gofal yn y cartref;

- mathau gwahanol o ofal nyrsio;

- ffisiotherapi i helpu gyda symudedd;

- trin traed;

- therapi iaith a lleferydd;

- canolfannau dydd;

- gofal seibiant.

Rhaid darparu rhai gwasanaethau ble bynnag rydych chi'n byw os yw asesiad gofal yn y gymuned yn cydnabod bod eu hangen arnoch. Mae'r rhain yn cynnwys cynorthwywyr gofal cartref, canolfannau dydd, pryd ar glud a chymhorthion yn y cartref.

Mae'r Gwasanaethau Cymdeithasol yn mynd i ddarparu cynorthwyydd gofal cartref oherwydd bod clefyd Alzheimer ar fy ngŵr. Pa fath o bethau y bydd hwn neu hon yn eu gwneud?

Mae'r math o waith a wneir gan gynorthwyydd gofal cartref yn amrywio yn ôl angen ac yn ôl yr hyn y mae'r Gwasanaethau Cymdeithasol lleol yn ei ddarparu. Bydd rheolwr gofal eich gŵr (esboniwyd hyn yn yr adran flaenorol) yn gallu dweud wrthych yn union beth i'w ddisgwyl. Mae'r tasgau a wneir gan gynorthwywyr gofal cartref yn cynnwys gwaith tŷ ysgafn a siopa. Mae rhai ohonyn nhw'n helpu gydag agweddau ar ofal personol hefyd, fel codi yn y bore, paratoi i fynd i'r gwely gyda'r nos, a chynorthwyo gydag adegau bwyd. Efallai y byddan nhw hefyd yn gallu atgoffa pobl sydd â phroblemau cofio i wneud pethau fel cymryd eu meddyginiaeth, er na fyddan nhw'n gallu rhoi meddyginiaeth iddyn nhw.

Mae clefyd Alzheimer ar fy ngwraig ers peth amser ac rwy'n dechrau sylweddoli y bydd arnaf angen mwy o gymorth i ofalu amdani. Pa fath o ofal nyrsio allai fod ar gael ar y GIG, ac â phwy y dylwn i siarad?

Bydd meddyg teulu neu arbenigwr eich gwraig yn yr ysbyty yn gallu dweud wrthych am y gwasanaethau nyrsio a fydd ar gael i'ch helpu i ofalu am eich gwraig. Mae trefniadau gwasanaethau nyrsio cymunedol – a hefyd y gwasanaethau sydd ar gael – yn amrywio o'r naill ardal i'r llall. Mae'n bosibl y bydd rhestr aros hir. Efallai y bydd y GIG yn talu am y gofal hwn os yw eich gwraig yn gymwys am yr hyn a elwir yn Ofal Iechyd Parhaus y GIG (trafodwyd hyn eisoes yn y bennod hon, dan 'Gofal yn y gymuned').

Pan fydd rhywun sydd â chlefyd Alzheimer yn byw gartref, mae'n bosibl y bydd nifer o nyrsys sy'n gweithio yn y gymuned yn rhan o'r gofal. Y nyrs iechyd meddwl gymunedol yw'r bwysicaf o'r rhain fel rheol (nyrs seiciatrig gymunedol gynt). Mae'r nyrsys hyn yn gweithio mewn tîm sy'n cynnwys seiciatryddion sy'n arbenigo mewn gofalu am bobl hŷn. Maen nhw weithiau'n cyfrannu at asesiadau gofal yn y gymuned (trafodwyd hyn eisoes o dan 'Gofal yn y gymuned'), ac mae'n bosibl y byddan nhw hefyd yn ymweld i fonitro cleifion sydd â dementia a rhoi cyngor a chymorth i ofalwyr. Mae nyrsys iechyd meddwl cymunedol hefyd yn cysylltu ag arbenigwyr eraill i drefnu gofal seibiant (trafodir hyn yn ddiweddarach yn y bennod hon), cyngor ar ymataliaeth, nyrsio ardal, cymorth i ofalwyr, ac ati.

Mae'r nyrs ardal hefyd yn gweithio yn y gymuned ac yn aml yn cyfrannu at ofal pan fydd clefyd Alzheimer ar rywun. Mae'r nyrsys hyn wedi'u hyfforddi'n arbennig i gefnogi pobl yn eu cartrefi. Maen nhw'n rhoi gofal nyrsio ymarferol, er enghraifft newid dresins, goruchwylio meddyginiaeth a rhoi pigiadau. Bydd y Gwasanaeth Nyrsys Ardal hefyd yn rhoi cyngor ar gyfarpar a chymhorthion, yn enwedig cymhorthion ymataliaeth. Mae gan fetron gymunedol swyddogaeth arbennig o ran cynorthwyo pobl sydd â chyflyrau tymor hir yn eu cartrefi eu hunain.

A oes unrhyw nyrsys Alzheimer arbenigol a fyddai'n gallu fy helpu?

Mewn rhai mannau, ceir nyrsys arbenigol a elwir yn Nyrsys Admiral, sydd wedi'u hyfforddi i ofalu am ofalwyr pobl sydd â chlefyd Alzheimer. Os hoffech wybod a oes Nyrs Admiral yn eich ardal, cysylltwch â Dementia UK (cyfeiriad yn Atodiad 1).

GOFAL DYDD

Dydw i ddim yn hapus i adael fy mam ar ei phen ei hun drwy'r dydd pan fydda i allan yn gweithio. Mae clefyd Alzheimer arni. A fyddai hi'n gallu mynd i ganolfan ddydd?

Mae gan nifer o ardaloedd ganolfannau sy'n darparu gofal dydd i bobl sydd â chlefyd Alzheimer a mathau eraill o ddementia; yn anffodus, mae llawer o'r rhain wedi cau yn y blynyddoedd diwethaf hyn. Sefydliadau gwirfoddol sy'n bennaf cyfrifol am eu rhedeg ond weithiau mae'r Gwasanaethau Cymdeithasol neu'r Ymddiriedolaeth Gofal Sylfaenol leol yn eu cynnal (mae'n bosibl eu bod yn cael eu galw'n ysbyty dydd). Gallwch ddysgu rhagor am ofal dydd lleol drwy siarad â'r Gwasanaethau Cymdeithasol neu gysylltu â sefydliadau gwirfoddol lleol fel yr Alzheimer's Society neu Age UK. Weithiau, mae cartrefi nyrsio yn cynnig gofal dydd.

Mae canolfannau dydd yn galluogi gofalwyr i barhau i weithio neu i gael peth amser iddyn nhw'u hunain, drwy ddarparu gofal priodol oddi cartref i'r sawl sydd â chlefyd Alzheimer. Fodd bynnag, mae ansawdd gofal dydd yn amrywio. Cyn i'ch mam ddechrau mynychu canolfan, gwnewch yn siŵr fod ystafelloedd addas yno, bod y staff wedi'u hyfforddi'n dda, bod gweithgareddau diddorol a pherthnasol (gweler yr adran 'Gweithgareddau' ym Mhennod 5) yn ystod y dydd a bod y bwyd yn amrywiol ac yn flasus. Dylai rheolwr y lleoliad gofal dydd roi gwybodaeth gynhwysfawr i chi ynghylch beth i'w ddisgwyl o'r ganolfan a sut i gwyno os nad ydych yn fodlon. Dylai'r ganolfan baratoi cynllun gofal personol i'ch mam, sy'n ystyried ei diddordebau a'i hanghenion.

Dylai cludiant fod ar gael i fynd â'ch mam yno a'i chludo adref. Ceisiwch osgoi amserau teithio hir – mae mwy nag awr yn gallu drysu a blino pobl. Mae'n bosibl y codir tâl am ofal dydd a hefyd am gludiant a bwyd, gan ddibynnu ar incwm a chynilion eich mam.

Mae dementia ar fy chwaer, ond mae'n gwrthod mynd i'r ganolfan ddydd. Rwyf dros 80 oed fy hun ac yn methu ymdopi â hi ar fy mhen fy hun drwy'r dydd. A fyddai'n bosibl i rywun ddod i mewn a helpu i ofalu amdani gartref?

Cyn gwneud trefniadau eraill i'ch chwaer, byddai'n werth ceisio darganfod pam nad yw'n hoffi'r ganolfan ddydd. Er enghraifft, a yw'n bosibl y byddai newid o ran cludiant, neu eich bod chi'n mynd gyda hi ychydig o weithiau, neu newid yn ei gweithgareddau yn y ganolfan yn gwneud y cyfan yn fwy derbyniol?

Os nad yw'r ganolfan ddydd yn opsiwn iddi, mae gofal yn y cartref ar gael mewn sawl ardal. Bydd gweithiwr gofal yn dod i'ch cartref ac yn gofalu am eich chwaer er mwyn i chi gael cyfle i orffwys, siopa, ymweld â ffrindiau neu wneud fel y mynnoch.

Fel rheol, caiff gofal yn y cartref ei drefnu am ran o ddydd a chodir tâl fesul awr. Y Gwasanaethau Cymdeithasol, sefydliadau gwirfoddol fel yr Ymddiriedolaeth Gofalwyr (manylion cyswllt yn Atodiad 1), ac asiantaethau preifat sy'n ei ddarparu. Gwnewch yn siŵr fod unrhyw asiantaeth a ddefnyddiwch yn defnyddio staff cymwysedig sy'n gwybod am ddementia. Mae cod ymarfer gan aelodau o'r United Kingdom Home Care Association (manylion cyswllt yn Atodiad 1).

Mae staff rhai asiantaethau gofal yn y cartref hefyd yn mynd â phobl sydd â dementia allan – am dro i'r parc, neu ar ymweliadau neu i siopa. Bydd sefydliadau gwirfoddol yn aml yn trefnu tripiau i grwpiau. Mae rhai sefydliadau gofal yn darparu gofal arbenigol i bobl sydd â dementia. Opsiwn arall fyddai gwasanaethau cyfeillio – cysylltwch ag Age Cymru (manylion yn Atodiad 1) am ragor o wybodaeth.

GOFAL SEIBIANT

Beth yw gofal seibiant a sut alla i ei gael?

Mae gofal seibiant yn golygu cael rhywun i edrych ar ôl yr un rydych chi'n gofalu amdano er mwyn rhoi seibiant i chi eich dau. Mae cael seibiant o'r gofalu yn bwysig iawn i chi ac i'r un rydych chi'n gofalu amdano neu amdani. Gofynnwch i'r Gwasanaethau Cymdeithasol neu feddyg ymgynghorol yr un rydych chi'n gofalu amdano am ddarpariaeth gofal seibiant yn eich ardal.

Mae sawl math o ofal seibiant ar gael. Fel rheol, bydd person sydd â dementia'n mynd i ysbyty neu gartref gofal am wythnos neu ddwy. Mewn rhai ardaloedd, mae 'seibiant yn y cartref' ar gael. Mae hyn yn golygu bod pobl yn symud i mewn i'ch cartref am gyfnod i ofalu am y sawl sydd â dementia er mwyn i chi gael seibiant. Weithiau, mae cartrefi nyrsio preifat yn cynnig gofal seibiant. Dyma ffordd dda o gael blas ar gartref nyrsio y bydd ei angen, efallai, yn y dyfodol.

Fel gofalwr, mae gennych hawl i asesiad gofalwr (gweler yr adran 'Gofal yn y gymuned', yn gynharach yn y bennod hon). Gofynnwch i'r Gwasanaethau Cymdeithasol am asesiad o'ch anghenion ac iddyn nhw drefnu eich bod yn cael seibiant o'r gofalu. Mae'n debygol y bydd yn rhaid i chi dalu'r hyn a bennir yn 'swm rhesymol' tuag at gost seibiant gan y Gwasanaethau Cymdeithasol, a dylai'r swm ystyried amgylchiadau unigol.

Mae pobl sydd â dementia'n gallu cael anhawster i setlo yn ystod cyfnod gofal seibiant. Mater o brofi a methu yw hyn, a byddwch am sicrhau bod anghenion yr un rydych chi'n gofalu amdano yn cael eu deall yn iawn. Mae'n siŵr y bydd hi'n anodd, ond cofiwch fod seibiant yn llesol i fuddiannau tymor hir eich perthynas a chithau.

Rwy'n 70 oed ac yn gofalu am fy ngwraig, sydd â chlefyd Alzheimer. Yn ddiweddar, bûm yn sâl gyda'r ffliw ac allwn i ddim ymdopi. Yn ffodus, daeth fy chwaer i helpu i ofalu amdanom ein dau. Ond beth allwn i fod wedi'i wneud pe na bai fy chwaer yno?

Allwch chi ddim gofalu am rywun yn iawn os ydych chi'n sâl eich hun. Pe byddai angen, gallai eich gwraig gael cyfnod o ofal seibiant brys. Byddai eich rheolwr gofal, gweithiwr cymdeithasol neu fetron gymunedol yn gallu trefnu hyn. Mae gan y rhan fwyaf o adrannau'r Gwasanaethau Cymdeithasol gyfleusterau arbennig ar gyfer argyfyngau o'r fath, a byddai modd i'ch gwraig gael gwely seibiant ar fyr rybudd.

10 | Cartrefi preswyl a chartrefi nyrsio

Bydd angen i'r rhan fwyaf o bobl sydd â dementia fynd i gartref gofal yn y pen draw. Efallai y bydd angen gofal dwys iawn arnyn nhw, ac fel rheol mae'r pwysau o ofalu am rywun sydd â dementia o ddydd i ddydd dros gyfnod hir yn dod yn ormod i ofalwyr teuluol, er cymaint eu cariad tuag at y person sy'n sâl. Mae'r bennod hon yn disgrifio'r ddau fath o gartref gofal: preswyl (neu 'gartref gofal') a nyrsio (neu 'gartref gofal nyrsio'). Mae'n rhoi cyngor defnyddiol ynghylch yr hyn i edrych amdano wrth ddewis cartref a sut i wneud y symud i'r cartref mor rhwydd â phosibl.

A OES RHAID MYND I GARTREF?

Mae dementia ar fy ngŵr a chafodd fynd i'r ysbyty oherwydd ei fod yn gwlychu ac yn baeddu, ac rwy'n methu parhau i ofalu amdano gartref. Mae'r ysbyty nawr yn dweud bod angen iddo fynd i gartref nyrsio. Rwy'n meddwl y byddai'n cael gofal gwell mewn ysbyty. A oes hawl ganddyn nhw i ofyn iddo adael yn erbyn fy ewyllys?

Ychydig iawn o bobl sydd â dementia sy'n cael gofal tymor hir mewn ysbyty erbyn hyn. Mae pobl weithiau'n cael eu derbyn i'r ysbyty am asesiad neu oherwydd problem, er enghraifft os byddan nhw wedi cwympo. Dim ond pan fydd angen goruchwyliaeth fanwl gan feddyg ymgynghorol mewn ysbyty neu nyrsio arbenigol cyson y bydd y GIG yn darparu gofal parhaus. Fel rheol, mae'r GIG yn darparu gofal parhaus nawr mewn cartrefi nyrsio.

Os mai'r farn yw nad oes angen gofal parhaus y GIG ar rywun, nid oes ganddo hawl i aros mewn ysbyty. Fodd bynnag, mae hawl ganddo i wrthod cael ei anfon i gartref preswyl neu gartref nyrsio y byddai'n rhaid iddo dalu amdano.

Cyn bod modd symud eich gŵr, mae'n rhaid i'r ysbyty drefnu asesiad amlddisgyblaethol o'i anghenion. Dylai'r asesiad gynnwys staff o'r ysbyty, meddyg teulu eich gŵr a'r Gwasanaethau Cymdeithasol (mae disgrifiad o asesiad felly ar dudalennau 140–41). Mae'n rhaid ystyried safbwynt eich gŵr, os yw hynny'n bosibl, a hefyd eich safbwynt chi.

Os yw eich gŵr yn dychwelyd adref, mae'n rhaid i'r Gwasanaethau Cymdeithasol drefnu gofal ar ei gyfer. (Trafodir Gofal yn y gymuned ym Mhennod 9.)

Y meddyg ymgynghorol yn yr ysbyty fydd yn gwneud y penderfyniad terfynol o ran cadw eich gŵr yn yr ysbyty ai peidio. Mae meini prawf sydd wedi'u cytuno'n lleol, yn seiliedig ar ganllawiau cenedlaethol, ar gyfer gofal parhaus y GIG. Os ydych yn anfodlon â'r penderfyniad, gallwch apelio, ond dim ond ar sail methu dilyn y canllawiau'n gywir. Ni allwch apelio yn erbyn y canllawiau eu hunain. Dylai'r person sy'n eich hysbysu o'r penderfyniad fod yn gallu dweud wrthych chi sut i apelio. Mae llinell gymorth Gymraeg yr

Alzheimer's Society (0330 0947400) hefyd yn gallu rhoi gwybodaeth am ofal parhaus y GIG.

Pan oedd fy modryb yn marw o ganser, cafodd ofal rhagorol mewn hosbis. A yw hosbisau yn gallu gofalu am bobl sydd â dementia?

Dechreuwyd mudiad yr hosbisau i ddarparu gofal arbenigol i bobl sy'n marw. Dros y blynyddoedd, mae wedi datblygu arbenigedd mewn rheoli poen a helpu pobl i reoli eu marwolaeth eu hunain.

Nid yw hosbis mewn gwirionedd yn addas i bobl sydd â dementia oherwydd bod llawer o'r gwaith a'r sgiliau a geir yno'n canolbwyntio ar helpu cleifion i ddewis drostyn nhw'u hunain ac i wynebu eu salwch terfynol eu hunain. Ar ddiwedd eu hoes, nid yw pobl sydd â dementia'n gallu gwneud hynny.

Fodd bynnag, mae'n wir fod modd i gartrefi gofal sy'n gofalu am bobl sydd â dementia ar ddiwedd eu hoes ddysgu tipyn gan fudiad yr hosbisau. Mae parch, urddas, dewis a'r gallu i dderbyn marwolaeth i gyd yn werthfawr i bobl sydd â dementia a'r rheiny sy'n eu caru. Mae'r meddygon, y nyrsys a'r gweithwyr gofal gorau yn gwybod hyn a ble bynnag y byddan nhw'n gweithio, byddan nhw'n ymdrechu'n galed i ddarparu'r math iawn o ofal i bobl â dementia sy'n marw.

Bydd staff mewn cartref gofal da yn gallu dweud wrthych chi sut maen nhw'n delio â marwolaeth a'r gofal arbenigol a roddir i bobl ar ddiwedd eu hoes.

Mae clefyd Alzheimer ar fy ngŵr ac nid oeddwn yn dymuno'i roi mewn cartref mor gynnar. Roedd yn uffern pan oedd gartref gan fod y plant yn dal i fyw yma, ond mae'n uffern ei weld mewn cartref nyrsio hefyd. A ydy hi'n bosibl datrys y sefyllfa?

Mae teimlo'n euog pan fydd raid i rywun sy'n agos atoch fynd i gartref gofal yn beth cyffredin. Efallai eich bod yn teimlo'n euog oherwydd na fydd y gofal mewn cartref preswyl neu gartref nyrsio mor bersonol, a'ch bod yn teimlo eich bod wedi siomi eich gŵr. Mae'n bosibl fod eich gŵr hefyd yn ddig am y peth, oherwydd nad yw'n deall pam na allech ymdopi ag ef yn eich cartref.

Y ffordd bwysicaf i ymateb i deimladau o euogrwydd yw eu

cydnabod. Felly byddwch yn gallu meddwl yn glir wrth benderfynu yn y dyfodol a gwneud yr hyn sy'n iawn i'r teulu cyfan. Dylech hefyd sylweddoli na allech fod wedi gwneud dim i rwystro'r clefyd. Ni allwch chi ddylanwadu ar amseriad na chanlyniad clefyd Alzheimer. Ni allwch wneud dim mwy na sicrhau bod eich gŵr yn gyfforddus, yn ddiogel ac mor fodlon ag sy'n bosibl.

Ceisiwch ymuno â grŵp cefnogi gofalwyr. Efallai y cewch eich synnu bod cynifer o bobl yn teimlo'r un fath â chi.

FFYNONELLAU GWYBODAETH

Mae dementia ar fy mam ac rwy'n meddwl ei bod hi'n bryd chwilio am gartref iddi. Sut alla i gael gwybodaeth am gartrefi nyrsio yn ei hardal hi?

Fel rheol, bydd gan feddygfeydd restrau o gartrefi gofal lleol ac ychydig o wybodaeth amdanyn nhw. Dylai eich Gwasanaethau Cymdeithasol hefyd gadw rhestr o'r fath. Fodd bynnag, ni fydd y rhestrau hynny'n cynnig llawer mwy nag enwau a chyfeiriadau'r cartrefi, felly bydd angen i chi ymchwilio i weld pa gartrefi sy'n gofalu am bobl sydd â dementia.

Gallech hefyd gysylltu â'r Elderly Accommodation Counsel (manylion yn Atodiad 1). Bydd y sefydliad hwn yn anfon holiadur i chi ei lenwi, ac am dâl rhesymol yn anfon rhestr o gartrefi a allai ateb eich gofynion. Hefyd cewch restr o gartrefi gofal yn eich ardal chi oddi ar y wefan www.housingcare.org. Gall llinell gymorth yr Alzheimer's Society eich helpu gyda gwybodaeth am gartrefi i bobl sydd â dementia.

Mae yna hefyd gyfeirlyfrau a gynhyrchwyd yn fasnachol, rhai gyda chymorth adrannau'r Gwasanaethau Cymdeithasol. Mae'r cyfeirlyfrau hyn yn cynnig gwybodaeth ddefnyddiol ond mae'n bwysig cofio'u bod wedi'u rhoi ynghyd ar sail gwybodaeth gan berchnogion y cartrefi, ac mai hysbysebion sy'n eu hariannu. Maen nhw weithiau'n rhoi'r argraff eu bod yn gallu argymell cartrefi, ond chi sydd i benderfynu yn y pen draw pa un sydd orau.

Nid yw'r rhestrau a'r cyfeirlyfrau hyn yn archwilio nac yn argymell cartrefi. Mae'n bwysig cofio nad oes modd sicrhau bod unrhyw restr yn hollol gywir ac yn cynnwys y wybodaeth ddiweddaraf. Mae gofyn i chi wneud eich ymchwil eich hun i weld pa un sy'n addas, pa un y gall eich mam ei fforddio neu pa un y bydd y Gwasanaethau Cymdeithasol yn fodlon talu amdano. Os oes angen gofal nyrsio ar eich mam, bydd yn cael asesiad, a thelir am y gofal hwnnw (gweler yr ateb olaf yn yr adran nesaf, 'Mathau o gartrefi'). Gall ymweld â chartrefi gymryd llawer o amser ac nid yw dewis un da yn hawdd, ond mae'n werth yr ymdrech. Gallech hefyd ofyn i bobl rydych yn eu hadnabod am unrhyw argymhellion. Mae cynllunio'n gynnar yn bwysig oherwydd mae cartrefi da yn aml yn llawn ac mae'n bosibl y bydd rhestrau aros am le ynddyn nhw.

Arolygiaeth Gofal Cymru (manylion cyswllt yn Atodiad 1) yw'r corff swyddogol sy'n rheoleiddio cartrefi gofal ac mae'n cyhoeddi ei adroddiadau ar ei wefan. Cewch ragor o wybodaeth am gartrefi gofal yn eich ardal a gwybod beth oedd barn yr arolygwyr amdanyn nhw.

MATHAU O GARTREFI

Beth yw'r gwahaniaeth rhwng cartrefi preswyl a chartrefi nyrsio, ac ai cartrefi nyrsio yn unig sy'n addas i bobl sydd â dementia?

Yprif wahaniaeth rhwng cartrefi preswyl a chartrefi nyrsio (neu 'gartrefi gofal' a 'chartrefi gofal nyrsio') yw nad oes raid i gartrefi preswyl gael nyrsys ar y staff. Mae'n rhaid i gartrefi nyrsio gyflogi nyrsys cymwysedig ac mae'n rhaid iddyn nhw fod yn gallu darparu gofal nyrsio 24 awr.

Os yw cartrefi preswyl yn hollol ymroddedig a'u staff wedi'u hyfforddi'n dda, gallan nhw ofalu'n dda iawn am bobl sydd â dementia. (Pobl sydd â dementia yw tua thri chwarter yr holl bobl sydd ar hyn o bryd yn y ddau fath o gartref gofal.) Yn gyffredinol, mae cartrefi preswyl yn gofalu am bobl sy'n gallu symud o gwmpas ac sy'n fwy gweithgar ac effro. Bydd cartrefi preswyl yn eu helpu gydag ymolchi, gwisgo ac anghenion toiled ac yn darparu prydau bwyd, wrth gwrs, yn ogystal â gweithgareddau. Weithiau bydd cartref preswyl yn caniatáu i berson barhau i fyw yno er ei fod wedi datblygu dementia neu wedi mynd yn fwy bregus. Fodd bynnag, bydd llai o ofal nyrsio yno na'r hyn sydd ar gael mewn cartref nyrsio.

Bydd pobl sydd â dementia ac sydd hefyd â symptomau eraill ac/neu ymddygiad heriol yn debygol o fod ag angen y lefel o ofal a roddir gan gartref nyrsio. Gall hefyd fod yn well i bobl sydd heb y problemau ychwanegol hyn fynd yn syth i gartref nyrsio er mwyn osgoi'r holl broses o'u symud eto. Mae dementia ar lawer o bobl mewn cartrefi nyrsio, ac mae rhai cartrefi nyrsio'n arbenigo mewn gofalu am bobl fel hyn. Bydd angen i bobl y mae'n anodd iawn gofalu amdanyn nhw fynd i gartref nyrsio arbenigol neu gael gofal yn ysbyty'r GIG.

Y gwahaniaeth mwyaf yw'r modd o dalu am y gofal. Mae gofal gan nyrs gofrestredig am ddim i'r preswylwyr, felly mae'r GIG yn talu'r costau hynny i'r cartrefi nyrsio. Fodd bynnag, mae cost y llety, prydau bwyd a gofal personol yn cael ei ariannu yn yr un modd ag mewn cartref preswyl.

Pwy sydd fel rheol yn darparu cartrefi preswyl a chartrefi nyrsio, a sut maen nhw'n cael eu rheoleiddio?

Weithiau, mae gan awdurdod lleol ei gartrefi preswyl ei hun (fe'u gelwir weithiau'n 'gartrefi rhan III)') ond mae'r rhain yn dod yn llai cyffredin. Sefydliadau neu unigolion preifat, elusennau cofrestredig neu sefydliadau crefyddol ar sail ddielw sy'n darparu cartrefi preswyl eraill.

Erbyn hyn, unigolion neu gwmnïau mawr sy'n berchen ar y rhan fwyaf o gartrefi nyrsio ac mae elusennau'n rhedeg rhai ohonyn nhw. Mae cartrefi nyrsio fel rheol yn ddrutach na chartrefi preswyl oherwydd y gofal nyrsio y maen nhw'n ei roi.

Mae rhai cartrefi wedi'u cofrestru fel cartref gofal preswyl a gofal nyrsio. Un awgrym ydy bod y gwahaniaeth rhwng gofal cartref preswyl a chartref nyrsio yn un ffals, yn enwedig gan fod angen rhagor o ofal ar y rhan fwyaf o bobl hŷn wrth iddyn nhw heneiddio ac nad yw'n ddoeth eu gorfodi i symud.

Arolygiaeth Gofal Cymru sy'n gyfrifol am reoleiddio'r holl gartrefi gofal a'u harolygu.

Dywedwyd wrthyf y bydd yn rhaid i fy nhad gael asesiad cyn iddo fynd i gartref nyrsio. Beth yw ystyr hyn, ac a fydd gennyf lais pan benderfynir i ble y bydd yn mynd?

Dylai pawb sydd ag angen gofal iechyd a chymdeithasol fynd drwy un broses o asesu – asesiad gofal yn y gymuned. Y nod yw sicrhau bod eu hanghenion i gyd yn cael eu hadnabod fel y gellir gwneud trefniadau i ofalu amdanyn nhw. Mae dwy ran i'r asesiad: asesiad amlddisgyblaethol o'r anghenion ac, os oes angen gofal cartref nyrsio ar y person, asesiad o fewnbwn gan nyrsys cofrestredig (gweler tudalennau 140–41 am ragor o wybodaeth).

Os yw'ch tad yn talu cost lawn ei ofal, eich tad a chi sydd i ddewis cartref iddo. Os mai'r Gwasanaethau Cymdeithasol sy'n talu, dylen nhw ymgynghori â chi ond bydd y dewis o gartref yn dibynnu ar beth sydd ar gael a faint fyddan nhw'n ei dalu.

DEWIS CARTREF

Mae fy nhad yn byw ar ei ben ei hun ac mae clefyd Alzheimer arno. Er bod cynorthwyydd gofal cartref yn ei helpu, nid yw'n gallu ymdopi ar ei ben ei hun mwyach. Am beth ddylwn i chwilio wrth ddewis cartref iddo?

Yn gyntaf, mae angen i chi wybod y bydd y cartref yn derbyn pobl sydd â dementia ac yn gwybod sut i ofalu amdanyn nhw. Efallai y bydd rheolwr gofal, gweithiwr cymdeithasol, meddyg teulu, meddyg ymgynghorol neu nyrs iechyd meddwl gymunedol eich tad yn gallu cynnig awgrymiadau, a bydd eich cangen agosaf o'r Alzheimer's Society yn sicr yn gallu gwneud hynny. Pan fydd gennych rai enwau a chyfeiriadau, ysgrifennwch atyn nhw neu ffoniwch nhw i holi am y gofal a ddarperir, y ffioedd ac a oes lle ar gael. Bydd nifer o gartrefi'n anfon pamffledyn atoch, ond dylech ymweld er mwyn cael golwg arnyn nhw.

Os gallwch chi, gwnewch apwyntiadau i ymweld â nifer o gartrefi ar wahanol adegau o'r dydd, cyn dewis un. Mae'n bosibl i awyrgylch dau gartref sy'n cynnig yr un lefel o ofal fod yn wahanol iawn. Pan fydd gennych restr fer o gartrefi, ewch â'ch tad i ymweld â nhw os yw hynny'n bosibl. Wedi'r cyfan, rydych yn chwilio am gartref iddo ef ac mae ganddo'r hawl i ddewis cyn belled â'i fod yn gallu gwneud hynny.

Mae dewis cartref addas yn golygu arsylwi'n ofalus a gofyn nifer o gwestiynau. Siaradwch â'r un sy'n rheoli a hefyd ag aelodau o'r staff. Ceisiwch asesu pa mor wybodus ydyn nhw, yn enwedig ynghylch anghenion pobl sydd â dementia. A yw'r staff yn cydnabod y preswylwyr yn gwrtais gan ddefnyddio'u henwau? A yw'r preswylwyr yn edrych yn gyfforddus ac yn effro i'r hyn sy'n digwydd o'u hamgylch? Hefyd, os yw'n bosibl, ceisiwch siarad â phreswylwyr eraill a'u teuluoedd i gael eu barn nhw am y gofal a gynigir.

Dyma rai cwestiynau i'w hystyried wrth ddewis:

- Ble mae'r cartref? A fydd yn rhwydd i ffrindiau a theulu fynd yno?

- A oes mannau diddorol cyfagos y gellir mynd iddyn nhw? A yw'r cartref yn trefnu tripiau bach?

- A oes gardd ddiogel i gerdded ynddi?

- A yw'r cartref yn gyfeillgar, yn groesawgar ac yn gartrefol?

- A oes digon o ddodrefn yno?

- A oes digon o ystafelloedd i'r preswylwyr eistedd ynddyn nhw?

- A yw'n lân ac yn arogli'n hyfryd? (Ni ddylai arogl wrin fod yno.)

- Beth yw arferion y cartref o ran ysmygu? (Mae'r gyfraith yn nodi bod modd i breswylwyr ysmygu yn eu hystafelloedd eu hunain ond nad yw staff ac ymwelwyr yn cael ysmygu yn y lleoliad.)

- A oes gweithgareddau'n digwydd yno? Sut mae'r cadeiriau wedi'u trefnu?

- A yw'r teledu'n cael ei adael ymlaen drwy'r dydd?

- A oes mynediad hygyrch i gadeiriau olwyn neu fframiau

cerdded? A oes toiledau a baddonau sydd wedi'u haddasu'n briodol?

- A oes modd i'ch tad gael ystafell sengl os mai dyna yw ei ddymuniad?

- A oes modd i'ch tad ddod â'i ddodrefn ei hun ac eiddo arall?

- A oes modd i'r preswylwyr ddefnyddio'u hystafelloedd eu hunain i fod yn breifat, ac a yw staff yn parchu eu hangen am breifatrwydd?

- A fydd ganddo ei doiled ei hun? A oes digon o doiledau ac ystafelloedd ymolchi i'r holl breswylwyr?

- A yw'r staff yn trin pobl â doethineb a pharch wrth eu helpu i ymolchi neu ddefnyddio'r toiled?

- Beth am y bwyd? A yw'n apelgar ac yn llawn maeth? A oes dewis o fwydydd adeg prydau bwyd? A yw'r cartref yn darparu ar gyfer deietau arbennig? (Mae'r bwyd a gawn i'w fwyta a phryd y byddwn yn ei fwyta'n ffactor hynod o bwysig o ran ansawdd bywyd.)

Os ydych yn teimlo bod angen cyngor mwy manwl cyn dewis cartref, mae rhagor o wybodaeth ar gael gan Age Cymru, Alzheimer's Society Cymru, Independent Age a'r Relatives and Residents Association (manylion cyswllt yn Atodiad 1).

A oes raid i'r staff sy'n rhedeg cartref gofal feddu ar gymwysterau penodol? Sut alla i ddarganfod a ydyn nhw wedi'u hyfforddi i wneud eu gwaith?

Mae'n rhaid i bob cartref gofal (preswyl a nyrsio) gofrestru gydag Arolygiaeth Gofal Cymru. Mae'n rhaid bod nyrs gymwysedig ar ddyletswydd bob amser mewn cartrefi nyrsio, ond heblaw am hynny nid oes raid i gartrefi gofal fod yn eiddo i staff cymwysedig na chyflogi staff cymwysedig.

Wrth ddewis cartref gofal, dylech ofyn i'r perchennog neu'r rheolwr pa gymwysterau sydd ganddo neu sydd gan yr uwch staff, a pha drefniadau a wneir i hyfforddi staff. Dylech hefyd gofyn yn benodol a oes ganddyn nhw wybodaeth benodol ynghylch gofalu am bobl sydd â dementia. Yn ogystal â chymwysterau nyrsio cyffredinol, mae cymwysterau nyrsio seiciatrig a/neu gymwysterau gwaith cymdeithasol yn berthnasol. Byddai'n ddefnyddiol hefyd wybod a oes therapydd galwedigaethol naill ai ar y staff neu'n ymweld â'r cartref yn rheolaidd. Dylai'r cartref fod yn cynnal ei raglen hyfforddi ei hun i'w staff gofal; er enghraifft, gallai'r staff fod yn dilyn llwybr hyfforddi'r Alzheimer's Society.

Gallwch weld sut le yw cartref yn ôl sut mae'r staff yn ymddwyn. A ydyn nhw'n sensitif ac yn oddefgar wrth ofalu, yn ogystal â bod yn effeithiol, yn weithgar ac yn alluog? Mae gofal da yn fater o allu naturiol yn ogystal â hyfforddiant.

SYMUD

Mae'n rhaid bod y profiad o symud o'ch cartref eich hun i gartref gofal yn un anodd iawn. Beth yw'r ffordd orau o baratoi ar gyfer hyn, a threfnu'r cyfan i beri cyn lleied o wewyr i fy mam â phosibl?

Cynllunio a pharatoi da yw'r ffordd orau o leihau gwewyr i bobl pan fyddan nhw'n symud. Yn aml, mae'n rhaid i bobl fynd i gartref gofal pan fydd argyfwng ac mae hynny'n gwneud pethau'n anoddach i bawb. Mae'n bwysig wynebu ymlaen llaw'r tebygolrwydd y bydd angen gofal preswyl neu ofal nyrsio mewn cartref yn hwyr neu'n hwyrach.

Ymchwiliwch i'r cartrefi addas yn eich ardal gan ymweld â phob un ohonyn nhw. Ewch â'ch mam gyda chi os yw'n gallu mynd. Wedi'r cyfan, ei chartref hi fydd hwn a dylai gael dewis cyn belled â bod hynny'n bosibl. Gallai fod yn ddefnyddiol i'ch mam fynd i gartref i gael gofal dydd am gyfnod, unwaith yr wythnos neu fwy, efallai. Felly gallai hi weld a ydy hi'n ei hoffi a chael cyfle i ddod yn gyfarwydd â'r bobl.

Posibilrwydd arall fyddai manteisio ar ddarpariaeth cartref gofal o ran gofal seibiant er mwyn i'ch mam aros yno am wythnos yn achlysurol. Gall hyn fod yn fuddiol i bawb. Bydd eich mam yn cael cyfle i ddod yn gyfarwydd â'r bobl a'r lle, byddwch chi'n gwybod a yw hi'n hoffi'r lle, a bydd y staff yn dod i ddeall ei hanghenion hi. Byddai cyfres o gyfnodau byr fel hyn, i baratoi ar gyfer symud yn barhaol, yn eich helpu chi hefyd i ganfod a yw'r gofal yn dda yn y cartref. Nid yw'n bosibl gwneud cymaint o baratoi â hyn bob amser, ond ceisiwch wneud yn siŵr fod eich mam yn ymweld â chartrefi gwahanol a bod ganddi ryw fath o ddewis.

Mae'n debygol y bydd ymweld â'ch mam yn aml pan fydd yn symud gyntaf i'r cartref yn help, a cheisiwch sicrhau ei bod yn gwybod y byddwch yn dychwelyd. Hefyd, ceisiwch sicrhau bod ganddi ychydig o'i dodrefn ei hun a rhai eitemau cyfarwydd, fel ffotograffau ac ornaments.

Gall yr adeg hon fod yn ofidus ac yn anodd i bawb, ond os ceisiwch ymdrin â'r sefyllfa'n sensitif, bydd yn rhoi ymdeimlad o ddiogelwch i'ch mam ac ymdeimlad o gysur i chi fod ei hanghenion yn cael eu diwallu.

PREIFATRWYDD NEU GWMNI?

Mae clefyd Alzheimer ar fy chwaer, ac mae'n chwithig iawn i mi ei bod mewn ystafell ar ei phen ei hun yn y cartref nyrsio. Prin ei bod hi'n gallu cyfathrebu, ac mae angen cwmni arni. Rwy'n meddwl y byddai'n llesol iddi rannu ystafell â phobl eraill.

Mae pawb yn wahanol, ond credir ei bod hi'n well i'r rhan fwyaf o bobl mewn cartrefi nyrsio gael eu hystafelloedd gwely eu hunain yn hytrach na gorfod rhannu â rhywun dieithr. Mae hynny'n golygu bod modd cynnal preifatrwydd ac urddas drwy'r adeg, yn enwedig pan fydd tasgau gofal personol yn digwydd. Mae'n rhaid i bob cartref bellach ddarparu ystafelloedd sengl i drigolion.

Ni ddylai cael eich ystafell wely eich hun olygu eich bod ar eich pen eich hun. Dylai pobl fod allan o'r gwely a'r staff yn siarad â nhw gan geisio'u cynnwys mor llawn â phosibl ym mywyd y cartref gofal. Os yw eich chwaer yn cael ei gadael ar ei phen ei hun am gyfnodau hir, nid yw'r cartref yn gofalu amdani'n dda iawn. Dylech siarad â rheolwr y cartref os ydych chi'n meddwl bod hynny'n digwydd.

Wrth gwrs, mae rhai pobl mor hoff o gwmni, maen nhw'n mwynhau bod gydag eraill drwy'r amser. Weithiau, darperir ystafelloedd sy'n cael eu rhannu mewn cartrefi, am lai o gost fel arfer, ac os ydych chi'n siŵr mai dyna fyddai dewis eich chwaer, mae'n bosibl y byddwch yn gallu trefnu hynny iddi.

CAM-DRIN POSIBL

Mae fy nhad mewn cartref. Mae ganddo ddementia difrifol ac mae angen llawer iawn o ofal arno. Yn ystod yr ychydig ymweliadau diwethaf, rwyf wedi sylwi bod cleisiau ar ei freichiau. Mae'r staff i gyd yn ymddangos yn glên iawn ond rwy'n poeni bod rhywun yn gas wrtho. Beth ddylwn i ei wneud?

Mae'n iawn eich bod yn poeni, ond mae'n bosibl i bobl sydd â dementia fod â chleisiau am lawer o resymau diniwed. Mae croen pobl hŷn yn fregus ac yn tueddu i gleisio heb roi llawer o bwysau arno. Efallai fod eich tad yn simsan ar ei draed ac yn taro pethau neu'n cwympo. Efallai ei fod wedi cweryla ag un arall o'r preswylwyr. Fodd bynnag, mae'n ffaith fod pobl hŷn weithiau mewn perygl o gael eu cam-drin gan weithiwr gofal neu eu hesgeuluso.

Os ydych yn amau bod eich tad yn cael ei gam-drin yn y cartref, dylech wneud sawl peth. Yn gyntaf, ceisiwch weld cymaint ag sy'n bosibl o groen eich tad (gallech ddweud eich bod eisiau rhoi bath iddo) ac edrychwch am gleisiau eraill. Hefyd, taflwch gipolwg ar breswylwyr eraill i weld a oes gan rai ohonyn nhw gleisiau. Os ydych yn dal i boeni, ysgrifennwch ddyddiadau eich ymweliadau a lleoliad cleisiau eich tad. Dylech wedyn ofyn i reolwr y cartref am esboniad, gan ddangos y wybodaeth hon iddo. Os nad yw rheolwr y cartref yn gallu rhoi ateb boddhaol i chi, siaradwch â rheolwr gofal neu weithiwr cymdeithasol eich tad.

Pan fydd amheuaeth o gam-drin, mae'n hawdd gwneud dim rhag ofn achosi rhagor o broblemau. Fodd bynnag, mae'n rhaid ymchwilio os credir bod hynny'n digwydd. Bydd gan bob cartref weithdrefn gwyno, a dylid delio â chwynion o fewn 28 diwrnod. Os ydych chi'n teimlo nad yw cwyn wedi cael sylw digonol, gallwch gyfeirio'r gŵyn at Arolygiaeth Gofal Cymru (manylion cyswllt yn Atodiad 1).

Efallai y byddwch yn teimlo yn y pen draw y byddai'n well symud eich tad i gartref arall, lle mae'r staff wedi'u hyfforddi a'u goruchwylio'n well.

HERIAU I STAFF

Mae fy nhad mewn cartref gofal ac mae'n gallu bod yn hynod o ymosodol. Bu'n garcharor rhyfel yn yr Ail Ryfel Byd a chafodd ei drin yn ddrwg iawn. Ydych chi'n credu bod unrhyw gysylltiad rhwng hynny a'i broblemau nawr? A ddylwn i esbonio hyn wrth y staff?

Bydd yn ddefnyddiol iawn i'r staff ddeall eich tad yng nghyd-destun hanes ei fywyd. Mae llawer o gartrefi gofal yn annog teuluoedd i ysgrifennu hanes bywyd y preswyliwr gyda manylion am gefndir, addysg, gyrfa, salwch a llawdriniaethau, teulu, perthnasau, hobïau a nodweddion personoliaeth. Os nad yw hyn yn digwydd yng nghartref gofal eich tad, efallai y gallech awgrymu hynny. Bydd cael rhagor o wybodaeth am eich tad yn helpu'r staff i ffurfio perthynas ag ef a dod i'w adnabod yn well.

Weithiau, mae pobl sydd â dementia'n dechrau ail-fyw profiadau blaenorol wrth i'w problemau cofio waethygu. Os cafodd eich tad brofiad anodd iawn pan oedd yn iau, mae'n bosibl y bydd yr atgofion hyn yn achosi gofid iddo nawr.

Rwy'n rheoli cartref sy'n gofalu am bobl sydd â dementia. Mae un o'n preswylwyr ni'n taro preswylwyr eraill a'r staff. Allwch chi ddim dweud pryd mae'n mynd i wneud hynny – mae'n taro'n ddirybudd. Beth alla i ei wneud am y peth?

Mae pobl sydd â dementia'n gallu taro pobl eraill am nifer o resymau – efallai fod ofn arnyn nhw, efallai eu bod mewn poen, yn rhwystredig neu'n flin. Mae yna nifer o bethau y gallwch eu gwneud yn y sefyllfa hon.

Yn gyntaf, mae angen asesu'r person dan sylw i weld a oes rheswm corfforol neu emosiynol dros yr ymddygiad ymosodol. Gallai hyn fod yn rhywbeth mor syml â'r ddannodd, iselder neu rwymedd. Gallai meddyg teulu'r person wneud yr asesiad. Yn ail, dylech wirio a oes patrwm penodol i'r ymddygiad, er enghraifft, a yw'n tueddu i ddigwydd yr un adeg o'r dydd. Os gallwch chi ganfod rheswm dros yr ymddygiad (e.e. unigrwydd neu deimlad o fod eisiau bwyd), gallai ymdrin â hynny helpu i reoli'r ymddygiad ymosodol.

Yn olaf, dylech ystyried sefydlu 'rhybudd diogelu' ar ran y preswylwyr sy'n cael eu taro. Dylai unrhyw oedolyn yng Nghymru a Lloegr sy'n fregus ac yn cael ei gam-drin fod yn destun rhybudd diogelu. Mae'r diffiniad o gam-drin yn eang iawn yn y cyswllt hwn, a gall gynnwys cam-drin corfforol, llafar neu seicolegol sy'n digwydd unwaith neu sawl gwaith. Bydd person dynodedig yn yr awdurdod lleol a fydd yn cydlynu'r ymchwiliad diogelu.

Rhoddir rhybudd diogelu ar ran rhywun sy'n fregus; felly, yn yr achos hwn, byddai'n digwydd ar ran y person sy'n cael ei daro. Mae'r sefyllfa yma'n gymhleth oherwydd bod dementia hefyd ar y person sy'n taro, ond nid yw'r rhybudd diogelu ar ei chyfer hi.

Dylid defnyddio meddyginiaeth i reoli ymddygiad ymosodol fel dewis olaf yn unig, a dylid cael cyngor gan arbenigwyr, fel seiciatrydd henaint (seicogeriatrydd) cyn cymryd camau o'r fath.

Rwy'n gweithio mewn cartref gofal ac mae'r preswylwyr ychydig yn ffwndrus. Mae'r rhan fwyaf o'r trigolion yn gwybod beth sydd arnyn nhw ei eisiau pan roddir dewis iddyn nhw. Yn ddiweddar, mae'r rheolwr wedi cyflwyno rheol newydd sy'n dweud bod yn rhaid i gleient mewn cadair olwyn wisgo gwregys hyd yn oed wrth fynd o'r lolfa i'r ystafell wely. A ddylem ni atgyfeirio hyn ar gyfer asesiad Trefniadau Diogelu wrth Amddifadu o Ryddid?

Y cwestiwn yma yw, a oes gan y preswylwyr y galluedd i benderfynu ynghylch hyn? Os yw'r galluedd (meddyliol) ganddyn nhw – hynny yw, maen nhw'n gallu deall a chofio gwybodaeth a roddir iddyn nhw ynghylch gweithdrefn a'r dewisiadau (yn yr achos yma, a ddylid gwisgo gwregys mewn cadair olwyn ai peidio), pwyso a mesur y wybodaeth a chyfleu eu penderfyniad –mae'n rhaid i chi gadw at y penderfyniad hwnnw. Ni fyddai'n gyfreithlon defnyddio gwregys i atal person sydd â galluedd meddyliol os yw wedi gwrthod hynny.

Os nad oes gan y person alluedd meddyliol, gellir defnyddio gwregys os credir bod hynny er ei les pennaf, gan ystyried y risgiau a'r manteision unigol. Mae hwn yn benderfyniad cymhleth ac mae'n rhaid iddo ystyried dymuniadau blaenorol y person a safbwyntiau perthnasau. Nid yw gorfodi pawb i ddefnyddio strapiau neu wregysau yn debygol o fod 'er lles pennaf' pob preswyliwr. Fodd bynnag, ni ddylid defnyddio unrhyw offer atal nes bod pob dull arall wedi'i gynnig, a dylid eu defnyddio am gyfnod byr yn unig. Mae'n rhaid i unrhyw ddull o atal fod yn rhesymol ac yn gymesur, a dylid gwneud pob ymdrech i gynnal urddas y person.

Cyflwynwyd Trefniadau Diogelu wrth Amddifadu o Ryddid (DoLS: *Deprivation of Liberty Safeguards*) fel rhan o Ddeddf Galluedd Meddyliol 2005 i ddiogelu pobl rhag colli rhyddid yn amhriodol. Dyma ffactorau allweddol a all awgrymu bod colli rhyddid yn digwydd:

- gofalu am berson a'i symud yn cael ei reoli'n llawn ac yn effeithiol am gyfnod sylweddol gan y staff;

- staff yn rheoli asesiadau, triniaeth, cysylltiadau a phreswyliaeth;

- y person yn colli annibyniaeth oherwydd ei fod yn cael ei oruchwylio a'i reoli'n barhaus.

Daw DoLS i rym yn unig pan nad oes gan berson alluedd meddyliol, fel yr esboniwyd uchod. Ar sail eich cwestiwn chi, mae'n anodd gwybod a yw'r preswylwyr yn colli eu rhyddid yng ngwir ystyr y Ddeddf. Os ydych yn amau bod pobl yn colli eu rhyddid, y ffordd fwyaf diogel ymlaen yw gofyn i'ch awdurdod lleol am asesiad DoLS.

Yn ddiweddar, mae'r Goruchaf Lys wedi dyfarnu y dylid gwneud asesiad DoLS o unrhyw un sy'n destun goruchwyliaeth barhaus mewn cartref gofal neu ysbyty, ac sydd heb alluedd meddyliol. Mae hyn yn golygu y bydd llawer rhagor o bobl yn y lleoliadau hyn yn cael eu hasesu nag o'r blaen.

YMWELD

Mae fy ngwraig mewn cartref nyrsio erbyn hyn oherwydd bod clefyd Alzheimer arni. Rwy'n ceisio ymweld â hi bob dydd ond mae hyn yn fy mlino'n llwyr. Ydych chi'n meddwl y gallwn ymweld yn llai aml?

Efallai ei bod yn anodd i chi dderbyn na allwch ofalu am eich gwraig gartref bellach a'ch bod yn teimlo eich bod wedi'i siomi. Efallai eich bod yn beio'ch hun am fethu ymdopi. Mae'n bosibl, wrth gwrs, nad yw'r gofal y mae eich gwraig yn ei gael yn y cartref nyrsio mor bersonol ac nad yw cystal â'r gofal yr oeddech chi'n ei roi iddi gartref. Ond cofiwch ei bod yn cael gofal 24 awr y dydd, a'i bod yn fodlon ac yn gyfforddus pan fyddwch yn ymweld â hi.

Mae'n bosibl nad yw eich gwraig yn cofio'n union pryd y gwnaethoch chi fynd i'w gweld ddiwethaf. Bydd y ddau ohonoch yn mwynhau eich ymweliadau'n llawer gwell os ydych yn llai blinedig ac yn fwy hawddgar. Mae'n swnio fel petai angen seibiant arnoch ac ymddiried yn y bobl sy'n gofalu nawr am eich gwraig. Efallai y bydd yn help i chi siarad ag un neu ddau o'r staff ac esbonio'ch teimladau. Dywedwch wrthyn nhw y byddwch yn ymweld yn llai aml. Gadewch i'r staff wybod eich bod yn cefnogi'u gwaith nhw ac fe fyddan nhw hefyd yn eich cefnogi chi.

11 | Cyngor cyfreithiol ac ariannol

Ar ryw adeg, bydd bron pawb sydd â chlefyd Alzheimer neu fathau eraill o ddementia yn methu rheoli eu materion ariannol, a bydd llawer o'r bobl sy'n gofalu amdanyn nhw'n wynebu heriau ariannol neu gyfreithiol o ryw fath. Gallwch osgoi neu leihau'r anawsterau mwyaf drwy gynllunio ymlaen llaw. Mae llawer o fudd-daliadau ariannol ar gael i bobl sydd â dementia a'u gofalwyr. Fodd bynnag, mae'r rheolau sy'n berthnasol iddyn nhw'n gymhleth ac mae'n bwysig cael cyngor ariannol penodol i bob unigolyn. Cofiwch hefyd fod y budd-daliadau a'r symiau sydd ar gael yn newid yn aml, felly arweiniad cyffredinol yn unig a geir yn y llyfr hwn. Bydd eich cangen leol o Gyngor Ar Bopeth yn gallu rhoi cyngor i chi ar fudd-daliadau a chynllunio ariannol.

Cofiwch hefyd, os ydych yn rheoli materion ariannol rhywun arall, y dylech bob amser geisio'u cynnwys yn y trefniadau cyn belled â phosibl. Mae pobl sydd â dementia'n gallu parhau i wneud nifer o ddewisiadau hyd yn oed os nad ydyn nhw'n siŵr o werth pethau, ac mae'n iawn eu bod yn deall cymaint â phosibl o'r hyn sy'n cael ei benderfynu drostyn nhw.

Mae cyfreithwyr yn gallu bod yn ddrud ac nid oes raid eu defnyddio bob amser, ond mae cyfreithiwr sy'n brofiadol a gwybodus o ran cynghori pobl hŷn yn gallu bod o fudd mawr. Efallai y bydd yn arbed arian i chi yn y pen draw.

Gweler hefyd y ddau ateb nesaf.

CAEL CYNGOR

Ble ga i gyngor da ar faterion cyfreithiol ac ariannol?

Mae problemau cyfreithiol ac ariannol yn gallu bod yn gymhleth ac felly mae hi bob amser yn werth chwilio am gyngor annibynnol.

Yn aml, eich canolfan Cyngor Ar Bopeth leol yw'r lle gorau i ddechrau. Mae'r cyngor am ddim ac yn gyfrinachol a bydd staff y Ganolfan yn eich helpu i ddatrys eich problemau a rhoi gwybodaeth glir i chi. Mae gan rai canolfannau Cyngor Ar Bopeth ymgynghorwyr cyfreithiol ac ariannol arbenigol.

Os ydych yn trefnu ewyllys (gweler yr adran nesaf) neu Atwrneiaeth Arhosol (gweler yr adran nesaf), mae'n bosibl y bydd angen i chi gysylltu â chyfreithiwr. Gallai fod yn ddefnyddiol gofyn i ffrindiau neu berthnasau lleol am argymhelliad neu edrychwch drwy'r fforwm Talking Point ar wefan yr Alzheimer's Society (gweler Atodiad 1). Mae rhestr o sefydliadau yn eich ardal a fyddai'n gallu eich cynghori hefyd ar gael ar wefan y Gymdeithas. Os ydych yn mynd at gyfreithiwr am y tro cyntaf, peidiwch ag ofni gofyn am amcangyfrif ysgrifenedig clir o'r costau ac esboniad o'r gwaith y bydd yn ei wneud ar eich rhan.

Mae gwybodaeth am fudd-daliadau'r wladwriaeth ar gael yn eich adran Gwasanaethau Cymdeithasol leol. Mae Llinell Ymholiadau Budd-daliadau hefyd ar gael (manylion cyswllt yn Atodiad 1). Dyma linell ffôn gwasanaeth sy'n rhoi cyngor a gwybodaeth i bobl ag anableddau a'u gofalwyr. Mae'n rhoi cyngor cyffredinol ar fudd-daliadau ond ni fydd yn ateb cwestiynau ynghylch eich sefyllfa benodol chi.

Mae Age Cymru, Alzheimer's Society Cymru ac Alzheimer Scotland hefyd yn gallu rhoi cyngor ar fudd-daliadau.

MESURAU DIOGELU CYFREITHIOL

Cefais ddiagnosis o glefyd Alzheimer yn ddiweddar ac rwyf eisiau gwneud ewyllys. A oes unrhyw bethau arbennig y dylwn feddwl amdanyn nhw?

Mae gwneud ewyllys yn bwysig iawn; fel rheol mae'n hawdd ac nid yw'n ddrud. Drwy wneud ewyllys, rydych yn sicrhau bod eich ystad (eich eiddo) yn mynd i bwy bynnag rydych chi'n ei ddymuno, ac mae'n golygu ei bod hi'n haws o lawer roi trefn ar eich pethau ar ôl i chi farw.

Os yw eich ystad yn fach a'ch cynlluniau'n syml, efallai y bydd gwasanaeth gwneud ewyllys drwy'r post yn ddigonol. Fodd bynnag, i'r rhan fwyaf o bobl mae'n well cael cyngor cyfreithiol cyn gwneud ewyllys. Gofynnwch ymlaen llaw am amcangyfrif o gost gwneud ewyllys. Mae'n bosibl cael cyngor gan gyfreithiwr. Ar wefan yr Alzheimer's Society, mae rhestr o sefydliadau yn eich ardal a allai eich helpu. Gallech hefyd gysylltu â'r Society of Later Life Advisers (SOLLA) a Solicitors for the Elderly (manylion cyswllt yn Atodiad 1).

Wrth gynllunio eich ewyllys, bydd angen i chi ystyried eich amgylchiadau personol a'ch perthnasau a chyfeillion. Os ydych yn berchen eich cartref eich hun ac yn ei rannu â rhywun sy'n gofalu amdanoch, efallai yr hoffech chi wneud trefniadau i ddiogelu ei fudd yntau ynddo. Nid yw meddwl am yr anawsterau sydd i ddod yn hawdd, ond os llwyddwch i wneud hyn a chael cyngor da, bydd yn eich helpu chi a'r rheiny sy'n bwysig i chi.

Efallai y bydd cyfreithiwr yn cynnig llunio Atwrneiaeth Arhosol (gweler yr ateb nesaf) yr un pryd ag y byddwch yn gwneud ewyllys, gan godi pris am y cyfan. Efallai y byddwch o'r farn fod hyn yn syniad da.

Beth yw Atwrneiaeth Arhosol?

Dogfen gyfreithiol yw Atwrneiaeth Arhosol (LPA: *Lasting Power of Attorney*) ac ynddi mae un person yn rhoi'r awdurdod i rywun arall (neu rywrai eraill) – yr atwrnai – ymdrin â'i faterion/materion personol. Mae'n rhaid trefnu hyn pan fydd gan y person sy'n rhoi'r awdurdod y galluedd meddyliol i ddeall beth y mae'n ei wneud. Felly, mae'n bwysig fod unrhyw un sydd wedi cael diagnosis o ddementia'n ystyried trefnu Atwrneiaeth Arhosol cyn gynted â phosibl. Gellir gofyn am gyngor meddyg os oes unrhyw amheuaeth ynghylch galluedd meddyliol person. Fodd bynnag, diffiniad cyfreithiol, nid meddygol, sydd i'r term 'galluedd meddyliol'.

Mae Atwrneiaeth Arhosol yn drefniant cyfreithiol cymharol newydd a sefydlwyd gan Ddeddf Galluedd Meddyliol 2005, a daeth i rym ym mis Hydref 2007. Mae'n disodli Atwrneiaeth Barhaus (EPA: *Enduring Power of Attorney*). Bydd Atwrneiaeth Arhosol yn rhoi cryn dipyn o awdurdod i'r atwrnai dros holl drefniadau byw, gofal iechyd neu ariannol y person, felly mae'n bwysig dewis rhywun y mae'r person yn ymddiried ynddo ac sy'n gallu gwneud penderfyniadau er lles pennaf y person. Fel rheol, mae pobl yn dewis eu gŵr/gwraig neu eu partner, neu un neu fwy o'u plant.

Mae'n rhaid cael ffurflen arbennig i drefnu Atwrneiaeth Arhosol, ac mae hon ar gael am ddim o Swyddfa'r Gwarcheidwad Cyhoeddus (manylion cyswllt yn Atodiad 1). Mae'r ffurflen yn galluogi'r person dan sylw i nodi pa bwerau fydd gan yr atwrnai, fel cydsynio i driniaeth ar ei ran neu benderfynu ble y dylai fyw. Mae'n enwi'r person neu'r personau a benodir fel atwrnai ac mae'n rhaid i'r atwrnai, y person dan sylw ac o leiaf un tyst nad yw'n berthynas, lofnodi'r ffurflen. Mae'n bwysig defnyddio'r ffurflen iawn a'i llenwi'n gywir; os na wneir hynny, ni fydd yr Atwrneiaeth yn ddilys

Ers i'r Ddeddf Galluedd Meddyliol ddod i rym yn llawn, nid yw hi'n bosibl trefnu Atwrneiaeth Barhaus ond mae'r rhai a drefnwyd cyn diwedd mis Medi 2007 yn parhau i fod yn ddilys. Mae Atwrneiaeth Arhosol yn galluogi'r person sy'n rhoi'r awdurdod i ddewis y meysydd y caiff yr atwrnai eu rheoli, felly mae modd cyfyngu'r awdurdod i faterion ariannol yn unig.

Gallwch gofrestru Atwrneiaeth Arhosol unrhyw bryd, ond mae'n rhaid ei chofrestru cyn y gall ddod i rym. Os ydych yn ei chofrestru pan fydd y person dan sylw yn meddu ar 'alluedd meddyliol', nid fydd raid i chi ei hailgofrestru os yw'n colli ei (g)alluedd. Pan fydd yr atwrnai o'r farn fod y person wedi colli ei (g)alluedd, mae'n rhaid iddo hysbysu'r person a rhai perthnasau agos penodol o'i fwriad i gofrestru'r Atwrneiaeth Arhosol gyda Swyddfa'r Gwarcheidwad Cyhoeddus. Bydd y broses gofrestru yn cymryd rhai wythnosau oherwydd mae'n rhaid i'r Swyddfa ddal y papurau am 35 diwrnod i roi amser i unrhyw un ei wrthwynebu. Bydd y broses yn costio dros £100; bydd yn rhatach os byddwch yn ei wneud eich hun ac yn ddrutach os ydych yn defnyddio cyfreithiwr.

Os yw popeth yn ei le, anfonir hysbysiad o gymeradwyaeth a bydd yr atwrnai wedyn yn gallu gweithredu yn unol â thelerau'r person sy'n rhoi'r awdurdod.

Mae dementia ar fy nhad ers dwy flynedd. A yw'n dal i fod yn bosibl iddo wneud ewyllys neu lofnodi Atwrneiaeth Arhosol?

Gallai hyn fod yn bosibl, gan ddibynnu ar alluedd meddyliol eich tad. Os ydych yn poeni am alluedd eich tad, ac er mwyn osgoi problemau yn y dyfodol, efallai y byddai'n ddoeth ymgynghori â meddyg neu gyfreithiwr i sicrhau bod 'galluedd meddyliol' gan eich tad o hyd. Mae hyn yn golygu ei fod yn deall beth mae'n ei wneud pan fydd yn dewis rhywbeth. Mae'n bosibl i alluedd meddyliol rhywun newid, felly, wrth geisio cydsyniad eich tad, ceisiwch ddewis adeg pan fydd eich tad fwyaf effro.

Mae'r Ddeddf Galluedd Meddyliol yn rhagdybio bod gan berson alluedd, felly rhaid dangos nad oes gan eich tad alluedd yn hytrach nag i'r gwrthwyneb pan ddaw'r amser.

Er mwyn i ewyllys fod yn ddilys, bydd angen i'ch tad allu deall beth yw ewyllys, bod yn ymwybodol o faint ei ystad a hefyd yn ymwybodol o'r unigolion a allai fod â'r hawl i etifeddu'r ystad. Er mwyn llofnodi Atwrneiaeth Arhosol, bydd angen i'ch tad ddeall hefyd ei fod, y pryd hwnnw, yn rhoi awdurdod i rywun arall reoli ei faterion personol.

Mae gennyf Atwrneiaeth Barhaus ar ran fy mam ac rwy'n rheoli ei harian ar ei rhan. Rwyf wedi clywed am Atwrneiaeth Arhosol. A fydd fy Atwrneiaeth Barhaus yn dal i fod yn ddilys?

Bydd, a gallwch barhau i ddefnyddio eich Atwrneiaeth Barhaus. Mae'n delio â materion ariannol yn unig, fel y gwyddoch, felly ni fyddwch yn gallu delio â threfniadau byw, gofal iechyd, triniaeth na gofal personol, er enghraifft; Atwrneiaeth Arhosol sy'n darparu hynny. Os oes gan eich mam alluedd meddyliol, efallai yr hoffech drafod y sefyllfa â hi a phenderfynu eich bod yn ysgwyddo'r cyfrifoldebau ehangach hyn drwy drefnu Atwrneiaeth Arhosol newydd. Wrth gwrs, mae'n rhaid i chi hefyd ystyried a ydych am wneud hyn ai peidio.

Ers i'r Ddeddf Galluedd Meddyliol ddod i rym yn llawn ym mis Hydref 2007, nid yw'n bosibl trefnu Atwrneiaeth Barhaus ond mae'r rhai a wnaed cyn diwedd mis Medi 2007 yn parhau'n ddilys. Mae Atwrneiaeth Arhosol yn galluogi'r person sy'n rhoi'r awdurdod i ddewis pa feysydd y mae'n eu trosglwyddo i'w atwrnai, felly mae'n bosibl cyfyngu hynny i faterion ariannol yn unig os mai dyna yw dymuniad yr un dan sylw.

Rwyf wedi cael diagnosis o ddementia ac rwy'n poeni am gael fy nhrin yn erbyn fy ewyllys pan na fyddaf yn gallu gwneud penderfyniadau ynghylch fy ngofal iechyd. Rwyf wedi clywed am Ewyllysiau Byw. A ddylwn i wneud un o'r rhain?

Mae Ewyllys Fyw, a elwir yn Benderfyniad Ymlaen Llaw (neu yn Gyfarwyddyd Ymlaen Llaw) yn ddogfen sy'n nodi dewisiadau person o ran ei ofal iechyd a pha fathau o driniaeth y byddai am eu gwrthod petai'n ddifrifol wael ac yn methu mynegi ei ddymuniadau. Er enghraifft, mae'n bosibl y byddai rhai'n gwrthwynebu cael eu bwydo drwy diwb os na fydden nhw'n gallu llyncu. Ni all Penderfyniad Ymlaen Llaw orfodi meddyg i ddarparu triniaeth arbennig na gofyn i feddygon wneud unrhyw beth yn erbyn y gyfraith neu yn erbyn moeseg feddygol. Mae Penderfyniadau Ymlaen Llaw yn rhwymo meddyg os yw'n gwybod amdanyn nhw a'u bod yn glir o ran ystyr. Maen nhw hefyd yn rhwymo person sy'n gweithredu Atwrneiaeth Arhosol.

Os ydych yn penderfynu gwneud Ewyllys Fyw, rhowch gopi i'ch meddyg teulu i'w roi yn eich ffeil a gofalwch fod perthnasau agos neu'ch perthynas agosaf yn ymwybodol o'i chynnwys.

Mae nifer o sefydliadau yn darparu ffurflenni enghreifftiol, gan gynnwys Dignity in Dying a'r Terrence Higgins Trust (manylion cyswllt yn Atodiad 1). Mae'r Alzheimer's Society hefyd yn cynhyrchu taflen wybodaeth ddefnyddiol sef 'Advance decisions and advance statements'.

GALLUEDD ARIANNOL

Mae fy mam yn wraig weddw ac wedi bod yn berson hynod o drefnus erioed. Dydy hi ddim yn awyddus i mi ymyrryd yn ei materion ariannol. Fodd bynnag, mae'n mynd yn anghofus a bu bron iddi golli ei chyflenwad trydan yn ddiweddar oherwydd nad oedd wedi talu'r bil. Beth alla i ei wneud?

Ffordd dda o sicrhau bod biliau eich mam yn cael eu talu'n brydlon fyddai awgrymu wrthi ei bod yn llofnodi ffurflenni debyd uniongyrchol ar gyfer biliau cyfleustodau (*utilities*) sylfaenol ac unrhyw daliadau rheolaidd eraill, fel rhent. Os nad yw'n fodlon llofnodi debyd uniongyrchol, efallai y byddai trefnu taliadau rheolaidd drwy archeb sefydlog yn fwy derbyniol ganddi.

Mae gan y rhan fwyaf o gwmnïau cyfleustodau sylfaenol – dŵr, nwy a thrydan – gofrestr o gwsmeriaid hŷn a rhai sydd ag anghenion arbennig, a dylech roi gwybod iddyn nhw na fydd eich mam efallai'n talu'n brydlon. Mae gan bob cwmni cyfleustodau sylfaenol god ymarfer sy'n cynnwys rheolau ynghylch atal unrhyw gyflenwad, a dylai copïau fod ar gael. Mae'n siŵr y bydd y cwmnïau amrywiol hyn yn cytuno i roi gwybod i chi os oes ganddyn nhw broblem gyda biliau eich mam.

Mae'n debygol y bydd gallu eich mam i reoli ei materion ariannol yn gwaethygu. Cysylltwch â'r cwmni sy'n cyflenwi'r gwasanaeth i'ch mam i holi pa drefniadau y gellid eu gwneud.

Mae clefyd Alzheimer ar fy nhad ac nid yw'n gallu rheoli ei arian yn ddiogel. Mae'n anghofio casglu ei bensiwn, mae'n colli arian parod ac mae'n gwrthod talu am bethau mewn siopau. Beth allwn ni ei wneud?

Pan fydd dementia ar berson, mae rheoli arian o ddydd i ddydd yn gallu bod yn anodd. Mae nifer o bethau ymarferol y gallwch eu gwneud i gynnal annibyniaeth eich tad cyhyd â phosibl a diogelu ei arian yr un pryd.

Un peth fyddai gwneud trefniadau ynghylch pensiwn eich tad. Er enghraifft, efallai ei bod yn bosibl awdurdodi rhywun i'w gasglu drosto. Cysylltwch â swyddfa leol yr Adran Gwaith a Phensiynau. Gelwir y person a ddewisir yn 'asiant awdurdodedig'. Fodd bynnag, ni fydd eich tad yn gallu gwneud dewis dilys os nad yw'n deall beth mae'n ei wneud. Mewn achos o'r fath, dylid ystyried trefnu penodeiaeth (*appointeeship*). Dyma drefniant mwy ffurfiol a dylid ei wneud drwy'r Adran Gwaith a Phensiynau. Os oes gan eich tad gyfrif banc neu gymdeithas adeiladu, dewis arall fyddai trefnu bod ei bensiwn yn cael ei dalu'n uniongyrchol i'r cyfrif hwnnw. Gofynnwch i'r Adran Gwaith a Phensiynau neu fanc eich tad am gyngor ynghylch sut i wneud hyn.

Os oes gennych Atwrneiaeth Barhaus neu Atwrneiaeth Arhosol (gweler yr adran flaenorol), gallech ei defnyddio i gyfyngu ar yr arian parod mae'ch tad yn gallu cael gafael arno, fel bod ganddo ddigon o arian ar gyfer un wythnos ar y tro. Os nad oes gennych Atwrneiaeth Arhosol a'i bod hi'n rhy hwyr i gael un (gweler yr ateb nesaf), bydd yn rhaid i chi neu rywun arall wneud cais i weithredu fel derbynnydd (*receiver*) ar ei ran. Fodd bynnag, byddwch yn ofalus. Os nad oes gennych chi Atwrneiaeth Arhosol neu os nad ydych yn ddirprwy a benodwyd gan y Llys (gweler yr adran nesaf), mae hawl gan y banc i wrthod delio â chi, ac efallai y bydd yn cymryd camau i rewi cyfrif eich tad ar sail ei analluedd meddyliol. Felly, gwnewch gais am Atwrneiaeth Arhosol neu i fod yn ddirprwy (gweler yr ateb nesaf) cyn cysylltu â'i fanc.

Os yw'r siopwyr lleol yn adnabod eich tad, efallai y byddwch yn gallu esbonio iddyn nhw a gwneud trefniadau i dalu am nwyddau os yw eich tad yn gwrthod gwneud hynny. Os oes gan eich tad reolwr banc neu gymdeithas adeiladu cymwynasgar, gallai fod yn syniad da siarad â hwn er mwyn iddo roi gwybod i chi os yw eich tad yn codi mwy o arian nag sydd ei angen arno. Mae llawer o bobl sydd â dementia'n colli arian. Os yw'n bosibl, dylech gyfyngu'r swm o arian parod sydd gan eich tad ar unrhyw adeg, a cheisio sicrhau bod biliau a thaliadau rheolaidd, fel nwy, trydan, y dreth gyngor neu'r rhent, yn cael eu talu drwy archeb sefydlog neu ddebyd uniongyrchol.

> *Fy ngŵr sydd wedi gofalu am ein harian erioed. Roedd yn arfer bod yn drefnus ac yn talu'r biliau i gyd. Roedd yn amharod iawn i drosglwyddo'r cyfrifoldeb i mi wrth iddo fynd yn fwy anghofus. Erbyn hyn, nid yw'n gallu ysgrifennu siec hyd yn oed. Sut alla i neu ein mab fod yn gyfrifol am ei faterion ariannol?*

Os yw eich gŵr yn gallu caniatáu Atwrneiaeth Arhosol i chi (gweler tudalennau 171–2), dylech gymryd camau i drefnu hyn ar unwaith. Dyma'r trefniant symlaf.

Fodd bynnag, os nad yw'r galluedd gan eich gŵr i ganiatáu Atwrneiaeth Arhosol, a'ch bod yn byw yng Nghymru neu yn Lloegr, bydd yn rhaid i chi wneud cais i'r Llys Gwarchod (manylion cyswllt yn Atodiad 1) i fod yn 'ddirprwy' iddo. (Mae trefniadau gwahanol ar waith yn yr Alban a Gogledd Iwerddon: bydd Alzheimer Scotland neu'r Alzheimer's Society yn gallu rhoi cyngor i chi ar hyn.)

Mae Swyddfa'r Gwarcheidwad Cyhoeddus yn un o swyddfeydd y Goruchaf Lys. Mae'n bodoli i warchod eiddo a materion ariannol pobl nad oes ganddyn nhw'r gallu meddyliol i reoli eu materion eu hunain. Bydd y Swyddfa yn ystyried y dystiolaeth feddygol am eich gŵr yn ogystal â manylion ei sefyllfa ariannol ef a'i deulu. Ar ôl ystyried y dystiolaeth, bydd y Swyddfa fel rheol wedyn yn penodi perthynas agos yn ddirprwy. Os byddwch yn ddirprwy i'ch gŵr, byddwch yn gallu rheoli ei gyfrif banc, talu biliau a derbyn incwm ar ei ran cyn belled â'ch bod yn ceisio gweithredu er ei les pennaf. Bydd yr hyn a wnewch yn atebol i Swyddfa'r Gwarcheidwad Cyhoeddus.

Ar ôl i chi gael eich penodi'n ddirprwy, bydd Swyddfa'r Gwarcheidwad Cyhoeddus yn delio â'r gwaith gweinyddol (manylion yn Atodiad 1). Bydd yn codi ffi pan gewch eich penodi'n ddirprwy a bydd gofyn i chi ddarparu cyfrif blynyddol sy'n dangos sut rydych wedi gwario arian eich gŵr. Codir ffi flynyddol hefyd am weinyddu.

Mae gorfod mynd at Swyddfa'r Gwarcheidwad Cyhoeddus i gael eich penodi'n dderbynnydd yn cymryd amser ac mae'n ddrud. Mae llawer o ofalwyr yn anfodlon iawn gyda'r system hon ond mae'n rhaid cofio mai bwriad y system yw amddiffyn y sawl sydd wedi colli ei alluedd meddyliol.

BUDD-DALIADAU'R WLADWRIAETH

Os ydych yn gofalu am rywun sydd â dementia, fel clefyd Alzheimer, mae sawl ffordd o gael cymorth ariannol gan y wladwriaeth, er nad oes unrhyw fudd-dal y wladwriaeth sy'n benodol ar gyfer pobl â dementia. Mae system budd-daliadau'r wladwriaeth yn gallu bod yn ddryslyd iawn a byddai'n ddefnyddiol i chi ofyn am gyngor. Dylai eich gweithiwr cymdeithasol allu eich helpu, neu eich canolfan Cyngor Ar Bopeth leol. Mae'r Llinell Ymholiadau Budd-daliadau (manylion cyswllt yn Atodiad 1) ar gael yn rhad ac am ddim i bobl ag anableddau, gan gynnwys pobl sydd â dementia. Mae'r Alzheimer's Society wedi cyhoeddi taflen ddefnyddiol ar fudd-daliadau sy'n cynnwys rhagor o fanylion nag a roddir yma. Mae'r *Disability Rights Handbook* a gyhoeddir gan Disability Rights UK hefyd yn ddefnyddiol, a chaiff ei ddiweddaru'n flynyddol.

Mae pob budd-dal y wladwriaeth yn dibynnu mewn rhyw ffordd ar sefyllfa ariannol neu amgylchiadau personol unigolion. Felly, mae'n well edrych ar gynifer o fudd-daliadau gwahanol ag sy'n bosibl. Mae rhai'n dibynnu ar incwm, eraill ar oedran ac eraill ar y rheswm dros fod angen help, fel salwch neu ddiweithdra. Mae help ar gael i ofalwyr hefyd mewn rhai sefyllfaoedd.

Dylai pawb sydd â dementia fod yn gallu gwneud cais am Lwfans Gweini neu Daliad Annibyniaeth Personol i'w helpu gyda'u hanghenion gofal. Nid yw'r budd-daliadau hyn yn dibynnu ar incwm na chynilion ac maen nhw'n ddi-dreth. Nid ydyn nhw ychwaith yn ystyried ble mae person yn byw neu a yw'n byw ar ei ben ei hun neu gyda gofalwr. Dylai pobl o dan oed pensiwn y wladwriaeth sydd ag anghenion gofal wneud cais am Daliad Annibyniaeth Personol.

Dylai pobl dros oed pensiwn y wladwriaeth wneud cais am y Lwfans Gweini. Telir y ddau lwfans ar wahanol gyfraddau, gan ddibynnu ar anghenion y person.

Gellir talu Lwfans Gweini neu Daliad Annibyniaeth Personol i bobl sydd ag angen cymorth gyda gofal dyddiol fel ymolchi, gwisgo, bwyta, mynd i'r toiled a chymryd meddyginiaeth. Gellir eu talu hefyd os oes angen goruchwyliaeth ar bobl i osgoi peryglon pan fyddan nhw naill ai yn eu cartref neu'r tu allan iddo. Gan fod dementia'n ymgynyddu, mae'n bwysig wneud cais eto wrth i'r anghenion newid.

Mae'n bosibl hefyd y bydd pobl sy'n gofalu am rai sydd â dementia yn gymwys i gael rhywbeth a elwir yn Lwfans Gofalwr, er bod hwn yn drethadwy a bod modd iddo effeithio ar fudd-daliadau eraill.

Mae'n bosibl i bobl dan oed pensiwn y wladwriaeth sy'n cael trafferth cerdded wneud cais am ran symudedd Taliad Annibyniaeth Personol. Telir hwn ar ddwy gyfradd. Telir cyfradd is i bobl sy'n dangos bod arnyn nhw angen cymorth i'w rhwystro rhag mynd ar goll, er eu bod yn gallu cerdded. Telir y gyfradd uwch i bobl sy'n methu cerdded oherwydd parlys neu wendid neu sydd prin yn gallu cerdded. Ychydig iawn o bobl sydd â dementia sy'n cael y gyfradd uwch ond mae'n werth gwneud cais, yn enwedig os oes problemau cerdded ganddyn nhw. Gallwch wneud cais newydd am Daliad Annibyniaeth Personol trwy ffonio'r Adran Gwaith a Phensiynau neu anfonwch lythyr i ofyn am ffurflen at Personal Independence Payment New Claims, Post Handling Site B, Wolverhampton WV99 1AH. Mae'r manylion i gyd ar www.gov.uk/taliad-annibyniaeth-personol-pip. Os oes angen cymorth arnoch i lenwi'r ffurflenni hyn, efallai y bydd eich cangen leol o'r Alzheimer's Society, grwpiau gofalwyr neu'r ganolfan Cyngor Ar Bopeth yn gallu rhoi help llaw i chi.

Bu'n rhaid i fy ngŵr adael ei swydd oherwydd ei fod yn anghofus ac yn aneffeithlon. Yn ddiweddarach cafodd ddiagnosis o ddementia. Pa gymorth ariannol sydd ar gael i ni? A fydd hyn yn effeithio ar ei bensiwn?

Efallai y bydd yna broblemau i bobl sydd â dementia sy'n gorfod rhoi'r gorau i'w swyddi neu sy'n cael eu diswyddo oherwydd bod ganddyn nhw ddementia ond sydd heb gael diagnosis. Mae'n bosibl fod pobl wedi colli budd-daliadau diweithdra neu dâl salwch neu hawliau pensiwn. Rhaid rhoi gwybod i gyn-gyflogwyr eich gŵr o'i ddiagnosis a gofyn iddyn nhw warchod ei hawliau. Efallai y bydd yn rhaid i chi gael adroddiadau meddygol i gefnogi eich achos. Mae canghennau lleol o'r Alzheimer's Society yn aml yn darparu cymorth arbennig i bobl iau sydd â dementia ac mae ganddyn nhw brofiad o ddelio â phroblemau o'r fath, felly mae'n werth cysylltu â nhw. Os oedd eich gŵr yn aelod o undeb neu gymdeithas staff, efallai y byddan nhw'n gallu eich helpu.

Mae'n bosibl y bydd pobl sydd â dementia ac sydd wedi gorfod rhoi'r gorau i'w gwaith a heb gyrraedd oed ymddeol yn gallu gwneud cais am Lwfans Cyflogaeth a Chymorth. Gall rhywun sy'n methu gweithio oherwydd salwch neu anabledd hawlio'r lwfans hwn os nad yw'n gymwys i gael Tâl Salwch Statudol. Mae'n rhaid i'r person sy'n hawlio'r budd-dal fod wedi talu digon o gyfraniadau Yswiriant Gwladol.

Os ydych wedi rhoi'r gorau i'ch gwaith i ofalu am eich gŵr, mae'n bosibl y byddwch yn gallu gwneud cais am Lwfans Gofalwr neu Gymhorthdal Incwm.

Dim ond 49 oedd fy ngwraig pan gafodd hi glefyd Alzheimer. Ar ôl iddi roi'r gorau i'w gwaith, buom yn byw am rai blynyddoedd ar fy incwm i. Nawr, rwyf wedi gorfod rhoi'r gorau i fy swydd er mwyn gofalu amdani, felly does gennym fawr i fyw arno. A oes unrhyw fudd-daliadau'r wladwriaeth i helpu gofalwyr?

Dylech fod yn gallu gwneud cais am Lwfans Gofalwr. Gellir talu hwn i ofalwyr sy'n treulio o leiaf 35 awr yr wythnos yn gofalu am rywun – yn berthynas, yn gyfaill neu'n gymydog. Mae'n rhaid i'r person y gofelir amdano fod yn cael Lwfans Gweini neu Lwfans Byw i'r Anabl ar y gyfradd ganolig neu uwch. Felly, os nad yw eich gwraig yn hawlio un o'r rhain, dylech wneud cais am hwnnw yn gyntaf.

Mae'n bosibl i i ofalwyr hawlio'r lwfans os ydyn nhw dros 16 mlwydd oed, ac nid yw'n dibynnu ar gyfraniadau Yswiriant Gwladol blaenorol. Yn wir, bydd y budd-dal hwn yn rhoi credydau cyfraniadau Yswiriant Gwladol dosbarth 1 i chi, a fydd yn helpu i ddiogelu eich hawliau pensiwn pan fyddwch yn cyrraedd oed pensiwn. Mae Lwfans Gofalwr yn drethadwy. Dylech fod yn ymwybodol, fodd bynnag, fod cael Lwfans Gofalwr yn gallu lleihau'r budd-daliadau a gaiff y person rydych chi'n gofalu amdano; y peth doethaf i'w wneud yw cael cyngor (er enghraifft, gan grŵp gofalwyr neu'r ganolfan Cyngor Ar Bopeth) cyn gwneud cais amdano.

Os yw eich incwm yn isel a'ch cynilion yn llai na'r swm mae'r llywodraeth wedi'i osod, mae'n bosibl y byddwch hefyd yn gallu hawlio Cymhorthdal Incwm. Telir hwn i bobl ar incwm isel i'w helpu gyda chostau byw sylfaenol. Gellir talu Cymhorthdal Incwm yn llawn neu fel swm ar ben pensiynau neu fudd-daliadau eraill. Caiff Lwfans Gweini a Lwfans Byw i'r Anabl eu hanwybyddu wrth gyfrifo'r hawl i gael Cymhorthdal Incwm.

Os ydych yn gymwys i gael Cymhorthdal Incwm, rydych hefyd yn debygol o fod yn gymwys i gael Budd-dal Tai a Budd-dal y Dreth Gyngor hefyd, a budd-daliadau'r GIG. Dylai eich gweithiwr cymdeithasol neu'r ganolfan Cyngor Ar Bopeth leol fod yn gallu eich helpu i ddod o hyd i'r holl gymorth y gallech chi a'ch gwraig ei gael.

Mae fy mam wedi dod i fyw gyda mi er mwyn i mi ofalu amdani. A oes raid i mi dalu'r Dreth Gyngor yn llawn nawr? Roeddwn yn arfer cael disgownt person sengl.

Eich awdurdod lleol sy'n gosod ac yn casglu'r Dreth Gyngor, a dylech gysylltu â nhw i drafod disgowntiau posibl a sut i'w hawlio. (Ceir system wahanol yng Ngogledd Iwerddon, a dylid cysylltu ag adran ad-daliadau'r asiantaeth sy'n casglu'r trethi.) Mae'n debygol y byddwch yn dal yn gymwys i gael y disgownt person sengl o 25 y cant ar fil y Dreth Gyngor.

At ddibenion asesiad y Dreth Gyngor, bydd eich mam yn cael ei 'diystyru' os ydych yn gofalu amdani am o leiaf 35 awr yr wythnos, ac os yw'n cael Taliad Annibyniaeth Personol neu gyfradd uchaf y Lwfans Gweini.

Hyd yn oed os ydych yn dal i weithio, gallwch ofyn am 'ddiystyru' eich mam at ddibenion y Dreth Gyngor os yw'n meddu ar dystysgrif feddygol sy'n nodi bod ganddi nam meddyliol difrifol a'i bod yn cael y Lwfans Gweini neu Daliad Annibyniaeth Personol. Mae'n bosibl hefyd i chi gael eich 'diystyru' fel gofalwr, a gallai hynny leihau eich bil 50 y cant.

Os yw eich mam yn dal i feddu ar ei chartref ei hun, ni fydd yn rhaid iddi dalu'r Dreth Gyngor tra bydd yn wag oherwydd ei bod wedi symud atoch fel y gallwch ofalu amdani.

Os oes angen i chi adeiladu estyniad i'ch cartref i ychwanegu ystafell neu ystafell ymolchi oherwydd anabledd eich mam, efallai y gallech gael gostyngiad ym mand eich Treth Gyngor. Gofynnwch i'ch Cyngor am fanylion y 'Gostyngiad Anabledd'.

Mae fy ngŵr, nad yw ond yn 59 oed, wedi cael diagnosis o glefyd Alzheimer. A fydd yn gallu hawlio buddion y GIG?

Mae buddion y GIG yn cynnwys triniaeth gan ddeintyddion y GIG, profion llygaid a gwallt gosod y GIG am ddim. Hefyd fe gewch ostyngiad ar sbectol neu lensys cyffwrdd newydd, ar drwsio'ch sbectol neu'ch lensys cyffwrdd, neu gael rhai newydd yn eu lle, ac ar deithio i gael triniaeth ar y GIG.

Rwyf wedi gwneud cais am fudd-dal ond wedi cael fy ngwrthod. Sut alla i apelio?

Os ydych chi'n credu bod eich cais am fudd-dal y wladwriaeth wedi cael ei wrthod yn annheg, mae gennych hawl i anghytuno â'r penderfyniad. Ysgrifennwch at y swyddfa a wnaeth y penderfyniad a gofynnwch am adolygu'r penderfyniad. Rhowch wybodaeth ychwanegol neu wybodaeth wedi'i chywiro os ydych chi'n meddwl nad yw'r holl ffactorau wedi'u hystyried. Os na fydd y penderfyniad yn newid, efallai y byddwch yn gallu apelio at dribiwnlys apêl annibynnol.

Gallwch hefyd apelio os ydych chi'n meddwl nad ydych wedi cael cynnig ar y raddfa gywir, er enghraifft, cyfradd is neu uwch y Lwfans Gweini neu elfen symudedd y Taliad Annibyniaeth Personol.

Mae apelio'n gallu bod yn gymhleth ac mae'r rheolau'n wahanol i fudd-daliadau gwahanol, felly gwnewch yn siŵr eich bod yn cael cyngor cyn gynted â phosibl gan y ganolfan Cyngor Ar Bopeth leol, swyddfa Hawliau Lles eich cyngor lleol, y Llinell Ymholiadau Budd-daliadau, neu'r Alzheimer's Society (manylion cyswllt yn Atodiad 1).

Aeth fy ngŵr i mewn i'r ysbyty am asesiad, ond tra oedd yno gwaethygodd ei gyflwr ac mae'n annhebygol nawr y bydd yn gallu dod adref. Beth sy'n digwydd i'w Lwfans Gweini a'i fudd-daliadau eraill?

Bydd Lwfans Gweini eich gŵr yn cael ei atal ar ôl iddo fod yn yr ysbyty am 28 diwrnod. Os yw'n cael pensiwn ymddeol y wladwriaeth, caiff hwn ei leihau ar ôl iddo fod yn yr ysbyty am chwe wythnos. Bydd y swm a dynnir yn dibynnu ar amgylchiadau penodol eich gŵr. Mae'n bosibl y bydd unrhyw fudd-daliadau eraill, os yw'n cael rhai, hefyd yn newid.

Os yw eich gŵr yn cael ei ryddhau o'r ysbyty ac yn mynd i gartref gofal, bydd angen gwneud trefniadau ariannol newydd. Os bydd yr awdurdod lleol neu'r GIG yn talu ei ffioedd, bydd yn colli ei Lwfans Gweini ond bydd disgwyl i'ch gŵr hawlio'r holl fudd-daliadau eraill y mae'n gymwys i'w cael. Bydd rhan fwyaf o'r arian yma yn mynd tuag at dalu ffioedd y cartref, ond bydd eich gŵr yn cael cadw swm bach ar gyfer gwariant personol bob wythnos. Os yw eich gŵr yn talu ffioedd y cartref ei hun, mae'n bosibl iddo barhau i hawlio'r Lwfans Gweini a'i gael.

CYMORTH ARIANNOL O FFYNONELLAU ERAILL

Mae clefyd Alzheimer ar fy ngwraig ac rwyf wedi ymddeol yn gynnar i ofalu amdani. A yw'n bosibl i ni gael grantiau neu gymorth ariannol o unrhyw le heblaw'r Adran Gwaith a Phensiynau?

Mae yna sefydliadau amrywiol a allai eich helpu gyda biliau penodol, cyfarpar neu ofal seibiant. Mae nifer o gymunedau crefyddol hefyd yn cynnig help i'w haelodau. Os ydych chi neu'r un rydych chi'n gofalu amdano yn perthyn i undeb llafur, cymdeithas les neu gymdeithas gyfeillgar, efallai y byddan nhw'n gallu helpu. Mae yna hefyd ymddiriedolaethau ac elusennau a sefydlwyd yn arbennig i helpu pobl sy'n gysylltiedig â'r lluoedd arfog neu sydd wedi gweithio mewn rhyw fath o fasnach neu broffesiwn arbennig. Mae nifer o elusennau cenedlaethol a lleol hefyd yn rhoi grantiau bach i bobl mewn angen.

Bydd unrhyw help a gewch yn dibynnu ar reolau'r sefydliad y byddwch yn gwneud cais iddo, pa gronfeydd sydd ar gael a beth yw eich anghenion. Yr unig ffordd o ddarganfod beth allai fod ar gael yw drwy gysylltu â'r sefydliad dan sylw.

Mae *The Guide to Grants for Individuals in Need* yn gyfeirlyfr defnyddiol. Mae'n rhestru sawl ffynhonnell allai fod o gymorth ac yn dweud wrthych sut i wneud cais. Fe'i cyhoeddir gan y Directory of Social Change a dylai fod yn eich llyfrgell leol.

Efallai y bydd eich gweithiwr cymdeithasol, eich meddyg neu'ch grŵp crefyddol lleol yn gwybod am elusennau lleol neu ffynonellau cymorth posibl.

Mae'n bosibl i'ch cangen leol o'r Alzheimer's Society roi grantiau bach neu drefnu egwyl seibiant.

TALU FFIOEDD CARTREFI GOFAL

Mae rhai pobl yn fy ardal i sydd â dementia yn cael gofal am ddim mewn ysbyty, ond dywedwyd wrthyf y bydd yn rhaid i mi drefnu cartref nyrsio ar gyfer fy nhad. Pam mae rhai pobl yn cael gofal gan y GIG ac eraill yn gorfod mynd yn breifat?

Dros yr 20 mlynedd diwethaf yn y Deyrnas Unedig, mae nifer y gwelyau a ddarperir gan y Gwasanaeth Iechyd Gwladol i bobl sydd â dementia wedi gostwng yn sylweddol. Ychydig iawn o bobl sydd bellach yn cael gofal am ddim mewn ysbyty neu drwy ofal parhaus y GIG mewn cartref nyrsio. Mae'r rhan fwyaf o bobl sydd ag angen gofal mewn cartref yn talu amdano eu hunain neu mae adran Gwasanaethau Cymdeithasol yr awdurdod lleol yn talu ar eu rhan.

Erbyn hyn mae yna feini prawf ar gyfer gofal iechyd parhaus y GIG. Mae'r 'meini prawf cymhwysedd' yn nodi'r amodau y mae'n rhaid eu bodloni os yw'r GIG yn mynd i ddarparu gofal tymor hir i rywun sydd â dementia neu dalu am ofal o'r fath. Fel rheol, fydd hynny'n digwydd ddim ond pan fydd ar rywun angen gofal nyrsio parhaus a goruchwylio rheolaidd gan feddyg ymgynghorol.

Os ydych yn edrych ar y meini prawf cymhwysedd ac o'r farn fod eich tad yn eu bodloni, gallwch ofyn i'w feddyg ymgynghorol roi gwely'r GIG iddo. Neu mae'n bosibl i chi hefyd ofyn am asesiad ar gyfer gofal parhaus y GIG. Os na fydd yr ysbyty yn ei dderbyn, gallwch ofyn am adolygiad. Fodd bynnag, unig ddyletswydd yr adolygiad yw ystyried a yw'r meini prawf cymhwysedd wedi'u dilyn yn gywir, nid barnu a ydyn nhw'n deg yn y lle cyntaf. Mae llinell gymorth dementia yr Alzheimer's Society yn darparu gwybodaeth am ofal parhaus y GIG.

Mae gan fy mam gynilion eithaf sylweddol, ond nid yw'n berchen ar ei chartref ei hun. Mae'n cael pensiwn gweddw. A fydd yn rhaid iddi dalu am ei holl ofal yn y cartref nyrsio?

Os oes ganddi fwy o gynilion na'r trothwy swyddogol ar gyfer gofal preswyl, sef £50,000, bydd yn rhaid i'ch mam dalu ei ffioedd cartref nyrsio ei hun. Nid yw ei phensiwn gweddw yn debygol o dalu mwy na chyfran fechan o'r ffioedd, felly bydd yn rhaid iddi ddefnyddio'i chynilion i dalu'r gweddill.

Os oes gan eich mam ddigon o arian i dalu ffioedd ei chartref nyrsio i'r dyfodol, hyd y gellir rhag-weld, gallwch chi a hithau wneud eich dewis eich hun o ran cartref a threfniadau ariannol. Fodd bynnag, os ydych yn dewis cartref drutach, efallai y bydd yn rhaid i'ch mam symud i gartref rhatach a gymeradwyir gan y Gwasanaethau Cymdeithasol os bydd ei harian yn dod i ben.

Os ydych chi'n credu nad yw cynilion eich mam yn debygol o fod yn ddigon i dalu ffioedd ei chartref gofal am gyfnod amhenodol, gofynnwch i'r Gwasanaethau Cymdeithasol asesu ei hanghenion (gweler yr adran 'Gofal yn y gymuned' ym Mhennod 9) cyn i chi ddewis cartref iddi. Os yw'r asesiad yn cadarnhau bod angen i'ch mam fynd i gartref nyrsio, byddan nhw'n asesu ei hanghenion nyrsio (gweler yr adran 'Mathau o gartrefi' ym Mhennod 10) i weld faint fydd y GIG yn ei gyfrannu at gost ei gofal. Bydd y Gwasanaethau Cymdeithasol yn nodi'r swm y byddan nhw yn ei dalu os yw cynilion eich mam yn gostwng i fod dan y trothwy swyddogol.

Os nad ydych yn cael asesiad o'i hanghenion cyn i'ch mam fynd i mewn i gartref, gwiriwch a yw ffioedd y cartref o fewn trothwy'r Gwasanaethau Cymdeithasol. Os ydyn nhw, dylech wneud trefniadau gyda'ch meddyg teulu neu'r Gwasanaethau Cymdeithasol i asesu anghenion eich mam ymhell cyn i'w chynilion ostwng i'r lefel a fydd yn golygu ei bod yn gymwys am gymorth ariannol gan yr awdurdod lleol.

Mae'r Gwasanaethau Cymdeithasol yn trefnu bod fy ngwraig yn cael ei symud i gartref nyrsio. Maen nhw'n gwneud asesiad ariannol o'i hincwm a'i chynilion, ac wedi gofyn i mi ddweud wrthyn nhw am fy arian i hefyd. A yw hyn yn iawn?

Mae hawl gan yr awdurdod lleol i asesu adnoddau ariannol y person sy'n cael gofal yn unig. Nid oes ganddyn nhw'r grym i fynnu eich bod chi'n darparu manylion am eich incwm neu eich cynilion chi. Mae'n rhaid i'r awdurdod lleol gyfrifo cyfraniad eich gwraig at ei chostau gofal ar sail ei materion ariannol hi. Mae dyletswydd arnyn nhw i wneud iawn am y gwahaniaeth, os oes gwahaniaeth, rhwng cost y cartref nyrsio a'i chyfraniad.

Mae hawl gan yr awdurdod lleol i ofyn i chi wneud cyfraniad ond nid oes unrhyw rym ganddyn nhw i fynnu eich bod yn datgelu manylion am eich materion ariannol iddyn nhw. Fel rheol, mae'n bosibl i berson gynnig swm y mae'n meddwl sy'n rhesymol i dalu tuag at gost gofalu am ei ŵr neu ei wraig.

Mae clefyd Alzheimer ar fy ngŵr ac rwyf wedi gofalu amdano ers sawl blwyddyn. Ond yn ddiweddar, fe fues i'n sâl ac rydym wedi dod i'r penderfyniad anodd y dylai fynd i gartref nyrsio. Mae ganddo bensiwn galwedigaethol yn ogystal â phensiwn ymddeol y wladwriaeth, ac mae gennym tua £50,000 o gynilion. Mae'n debyg y bydd yn rhaid iddo dalu am ffioedd ei gartref gofal ond ni fydd llawer ar ôl i mi fyw arno wedyn. A oes rhywbeth y galla i ei wneud?

Mae'n gallu bod yn anodd iawn i bartner ymdopi pan fydd gŵr neu wraig yn mynd i gartref nyrsio ac yn talu'r ffioedd o'r hyn a oedd gynt yn incwm a chynilion roeddech yn eu rhannu.

Os oes gennych fwy na £50,000 wedi'u cynilo, bydd yn rhaid i'ch gŵr dalu ei ffioedd ei hun nes bydd ei gyfran o'ch cydgynilion yn gostwng ac yn cyrraedd y trothwy swyddogol.

Mae'n bosibl y gwelwch y bydd rhannu'ch cynilion yn eu hanner a'u cadw mewn cyfrifon ar wahân yn caniatáu i chi gadw mwy o'ch arian. Byddwch yn parhau i gael pensiwn gwraig briod. Mae'n bosibl i chi hefyd hawlio hanner pensiwn galwedigaethol eich gŵr. Fodd bynnag, os mai swm bach iawn yw hwn, efallai y byddai'n well i chi beidio â'i hawlio a gwneud cais am Gymhorthdal Incwm yn lle hynny. Os ydych yn cael Cymhorthdal Incwm, byddwch hefyd yn gallu cael Budd-dal Tai a nifer o fudd-daliadau'r GIG (am ragor o wybodaeth, gweler yr adran 'Budd-daliadau'r wladwriaeth' yn gynharach yn y bennod hon) pan fydd eich cynilion o dan y trothwy swyddogol.

Mae fy ngŵr yn gwlychu ac yn baeddu erbyn hyn, ac rwy'n methu ymdopi bellach â'r gwaith o ofalu amdano. Mae'n ymddangos mai cartref nyrsio yw'r unig ateb ond nid yw ei bensiwn yn fawr iawn. A fydd yn rhaid i fi werthu ein cartref i dalu ffioedd y cartref? A pha arian fydd gennyf wedyn i fyw arno?

Ni fydd rhaid i chi werthu'r tŷ tra byddwch yn parhau i fyw ynddo. Dylech ofyn i'ch meddyg teulu neu'r Gwasanaethau Cymdeithasol wneud asesiad gofal yn y gymuned (gweler yr adran 'Mathau o gartrefi' ym Mhennod 10). Os bydd hwn yn dangos bod angen cartref nyrsio ar eich gŵr, gallwch ddewis cartref o'r rhestr y dylai'r Gwasanaethau Cymdeithasol ei rhoi i chi. Bydd y Gwasanaethau Cymdeithasol yn gwneud trefniadau i dalu ffioedd eich gŵr yn uniongyrchol i'r cartref. Bydd y Gwasanaeth Iechyd yn cyfrannu mewn tri band taliad tuag at gost ei ofal nyrsio (gweler 'Mathau o gartrefi' ym Mhennod 10). Mae newidiadau diweddar i'r system fandio yn golygu bod cartrefi gofal yn cael cyfradd unffurf o £155.05 yr wythnos (adeg ysgrifennu'r llyfr hwn), faint bynnag yw'r gofal nyrsio angenrheidiol. Os oes gennych bensiwn y wladwriaeth eich hunan, bydd pensiwn y wladwriaeth eich gŵr yn mynd yn gyfan gwbl tuag at gost y cartref nyrsio. Os oes gan eich gŵr bensiwn galwedigaethol, gallwch hawlio hanner ohono. Os nad oes ganddo bensiwn galwedigaethol, ac os nad oes gennych chi eich pensiwn eich hun, dim ond pensiwn gwraig briod fydd gennych, ac nid yw hwn yn rhoi llawer i fyw arno. Mae'n bosibl y byddwch yn gymwys i gael Cymhorthdal Incwm.

Cyhyd ag y byddwch chi'n byw yn y tŷ, ni fydd y Gwasanaethau Cymdeithasol yn gofyn i chi ei werthu i dalu am ffioedd eich gŵr. Fodd bynnag, os ydych yn symud (hyd yn oed os ydych yn symud i fod yn nes at eich gŵr) neu'n marw, gallan nhw hawlio cyfran o'r elw a geir o'i werthu. Os mai eich gŵr yn unig sy'n berchen y tŷ, bydd yn rhaid ystyried holl werth y tŷ. Os ydych eich dau yn berchen y tŷ ar y cyd, yna dim ond hanner a fydd dan ystyriaeth.

Symudais i fyw gyda fy nhad ar ôl i fy mam farw. Rwyf wedi gofalu amdano am flynyddoedd lawer, ond nawr mae wedi gorfod mynd i gartref nyrsio. Roeddwn yn credu mai fi fyddai'n berchen y tŷ yn y pen draw gan fod fy nhad wedi'i adael i mi yn ei ewyllys. Ond nawr mae'n ymddangos y bydd y Gwasanaethau Cymdeithasol yn mynd â'r tŷ i dalu am ofal fy nhad.

Bydd y Gwasanaethau Cymdeithasol, ar ôl cyfnod o dri mis, yn ystyried holl incwm, cynilion ac asedau eich tad (gan gynnwys y cartref fel rheol) sydd dros y trothwy swyddogol. Byddan nhw wedyn yn cyfrifo faint y mae'n rhaid i'ch tad ei gyfrannu tuag at gost y cartref nyrsio. Mae'n bosibl i'r Gwasanaethau Cymdeithasol ddiystyru gwerth y tŷ mewn rhai amgylchiadau a dylech ofyn iddyn nhw a ydyn nhw'n fodlon gwneud hynny. Mewn rhai amgylchiadau penodol, mae'n rhaid iddyn nhw ei ddiystyru, er enghraifft, os yw'r perthynas sy'n byw yno dros 60 oed neu'n anabl.

Cyn belled â'ch bod yn parhau i fyw yn y cartref, mae'n annhebygol y bydd y Gwasanaethau Cymdeithasol yn mynd ag ef oddi arnoch neu yn ei werthu. Gallan nhw wneud cais am orchymyn llys i'ch gorfodi i werthu'r tŷ ond mae hyn yn beth prin iawn. Os ydych yn aros yn y tŷ, gallan nhw 'godi tâl' yn ei erbyn yn ddiweddarach (gofyn am ad-daliad) am ba swm bynnag y maen nhw wedi'i gyfrannu at gostau cartref nyrsio eich tad. Bydd yn rhaid talu'r swm hwn os ydych yn penderfynu symud a gwerthu'r tŷ. Pan fydd eich tad yn marw, chi fydd yn berchen y tŷ ond mae'n bosibl y bydd tâl yn erbyn ystad eich tad os ydych yn penderfynu ei werthu.

12 | Triniaeth

Er nad oes modd gwella clefyd Alzheimer na'r rhan fwyaf o fathau eraill o ddementia, mae'n bosibl helpu pobl sydd â dementia, a'u gofalwyr, mewn sawl ffordd. Gellir trin llawer o'r problemau sy'n gysylltiedig â dementia, fel aflonyddwch ac iselder. Efallai ei bod hefyd yn bosibl, yn enwedig yng nghyfnodau cynnar dementia, i wella neu o leiaf sefydlogi cof rhywun gyda meddyginiaeth neu drwy ddefnyddio dulliau eraill, er na fydd yr effaith hon yn barhaol. Mae'n bosibl hefyd y bydd pobl sydd â dementia'n datblygu cyflyrau eraill, heb unrhyw gysylltiad â'r dementia, y bydd angen eu trin.

TRINIAETHAU POSIBL

Yn anffodus, nid oes gwellhad i glefyd Alzheimer ar hyn o bryd ac ni ellir disgwyl gwellhad yn y dyfodol hyd y gellir ei rag-weld. Fodd bynnag, mae cyffuriau ar gael (gweler 'Triniaethau cyffuriau' yn ddiweddarach yn y bennod hon) sy'n lleddfu rhai o symptomau clefyd Alzheimer, fel cof gwael a'r newidiadau mewn ymddygiad sy'n digwydd yng nghyfnodau diweddarach dementia (gweler 'Trin symptomau' yn y bennod hon).

Mae'r datblygiadau hyn yn cyfrannu rhywfaint at leihau'r symptomau mewn rhai pobl ond nid ydyn nhw'n gwrthdroi proses y clefyd nac yn 'gwella' clefyd Alzheimer. Ni wyddom eto sut i rwystro'r clefyd rhag digwydd na sut i'w atal rhag ymgynyddu. Mae llawer iawn o ymchwil i achosion clefyd Alzheimer ar y gweill ledled y byd, a'r gobaith yw y bydd gwellhad yn bosibl yn y pen draw.

A oes modd gwella unrhyw fath o ddementia?

Gyda thriniaeth briodol, gellir gwella rhai mathau prin o ddementia – gan gynnwys rhai sy'n gysylltiedig â chwarren thyroid danweithgar, tyfiant ar yr ymennydd neu brinder rhai fitaminau (er enghraifft, fitamin B12) – neu gyfrannu'n sylweddol tuag at eu lliniaru. Weithiau, mae'r driniaeth hon yn syml, fel cymryd tabledi hormon thyroid i drin dementia sy'n cael ei achosi gan chwarren thyroid danweithgar.

Fodd bynnag, ni ellir gwella'r rhan fwyaf o fathau o ddementia a phrin iawn yw'r rhai y gellir eu gwella. Er hynny, mae'n bwysig darganfod achosion dementia y gellir eu trin, a dyma un rheswm pam ddylai meddyg asesu unrhyw un yr amheuir bod dementia arno.

Nid oes tystiolaeth wyddonol sy'n dangos bod cymryd hormon thyroid neu ychwanegiadau fitamin yn ddefnyddiol i bobl sydd â dementia ond sydd heb fod yn brin o'r sylweddau hyn. Yn wir, gall defnyddio ychwanegiadau o'r fath yn amhriodol fod yn niweidiol weithiau.

Rwy'n teimlo'n rhwystredig iawn. Rwy'n aml yn darllen straeon am driniaethau newydd i glefyd Alzheimer, ond mae'n ymddangos nad oes dim ar gael i fy ngwraig. Pam?

Mae darllen neu glywed am driniaethau newydd a deall wedyn nad ydyn nhw ar gael mewn gwirionedd yn achosi cryn rwystredigaeth. Mae hyn yn arbennig o wir pan fydd gan rywun, fel chi, reswm personol dros obeithio bod gwellhad i ddod yn fuan.

Byddwch yn ofalus wrth ddarllen straeon yn y cyfryngau. Fe hoffai miliynau o bobl ledled y byd gael newyddion am driniaethau i glefyd Alzheimer. Pan fydd gwyddonwyr yn dod o hyd i driniaeth sy'n dangos rhywfaint o addewid, maen nhw'n aml yn rhoi cyhoeddusrwydd i hyn. Mae'r cyhoeddusrwydd hwn yn aml yn dod yn rhy gynnar, gan fod cymaint â deng mlynedd weithiau rhwng dod o hyd i driniaeth newydd a sicrhau ei bod ar gael i'r cyhoedd. Yn ystod y cyfnod hwnnw, mae'n rhaid profi effeithiolrwydd a diogelwch y driniaeth yn drylwyr (am wybodaeth am brofi, gweler yr adran 'Treialon cyffuriau' ym Mhennod 13). Yn rhy aml o lawer, mae'r ymchwil diweddarach hwn yn canfod nad yw triniaeth a edrychai'n addawol ar y dechrau yn gweithio neu fod iddi sgileffeithiau peryglus.

Os hoffech gael y wybodaeth ddiweddaraf am driniaethau newydd, cysylltwch â'r Alzheimer's Society (cyfeiriad yn Atodiad 1) neu edrychwch ar safleoedd dibynadwy ar y we (gweler 'Trosolwg o'r ymchwil' ym Mhennod 13 a manylion gwefannau yn Atodiad 1).

Dylai'r cyffuriau hyn fod ar gael i'ch gwraig ar y GIG a dylech drafod hyn â'ch meddyg. (Gweler hefyd adran 'Triniaethau cyffuriau' yn ddiweddarach yn y bennod hon.)

A oes rhywbeth ar gael i atal neu arafu'r dirywiad meddyliol sy'n digwydd gyda chlefyd Alzheimer?

Mae clefyd Alzheimer yn glefyd ymgynyddol, ac yn arwain at farwolaeth rhwng pum a deng mlynedd ar ôl y diagnosis yn y rhan fwyaf o achosion. Fodd bynnag, efallai ei bod yn bosibl arafu'r clefyd wrth iddo ymgynyddu. Un posibilrwydd yw defnyddio un o'r cyffuriau dementia mwy newydd (gweler 'Triniaethau cyffuriau' yn ddiweddarach yn y bennod hon).

Efallai hefyd y gellir arafu datblygiad clefyd Alzheimer os yw'r person yn cadw'n iach yn gyffredinol. Mae deiet cytbwys ac ymarfer corff rheolaidd yn bwysig. Mae'n bosibl y gall camau syml eraill helpu i amddiffyn yr ymennydd hefyd, fel peidio ag yfed gormod o alcohol a pheidio ag ysmygu.

Mae ceisio lleihau'r holl risgiau hyn pan fydd gan rywun ddementia eisoes yn synhwyrol. Efallai y bydd hi'n anodd i rywun sydd â dementia roi'r gorau i bethau y mae'n eu mwynhau, fel alcohol neu sigarennau, a gall hynny hefyd achosi anawsterau i'r sawl sy'n gofalu amdano. Fodd bynnag, wrth i'r dementia ymgynyddu, mae pobl weithiau'n anghofio bod eisiau'r pethau hyn arnyn nhw.

Bydd cadw amgylchedd y sawl sydd â dementia yn ddiogel ac yn gyfarwydd yn helpu i leihau dryswch, a bydd y risg o gwympo yn llai hefyd.

Mae dementia fasgwlar ar fy ngwraig. A oes unrhyw beth yn gallu helpu i atal ei chyflwr rhag gwaethygu?

Yn sicr, byddai'n ddoeth ceisio sicrhau bod calon a chyflenwad gwaed eich gwraig yn iach, drwy gadw ei phwysedd gwaed i lawr a chymryd meddyginiaeth gwrthgeulo os oes rhaid. Er hynny, mae'r rhan fwyaf o'r ymchwil yn dangos nad yw'r pethau hyn yn cael llawer o effaith ar ddatblygiad dementia fasgwlar.

Fodd bynnag, gwyddom fod ysmygu yn tewychu'r gwaed ac yn cynyddu'r risg o gael strôc. Dylai unrhyw ysmygwr sydd wedi cael diagnosis o ddementia fasgwlar ystyried rhoi'r gorau i ysmygu, yn bendant.

Mewn rhai achosion, bydd y meddyg yn rhagnodi cyffuriau, fel asbrin, i deneuo'r gwaed a lleihau'r risg o gael strôc. Dylid trin curiad calon afreolaidd hefyd, gan fod hyn yn cynyddu'r risg o gael strôc. Bydd pobl sydd â'r cyflwr hwn yn aml yn cymryd *warfarin*, sy'n dda iawn am deneuo'r gwaed ond mae angen cadw golwg ofalus arno.

Os bydd dyddodion brasterog yn culhau'r rhydweliau sy'n arwain i'r ymennydd ('placiau'), efallai y bydd yn bosibl gwneud llawdriniaeth i gael gwared ar y placiau hyn, gan gynyddu diamedr y rhydweliau a gwella'r cyflenwad gwaed i'r ymennydd. Fodd bynnag, mae risgiau'n gysylltiedig â'r llawdriniaeth ac felly mewn amgylchiadau arbennig yn unig y bydd yn briodol. Bydd meddyg eich gwraig yn dweud wrthych a yw'r llawdriniaeth yn addas ar ei chyfer.

Os oes gan eich gwraig bwysedd gwaed uchel, dylid trin hwn hefyd pan mae hynny'n briodol. Mae'n bosibl y bydd angen pwysedd gwaed cymharol uchel ar rywun sy'n dioddef o glefyd cerebrofasgwlar i sicrhau bod cyflenwad digonol o waed yn cyrraedd yr ymennydd.

Fodd bynnag, os yw'r pwysedd gwaed yn rhy uchel, gall achosi problemau difrifol a bydd yn rhaid ei drin.

Gwelwyd bod rhai o'r cyffuriau (er enghraifft, *galantamine/Reminyl*) sydd wedi'u datblygu i drin clefyd Alzheimer yn gallu bod o help i drin dementia fasgwlar hefyd. Er bod argymhellion presennol Y Sefydliad Cenedlaethol dros Ragoriaeth mewn Iechyd a Gofal (NICE: *The National Institue for Health and Care Excellence*) yn cyfyngu defnyddio'r cyffuriau hyn i bobl sydd â chlefyd Alzheimer, mae rhai meddygon yn eu rhagnodi i drin mathau eraill o ddementia, gan gynnwys dementia fasgwlar. (Gweler 'Triniaethau cyffuriau' yn ddiweddarach yn y bennod hon am ragor o wybodaeth am gyffuriau newydd a NICE.)

DELIO Â MEDDYGON

Fel y gofalwr sy'n gwneud yr holl waith, rwy'n teimlo y dylwn gael gwybod popeth am salwch fy nhad. Ond mae meddyg fy nhad yn dweud na all drafod y manylion â fi oherwydd rheolau cyfrinachedd.

Mae'n wir fod perthynas y meddyg yn uniongyrchol â'r claf ac, yn dechnegol, mae'n ddyletswydd arno i gynnal cyfrinachedd rhwng meddyg a chlaf. Fodd bynnag, pan na fydd y sawl sy'n sâl yn gallu deall beth sy'n digwydd iddo, bydd meddygon fel rheol yn cydnabod yr angen i gynnwys y gofalwr mewn trafodaethau a phenderfyniadau. Mae llawer o feddygon yn gweld ei bod yn hanfodol cynnwys gofalwyr mewn trafodaethau ynghylch diagnosis a gofal y claf. Hefyd, os nad yw claf yn gallu rhoi caniatâd, mae dyletswydd ar y meddyg i weithredu er lles y claf a bydd hynny bron yn sicr yn cynnwys trafod pethau â chi, fel gofalwr eich tad. Os nad ydych eisoes wedi gwneud hynny, ceisiwch esbonio wrth feddyg eich tad pa mor bwysig yw sicrhau eich bod yn gwybod beth sy'n digwydd.

Os nad yw'r meddyg yn fodlon eich cynnwys chi, gallwch wneud sawl peth:

- Gofynnwch i'ch tad a allwch chi aros gydag ef pan fydd yn gweld y meddyg. Os yw eich tad yn fodlon, mae'n annhebygol y bydd y meddyg yn gwrthod.

- Os mai meddyg ymgynghorol ysbyty eich tad sy'n gwrthod trafod â chi, ceisiwch drafod y broblem â'r meddyg teulu, neu i'r gwrthwyneb.

- Trafodwch hyn â gofalwyr eraill, neu'r Alzheimer's Society; efallai y bydd ganddyn nhw rai awgrymiadau defnyddiol.

- Ceisiwch siarad â gweithwyr iechyd proffesiynol eraill, fel nyrs practis neu nyrs iechyd meddwl gymunedol.

- Os yw popeth arall yn methu, ystyriwch newid meddyg eich tad.

Mae Deddf Galluedd Meddyliol 2005 yn galluogi pobl yng Nghymru a Lloegr i drefnu Atwrneiaeth Arhosol, sef rhoi awdurdod i rywun wneud penderfyniadau gofal ar ei ran (gweler tudalennau 171–2). Bydd gan hwn neu hon – yr 'atwrnai' – hawl i siarad â meddygon a chyfrannu at benderfyniadau ynghylch gofal y person y mae'n gweithredu ar ei ran. Mae'n rhaid trefnu'r Atwrneiaeth Arhosol tra bydd gan y person 'alluedd meddyliol' (gweler yr adran 'Mesurau diogelu cyfreithiol' ym Mhennod 11).

Mae'r gyfraith yn wahanol yn yr Alban (gweler Pennod 11).

Mae fy mam mewn cartref nyrsio oherwydd dementia, ac mae hi'n cael sedatifau yno. Dydw i ddim yn hapus am hyn. A ddylai'r cartref fod wedi ymgynghori â fi?

Yn ddelfrydol, dylai'r cartref fod wedi ymgynghori â chi, er nad oes rheidrwydd ar y meddyg i drafod hyn â chi ymlaen llaw oni bai fod gennych Atwrneiaeth Arhosol ar gyfer eich mam (gweler yr adran 'Mesurau diogelu cyfreithiol' ym Mhennod 11). Ni ddylid rhoi cyffuriau oni bai eu bod yn hollol angenrheidiol. Weithiau, mae angen meddyginiaeth i leihau gorbryder neu ymddygiad anodd mewn pobl sydd â dementia, ond dylid bob amser roi cynnig yn y lle cyntaf ar ymyriadau fel rhyngweithio cymdeithasol a therapi seicolegol i drin ymddygiad ymosodol ac aflonyddwch. Fodd bynnag, dylai'r cartref geisio rhoi gwybod i chi am unrhyw newidiadau i driniaeth eich mam.

Efallai yr hoffech roi gwybod i staff y cartref eich bod yn dymuno parhau i gael eich cynnwys mewn penderfyniadau ynghylch triniaeth eich mam. Os ydych yn anhapus gyda thriniaeth eich mam, gofynnwch i reolwr y cartref drefnu i chi weld meddyg y cartref.

GWELD ARBENIGWR

Mae fy ngŵr wedi cael diagnosis o glefyd Alzheimer yn ddiweddar. Ein meddyg teulu wnaeth y diagnosis. A ddylai fy ngŵr weld arbenigwr nawr?

Mae meddygon teulu'n gallu gwneud diagnosis o ddementia'n aml heb orfod atgyfeirio'r claf at arbenigwr. Mae'n arferol i feddygon teulu atgyfeirio claf at arbenigwr os ydyn nhw'n ansicr ynghylch y diagnosis, os yw'r claf yn addas ar gyfer triniaeth gyda chyffuriau dementia neu os nad yw'r achos yn un amlwg.

Os yw'r meddyg teulu'n penderfynu gofyn am ail farn, efallai y bydd yn gofyn am farn geriatregydd (meddyg sy'n arbenigo ar afiechydon corfforol mewn pobl hŷn) neu seiciatrydd sydd â diddordeb penodol ym mhroblemau meddwl pobl hŷn. Mae'n bosibl i feddyg teulu hefyd atgyfeirio rhywun sydd â dementia at seicolegydd (arbenigwr ar brosesau'r meddwl, fel y cof) neu niwrolegydd (meddyg sy'n arbenigo ar glefydau'r system nerfol).

Mae'n bosibl i feddyg teulu atgyfeirio pobl at y Gwasanaethau Cymdeithasol ar gyfer asesiad gofal yn y gymuned fel y gallan nhw gael gofal a chymorth priodol gan yr awdurdod lleol. Fodd bynnag, mae rhai adrannau Gwasanaethau Cymdeithasol yn mynnu eu bod yn cael barn arbenigwr cyn symud ymlaen. Bydd meddyg teulu eich gŵr yn gwybod beth sy'n ofynnol yn eich ardal. (Gweler Pennod 9 am ragor o wybodaeth ynghylch asesiadau a gofal yn y gymuned.)

TRINIAETHAU CYFFURIAU

Os nad yw cyffuriau'n gallu gwella clefyd Alzheimer, beth allan nhw ei wneud i rywun sydd â'r clefyd?

Mae'n wir nad oes cyffuriau ar gael i wella clefyd Alzheimer nac i'w atal rhag gwaethygu dros amser. Fodd bynnag, mae rhai cyffuriau dementia ar gael bellach sy'n gallu gwella rhai o'r symptomau fel problemau cofio a cholli cyfeiriad a gallan nhw arafu datblygiad y symptomau (gweler yr atebion eraill yn yr adran hon am ragor o wybodaeth).

Mae mathau eraill o gyffuriau weithiau'n ddefnyddiol i drin rhai o'r newidiadau mewn ymddygiad, fel diffyg cwsg a chynnwrf meddyliol, sy'n digwydd gyda dementia.

Yn gyffredinol, dylid defnyddio cyn lleied â phosibl o dabledi cysgu neu dawelyddion (sedatifau) os yw clefyd Alzheimer ar rywun, oherwydd gallan nhw achosi rhagor o ddryswch a chwympo (gweler yr adran 'Trin symptomau' yn ddiweddarach yn y bennod hon).

Mae'n bosibl y bydd angen cyffuriau ar berson sydd â chlefyd Alzheimer i drin afiechydon eraill a allai ddatblygu, fel haint ar y frest, neu gyflyrau meddygol mwy tymor hir, fel pwysedd gwaed uchel neu ddiabetes.

Mae fy nhad yn cymryd nifer o dabledi gwahanol, ond mae fel petai'n mynd yn fwy dryslyd o hyd. A yw'n bosib fod y cyffuriau'n gwneud ei glefyd Alzheimer yn waeth yn hytrach na'u bod yn ei wella?

Mae'n bosibl fod rhai o dabledi eich tad yn ei wneud yn fwy dryslyd: er enghraifft, mae cyffuriau a ddefnyddir i drin pob math o gyflyrau fel pwysedd gwaed uchel neu boen yn gallu achosi dryswch fel sgileffaith. Os ydych yn trafod eich pryderon â meddyg eich tad, efallai y bydd yn gallu gwella pethau drwy addasu ei feddyginiaeth.

Yn gyffredinol, mae'n well i bobl sydd â chlefyd Alzheimer gymryd cyn lleied o gyffuriau â phosibl, oherwydd mae rhai mathau o gyffuriau'n achosi sgileffeithiau sy'n gallu peri i'r dryswch waethygu.

Mae cyffuriau sy'n gallu achosi dryswch yn cynnwys tawelyddion a rhai cyffuriau lleddfu poen y mae eu hangen weithiau ar bobl sydd â dementia. Hefyd, wrth gymryd rhagor o feddyginiaethau, mae'n fwy tebygol y byddan nhw'n rhyngweithio â'i gilydd.

Rwyf wedi clywed bod rhai triniaethau cyffuriau ar gyfer clefyd Alzheimer. Beth ydyn nhw?

Yn y degawd diwethaf gwnaed camau breision o ran trin clefyd Alzheimer a mathau eraill o ddementia, gobeithio, er nad oes gwellhad ar gyfer dementia. Yn y cyfnod hwn, cyflwynwyd dau fath o gyffur.

Atalyddion colinesteras neu gyffuriau gwrthgolinesteras yw'r math cyntaf. Mae'r rhain yn rhwystro asetylcolin, cemegyn yn yr ymennydd, rhag ymddatod (torri i lawr). Mae'r cyffuriau gwrthgolinesteras sydd ar gael yn y Deyrnas Unedig yn cynnwys *donepezil* (Aricept), *galantamine* (Reminyl) a *rivastigmine* (Exelon).

Yr ail fath o gyffur yw'r gwrthweithyddion NMDA. NMDA yw *N-methyl-d-aspartate*, un o'r cemegion sy'n ymwneud â'r cof. Ar hyn o bryd, mae un cyffur o'r teulu yma ar gael, sef *memantine* (Ebixa). Trafodir y cyffuriau hyn mewn atebion diweddarach yn yr adran hon.

Sut mae cyffuriau dementia'n helpu pobl sydd â chlefyd Alzheimer?

Mae llawer o dreialon clinigol wedi darganfod bod cyffuriau gwrthgolinesteras fel petaen nhw'n lleddfu rhai o symptomau clefyd Alzheimer mewn rhai pobl. Mae pobl sy'n cymryd y cyffuriau hyn yn gallu profi ychydig o welliant, ond y brif effaith yw bod y cyffuriau'n atal y symptomau rhag gwaethygu am gyfnod – hyd at chwe mis neu hyd yn oed yn hirach mewn rhai pobl. Nid yw'r cyffuriau hyn yn gweithio ar bawb ac mae eu heffaith yn amrywio. Nid oes sicrwydd am ba hyd y bydd y cyffuriau hyn yn ddefnyddiol. Os ydyn nhw'n helpu rhywun, gellir disgwyl i'w heffaith bara rhwng ychydig fisoedd a blwyddyn neu fwy. Ar hyn o bryd, nid yw'n bosibl rhagfynegi pwy fydd y cyffuriau hyn yn eu helpu.

Er bod modd i gyffuriau gwrthgolinesteras arafu trywydd symptomau mewn rhai pobl, nid ydyn nhw'n gallu atal y clefyd yn llwyr na gwrthdroi unrhyw niwed sydd eisoes wedi digwydd i'r ymennydd. Mae'r cyffuriau hyn yn fwy tebygol o helpu pobl yng nghyfnodau cynnar neu gymedrol clefyd Alzheimer na'r rheiny sydd eisoes â dementia dwys.

Pam mae enwau gwahanol ar yr un cyffur?

Mae dau enw ar y rhan fwyaf o gyffuriau: enw generig (heb briflythyren ar ddechrau'r enw) ac enw brand (gyda phrifflythyren ar ddechrau'r enw). Yr enw generig yw'r enw meddygol swyddogol am y cynhwysyn gweithredol sylfaenol (e.e. *donepezil*) a Chomisiwn Pharmacopoeia Prydain sy'n dewis yr enw hwnnw. Yr enw brand (e.e. Aricept) yw'r enw a ddewisir gan y cwmni sy'n cynhyrchu'r cyffur. Mae gwneuthurwyr gwahanol yn rhoi enwau gwahanol i'r un cyffur generig er mwyn gwahaniaethu rhwng eu cynnyrch nhw a rhai cwmnïau eraill. Beth bynnag fo'r enw ar y blwch neu'r botel, bydd y feddyginiaeth y tu mewn yr un fath â'r hyn a ragnodwyd gan y meddyg.

Sut mae'r cyffuriau newydd ar gyfer trin clefyd Alzheimer yn gweithio?

Hyd yma, mae'r cyffuriau newydd mwyaf addawol yn perthyn i grŵp o gyffuriau dementia a elwir yn atalyddion colinesteras neu gyffuriau gwrthgolinesteras. Mae cyffuriau o'r math hwn yn gweithio drwy gyfyngu ar yr asetylcolin sy'n ymddatod yn yr ymennydd.

Cemegyn yw asetylcolin sy'n digwydd yn naturiol yn yr ymennydd; yno, mae'n cael ei wneud ac yn ymddatod yn barhaus. Mae asetylcolin yn 'niwrodrosglwyddydd' – cemegyn sy'n galluogi nerfgelloedd yn yr ymennydd i drosglwyddo negeseuon i'w gilydd. Mewn ymennydd normal, mae lefel yr asetylcolin yn parhau'n weddol gyson. Fodd bynnag, mae ymchwil wedi darganfod bod llai o asetylcolin yn ymennydd llawer o bobl sydd â chlefyd Alzheimer a chredir bod colli'r cemegyn hwn yn gallu achosi i'r cof ddirywio.

Mae llawer o'r ymchwil hyd yma i ffyrdd o gywiro prinder

asetylcolin yn ymennydd pobl sydd â chlefyd Alzheimer wedi'i gyfeirio tuag at gynyddu faint o asetylcolin sy'n bresennol. Fodd bynnag, mae tystiolaeth yn awgrymu nad yw rhoi'r cemegyn hwn yn uniongyrchol i bobl yn helpu. Credir bod ceisio arafu ymddatod asetylcolin yn fwy addawol, a hyd yma mae'r syniad hwn wedi arwain at ddatblygu tri chyffur sy'n atal colinesteras: *donepezil* (Aricept), *galantamine* (Reminyl) a *rivastigmine* (Exelon).

Yn ogystal ag arafu ymddatod asetylcolin yn yr ymennydd, mae *galantamine* (Reminyl) yn gwneud rhywbeth arall hefyd. Mae'n ysgogi'n uniongyrchol y rhannau yn yr ymennydd a elwir yn dderbynyddion nicotinig. Mae'n bosibl fod y derbynyddion hyn hefyd yn cyfrannu at gof a dysgu. Nid yw'n amlwg eto a yw'r effaith ddeuol hon yn fwy effeithiol nag effaith cyffuriau dementia eraill sydd ar gael.

Mae un math arall o gyffur, a elwir yn *memantine*/Ebixa, yn gweithio drwy rwystro cemegyn yn yr ymennydd – NMDA – sy'n gallu troi'n niweidiol pan fydd clefyd Alzheimer ar rywun, er bod angen llawer rhagor o ymchwil yn y maes hwn. Ar hyn o bryd, mae *memantine* yn tueddu i gael ei roi i bobl sydd â dementia dwys yn unig, neu rai sy'n methu dygymod â'r math arall o gyffur (gwrthgolinesteras).

Mae fy ngwraig wedi cael diagnosis o glefyd Alzheimer ond nid yw ei meddyg yn fodlon rhagnodi Aricept. A alla i wneud unrhyw beth am hyn?

Mae nifer o resymau gan eich meddyg dros beidio â rhagnodi Aricept (enw brand *donepezil*) neu unrhyw un o'r cyffuriau eraill a ddefnyddir i drin dementia y soniwyd amdanyn nhw yn gynharach. Un posibilrwydd yw fod clefyd Alzheimer eich gwraig eisoes yn rhy ddwys, gan fod y driniaeth hon yn llai defnyddiol i bobl sydd â dementia dwys. Mae'n bosibl hefyd nad clefyd Alzheimer sydd ar eich gwraig ond math arall o ddementia – fel dementia fasgwlar (gweler yr adran 'Mathau o ddementia' ym Mhennod 1); mae rhai meddygon yn cyfeirio at yr holl fathau o ddementia fel 'clefyd Alzheimer'. Nid oes digon o ymchwil ar hyn o bryd i argyhoeddi pob meddyg fod y cyffuriau hyn yn helpu dementia fasgwlar. Efallai fod eich gwraig yn cael triniaethau eraill neu fod ganddi gyflyrau meddygol eraill sy'n golygu na ddylai gael y cyffuriau hyn. Nid yw rhai meddygon ychwaith yn argyhoeddedig fod y cyffuriau hyn yn effeithiol ac felly maen nhw'n gyndyn iawn o'u rhagnodi i neb. Mae'n bosibl y byddwch yn dymuno gofyn am ail farn.

Yn y Deyrnas Unedig ar hyn o bryd, dim ond arbenigwyr (seiciatryddion, niwrolegwyr, geriatregwyr) sy'n gallu dechrau rhagnodi cyffuriau dementia, er bod meddyg teulu wedyn yn gallu parhau i'w rhagnodi. Os nad yw eich gwraig wedi gweld arbenigwr, dylech ofyn i'ch meddyg teulu ei hatgyfeirio i gael ail farn. Os nad yw'r arbenigwr yn fodlon rhagnodi'r cyffuriau, gallwch ofyn i'ch meddyg teulu atgyfeirio eich gwraig at arbenigwr gwahanol. Pa un bynnag, efallai y byddai'n ddefnyddiol i chi gael sgwrs â'r meddyg i'w holi pam nad yw'n fodlon rhagnodi cyffur dementia.

Rwyf wedi darllen bod NICE wedi dweud y dylid cyfyngu ar driniaethau cyffuriau ar gyfer dementia. A yw hyn yn wir?

Sefydlwyd NICE gan lywodraeth y Deyrnas Unedig i argymell triniaethau newydd amrywiol ac i roi arweiniad ar eu defnyddio.

Ym mis Tachwedd 2006, roedd canllawiau NICE ar *donepezil* (Aricept), *galantamine* (Reminyl) a *rivastigmine* (Exelon) yn argymell y dylid cyfyngu defnyddio'r cyffuriau hyn i bobl â chlefyd Alzheimer (yn hytrach nag unrhyw fath arall o ddementia); nodwyd hefyd bod yn rhaid i arbenigwr fod wedi rhoi'r diagnosis. I fod yn gymwys, dylai person hefyd sgorio rhwng 20 a 10 yn yr Archwiliad Cyflwr Meddyliol Cryno (MMSE – prawf byr a ddefnyddir gan feddygon a nyrsys i brofi'r cof a'r gallu i ganolbwyntio; gweler 'Profion Cof' ym Mhennod 3). Roedd hyn yn golygu bod y cyffuriau hyn wedi'u cyfyngu i bobl â chlefyd Alzheimer cymedrol a chynghorwyd meddygon i beidio â'u defnyddio yng nghyfnodau cynnar y clefyd. Roedd NICE hefyd yn argymell na ddylid rhagnodi *memantine* (Ebixa) o gwbl.

Fodd bynnag, mae NICE wedi adolygu ei ganllawiau ers hynny, ac yn 2011, newidiwyd yr argymhellion hyn. Mae NICE bellach yn argymell bod modd hefyd ddefnyddio'r cyffuriau gwrthgolinesteras gyda phobl sydd wedi cael diagnosis o gyfnod cynnar dementia ('ysgafn'). Mae hefyd yn nodi y gall *memantine/*

Ebixa fod yn briodol i bobl sydd naill ai â dementia difrifol neu sy'n methu dygymod â'r mathau eraill o gyffuriau. Mae defnyddio'r MMSE bellach yn llai poblogaidd ymhlith meddygon ac erbyn hyn mae penderfynu pa mor ddwys yw'r dementia fel rheol yn seiliedig ar brofion eraill mwy dibynadwy ac ar argraff gyffredinol o allu'r unigolyn i weithredu.

Nid yw pob meddyg na phob grŵp sy'n eiriol ar ran pobl sydd â dementia'n cytuno â'r canllawiau hyn gan NICE, ac nid oes gorfodaeth ar feddygon i'w dilyn. Fodd bynnag, mewn sawl ardal, mae'r arian ar gyfer y cyffuriau yn debygol o gael ei gyfyngu i gleifion sy'n bodloni'r meini prawf a osodir gan NICE, felly mae'n bosibl na fydd pobl sydd â dementia ysgafn yn gallu eu cael.

A yw cyffuriau fel Aricept, Exelon, Reminyl ac Ebixa yn effeithiol i bawb sydd â chlefyd Alzheimer?

Mae'n ymddangos bod y cyffuriau hyn yn helpu rhai pobl sydd â chlefyd Alzheimer, ond nid pawb o bell ffordd. Hyd yn oed os ydyn nhw'n effeithiol, lleihau problemau cofio ac anawsterau eraill i ryw raddau yn unig y maen nhw. Mae'n bosibl y byddan nhw'n llesol iawn i rai. Fodd bynnag, nid ydyn nhw'n fawr o les i bobl eraill, os ydyn nhw o unrhyw les o gwbl.

Yn anffodus, ni ellir dweud ymlaen llaw pwy fydd yn ymateb yn dda i'r math hwn o driniaeth. Mae'n ymddangos nad yw effeithiolrwydd y cyffur yn gysylltiedig ag oedran, rhyw na tharddiad ethnig y claf.

Mae'n llai amlwg a yw'r cyffuriau hyn yn ddefnyddiol gyda mathau eraill o ddementia, er bod ychydig o dystiolaeth y gallan nhw fod o fudd (gweler yr ateb nesaf). Mae'n bosibl fod Ebixa (*memantine*) yn fwy defnyddiol i bobl sydd â dementia mwy datblygedig.

Ar hyn o bryd, yr unig ffordd o weld a yw cyffur yn effeithiol yw rhoi cynnig arno am rai misoedd. Os yw'n amlwg fod rhywun yn gwaethygu yn fuan ar ôl dechrau cymryd un o'r cyffuriau hyn, mae'n debygol nad yw'n gweithio.

*A yw'r triniaethau newydd ar gyfer clefyd Alzheimer yn
ddefnyddiol i bobl sydd â mathau eraill o ddementia?*

Efallai. Er enghraifft, mae *rivastigmine* (Exelon) wedi helpu pobl
sydd â dementia gyda chyrff Lewy, ac mae'n bosibl hefyd y
gall *galantamine* (Reminyl) helpu gyda dementia fasgwlar (gweler
'Mathau o ddementia' ym Mhennod 1). Y tebygolrwydd yw fod y
cyffuriau hyn yn gallu helpu pob math cyffredin o ddementia (clefyd
Alzheimer, dementia fasgwlar a dementia gyda chyrff Lewy), er nad
ydyn nhw'n gweithio i bawb. Er bod canllawiau NICE (gweler yr
atebion blaenorol) yn dweud mai mewn achosion o glefyd Alzheimer
yn unig y dylid defnyddio cyffuriau fel *donepezil* (Aricept) ac ati, mae
rhai arbenigwyr yn eu rhagnodi ar gyfer mathau eraill o ddementia.

A oes unrhyw sgileffeithiau i gyffuriau dementia fel Aricept?

Mae'n bosibl i unrhyw gyffur achosi sgileffeithiau ac weithiau
mae'r rhain yn anodd eu rhag-weld ac yn annymunol. Mae
prif sgileffeithiau cyffuriau dementia'n cynnwys cyfog, chwydu
a dolur rhydd. Fodd bynnag, mae'r rhan fwyaf o bobl yn gallu
goddef y sgileffeithiau a pharhau i gymryd y feddyginiaeth. Mae'r
sgileffeithiau'n amrywio o'r naill gyffur i'r llall ac o'r naill berson i'r
llall ond maen nhw'n tueddu i achosi llai o drafferthion ar ôl ychydig
wythnosau. Dyma pam mae meddygon fel rheol yn rhagnodi dos isel
o'r cyffuriau hyn yn y lle cyntaf ac yn eu cynyddu'n raddol.

*Rhoddodd fy ngwraig gynnig ar Exelon, ond penderfynodd y
meddyg y byddai'n well atal y cyffur oherwydd ei bod hi wedi
cael sgileffeithiau drwg. A fyddai'n werth rhoi cynnig ar gyffur
dementia arall?*

Mae'n ddigon posibl. Os penderfynodd y meddyg atal y defnydd
o *rivastigmine* (Exelon) oherwydd nad oedd yn gweithio, nid
yw'n debygol y byddai cyffur arall o'r un math fawr gwell. Fodd
bynnag, yn achos eich gwraig, gwnaethpwyd y penderfyniad
oherwydd y sgileffeithiau. Mae sgileffeithiau'n amrywio o'r naill
gyffur i'r llall ac felly mae'n bosibl y byddai'n werth rhoi cynnig ar

un arall fel *donepezil* (Aricept) neu *galantamine* (Reminyl). Dylech chi a'ch gwraig drafod hyn â'i meddyg. Cofiwch hefyd fod *memantine* (Ebixa) yn gweithio'n wahanol i'r cyffuriau eraill, ac felly gallai fod yn opsiwn arall.

Mae Ebixa (*memantine*) yn gweithio mewn ffordd wahanol i atalyddion colinesteras fel *donepezil* (Aricept), *galantamine* (Reminyl) a *rivastigmine* (Exelon). Nid yw'n amlwg a fyddai cymryd Ebixa ynghyd ag un o'r cyffuriau eraill hyn yn llesol, ac yn wir, gallai hynny achosi rhagor o sgileffeithiau. Mae'n debyg ei bod yn well cadw at y cyffur sydd wedi'i ragnodi. Cred rhai ymchwilwyr y gellir cael mwy o fudd o gyfuno triniaethau, ond nid oes tystiolaeth eglur fod hynny'n digwydd.

Yn ddiweddar, dechreuodd fy modryb gymryd Aricept ac mae'n ymddangos ei bod ychydig yn well. Am faint y galla i ddisgwyl i'r effaith barhau?

Mae'n eithaf cyffredin i rywun ymateb i gyffur dementia, fel *donepezil* (Aricept) neu *rivastigmine* (Exelon), o fewn yr ychydig wythnosau cyntaf. Ni fydd y cyffur yn atal cyflwr eich modryb rhag gwaethygu ond mae'n bosibl y bydd yn arafu'r dirywiad. Nid yw'n eglur am faint fydd effeithiau'r cyffur dementia'n parhau ond mae treialon clinigol sydd wedi'u cynnal am hyd at flwyddyn yn awgrymu y gall y gwelliant barhau am flwyddyn o leiaf os yw rhywun yn ymateb yn dda i gyffur dementia. Mae ymchwil arall yn awgrymu y gall yr effaith barhau am dros dair blynedd mewn rhai pobl. Un broblem bosibl gyda'r cyffuriau hyn yw fod modd i gof rhywun ddirywio'n gyflymach unwaith y bydd yn rhoi'r gorau i gymryd y cyffur, felly mae'n bosibl y bydd cyn bo hir yn y sefyllfa y byddai ynddi pe na bai wedi cymryd y cyffur o gwbl. Felly, os yw eich modryb yn ymddangos yn well ar Aricept, mae'n bosibl mai'r peth gorau fyddai parhau i gymryd y cyffur cyhyd ag y bo modd.

TRIN SYMPTOMAU

Mae clefyd Alzheimer ar fy ngŵr. Nid yw'n cysgu rhyw lawer ac mae'n aflonydd iawn yn y nos. Mae hyn yn amharu ar fy nghwsg i hefyd ac rwy'n dechrau teimlo'n flinedig iawn. A fyddai modd iddo gymryd tabledi cysgu, neu a fyddai hynny'n ei wneud yn fwy dryslyd?

Nid ar chwarae bach y dylid penderfynu rhoi tabledi cysgu i rywun sydd â chlefyd Alzheimer. Mae sedatifau, fel tabledi cysgu a thawelyddion, yn gallu achosi rhagor o ddryswch. Maen nhw hefyd yn gallu achosi iddo fod yn simsan ar ei draed a hynny'n cynyddu'r risg o gwympo. Felly, mae'n well peidio â'u defnyddio os yw hynny'n bosibl.

Gallai rhai pethau ymarferol helpu'r sefyllfa hon, fel darparu digon o weithgareddau yn ystod y dydd (gweler Pennod 5 am syniadau), rhwystro'ch gŵr rhag cysgu gormod yn ystod y dydd, osgoi caffein, yn enwedig gyda'r nos, peidio â bwyta pryd mawr o fwyd gyda'r nos, cael bath ymlaciol cyn mynd i'r gwely a gwneud yn siŵr fod yr ystafell wely'n gynnes ac yn gyfforddus.

Mewn rhai amgylchiadau, fodd bynnag, mae'n bosibl y byddai defnyddio tabledi cysgu neu dawelyddion yn angenrheidiol. Nid yw rhai tawelyddion yn sedatifau; hynny yw, nid ydyn nhw'n achosi i rywun gael gormod o gwsg, ond gallan nhw helpu rhywun i gael noson lawn o gwsg. Dylech drafod hyn â meddyg eich gŵr os ydych chi'n poeni.

Rydych yn dweud eich bod yn hynod o flinedig. Felly, byddai'n beth doeth siarad â'ch meddyg am y posibilrwydd o roi tabledi cysgu i'ch gŵr, o leiaf am gyfnod, neu drafod a fyddai modd i'r Gwasanaethau Cymdeithasol ddarparu ychydig o ofal seibiant. (Mae rhagor o wybodaeth ynghylch cael help ym Mhennod 9.)

Mae fel petai dementia fy mam yn gwaethygu ac mae'n aml yn gynhyrfus a gofidus iawn. Roeddwn i'n arfer gallu tynnu ei sylw neu ei thawelu fy hun ond nid yw bellach yn ymateb i'm hymdrechion. A allai cyffuriau helpu?

Yn ogystal â dryswch, mae'n bosibl i rywun sydd â dementia ddatblygu symptomau eraill, gan gynnwys gorbryder, iselder, cynnwrf meddyliol, ymddygiad ymosodol, credu pethau rhyfedd a phrofi rhithiau. Mae'r symptomau hyn yn gyffredin iawn ac mae llawer o bobl sydd â dementia yn eu profi ar ryw adeg neu'i gilydd.

Yn gyffredinol, mae meddygon yn ceisio osgoi defnyddio cyffuriau i drin gorbryder a chynnwrf meddyliol mewn pobl sydd â chlefyd Alzheimer. Mae sgileffeithiau cyffuriau fel tawelyddion yn gallu bod yn drech na'u manteision.

Y peth cyntaf i'w wneud yw sicrhau nad oes rheswm arall dros gynnwrf a gofid eich mam. Mae pethau syml fel poen, haint neu rwymedd yn gallu achosi cynnwrf meddyliol, ac efallai nad yw eich mam yn gallu dweud wrthych beth sy'n digwydd. Yn sicr, mae'n bwysig fod eich mam yn cael archwiliad i sicrhau nad oes achos arall i'r ymddygiad hwn. Un posibilrwydd fyddai i feddyg eich mam ofyn am farn seicolegydd clinigol sydd â phrofiad o weithio gyda phobl â dementia. Efallai y byddai'n gallu cynnig cyngor defnyddiol ynghylch sut i barhau i drin eich mam.

Mewn rhai achosion, yn enwedig yng nghyfnodau diweddarach clefyd Alzheimer, efallai mai tawelyddion fyddai'r opsiwn gorau i wella ansawdd bywyd pobl sydd â dementia yn ogystal â'u gofalwyr. Yn fwy diweddar, mae llawer o feddygon wedi rhagnodi math arbennig o dawelyddion, a elwir yn gyffuriau gwrthseicotig, i helpu gyda chynnwrf meddyliol ac mae'n bosibl nad yw'r rhain yn tawelu cleifion cymaint â thawelyddion eraill. *Risperidone* yw enw'r math hwn o gyffur a ddefnyddir amlaf gyda chlefyd Alzheimer. Fodd bynnag, darganfuwyd yn ddiweddar y gallai'r cyffuriau hyn gynyddu'r risg o strôc mewn pobl sydd â dementia a golygu eu bod yn marw ynghynt. Maen nhw'n dal i gael eu defnyddio weithiau mewn achosion anodd pan nad yw meddyginiaethau eraill wedi helpu, ond arbenigwr yn unig ddylai benderfynu eu defnyddio.

Mae yna gyffuriau eraill a allai helpu, fel *carbamazepine* (fe'i defnyddir fel rheol mewn achosion o epilepsi), ac mae peth tystiolaeth ar sail nifer o dreialon clinigol bach eu bod yn effeithiol yn y sefyllfa hon. Ond mae'n deg dweud mai dewis olaf ar ôl i bopeth arall fethu yw'r cyngor presennol ynghylch defnyddio'r cyffuriau hyn. Hefyd, mae peth tystiolaeth sy'n dangos bod cyffuriau dementia fel *donepezil* (Aricept) a *memantine* (Ebixa) yn gallu helpu gyda rhai o'r symptomau anodd hyn, a'u bod yn gwneud mwy na helpu gyda'r cof yn unig.

Y peth gorau fyddai trafod hyn â meddyg eich mam. Efallai y bydd yn atgyfeirio eich mam at arbenigwr am ragor o gyngor. Os penderfynir rhoi tawelydd i'ch mam, gwnewch yn siŵr fod ei hangen am y cyffur hwn yn cael ei adolygu'n rheolaidd, oherwydd efallai na fydd ei angen arni am fwy nag ychydig fisoedd. Rydym yn trafod ffyrdd eraill o helpu gyda chynnwrf meddyliol a gofid ym Mhennod 7.

Rwy'n deall bod rhwymedd yn gallu achosi mwy o gynnwrf meddyliol mewn pobl sydd â chlefyd Alzheimer. A fyddai cymryd carthydd yn help iddi?

Mae'n wir fod rhwymedd yn gallu achosi mwy o gynnwrf meddyliol mewn pobl sydd â chlefyd Alzheimer. Yn y lle cyntaf, y ffordd orau o drin rhwymedd yw drwy newid y deiet. Yn aml, bydd mwy o fran, ffrwythau a llysiau yn helpu i leddfu'r broblem. Efallai na fydd rhai pobl yn gallu delio â bwydydd o'r fath yn rhwydd ond mae eraill yn ffynnu arnyn nhw. Dylai yfed digon o hylif yn ystod y dydd helpu hefyd, a gwneud ymarfer corff rheolaidd, pan fydd hynny'n bosibl.

Fodd bynnag, cydnabyddir bod angen rhagor o driniaeth mewn rhai achosion. Bydd meddyg yn gallu rhoi cyngor ar ddefnyddio meddyginiaeth i'w gweithio, fel *ispaghula* (e.e. Regulan, Fybogel) a lactwlos. Mewn rhai achosion, lle mae cydsymud gwael a chyhyrau sffincter gwan yn yr anws yn ffactorau, mae'n bosibl mai enema rheolaidd fyddai'r driniaeth orau.

Rwyf wedi clywed bod rhoi tawelyddion yn gallu gwneud pobl sydd â chlefyd Alzheimer yn waeth. A yw hyn yn wir?

Mae yna risg bob amser wrth gymryd unrhyw fath o feddyginiaeth, ond dylid pwyso a mesur ym mhob achos ac ystyried y manteision posibl. Nid yw tawelyddion yn eithriad.

Mae llawer o dawelyddion gwahanol ar gael, ac mae gan bob un ei broblemau posibl. Defnyddir dau grŵp yn aml: cyffuriau a elwir yn *benzodiazepines* (fel *diazepam* (Valium) neu *temazepam*) a rhai a elwir yn gyffuriau gwrthseicotig (fel *olanzapine, quetiapine* a *risperidone*). Mae pob tawelydd yn gallu gwneud pobl yn gysglyd ac yn fwy dryslyd yn ystod y dydd. Cyn rhagnodi tawelyddion, dylai'r meddyg asesu cyflwr corfforol y person (gan gynnwys pwysedd gwaed a rhythm y galon) a phwyso a mesur y manteision a'r sgileffeithiau'n ofalus.

Diben rhoi tawelyddion yw tawelu rhywun os yw'n gynhyrfus, neu roi noson dda o gwsg iddo os bydd fel arall yn effro ac yn aflonyddu arno'i hun yn ogystal â'i ofalwyr ac aelodau eraill o'r teulu. Fodd bynnag, gall tawelyddion effeithio ar gydsymud, ac mae'r risg o gwympo wedyn yn uwch. Mae hon yn broblem arbennig mewn pobl hŷn; efallai na fyddan nhw'n gallu codi o'r llawr, hyd yn oed gyda help gofalwr. Hefyd, mae'n bosibl y bydd pobl hŷn sydd ag esgyrn bregus yn torri asgwrn os byddan nhw'n syrthio. Felly, am y rhesymau hyn, mae'n bwysig bob amser sicrhau bod y dos yn gywir: dos rhy isel ac ni fydd yn gweithio, dos rhy uchel a bydd yn gwneud y person yn gysglyd neu'n amharu ar ei gydsymud. Os ydych yn poeni bod rhywun dan eich gofal yn cymryd tawelyddion, dylech siarad â'i feddyg.

Mae rhai tawelyddion (sef cyffuriau gwrthseicotig neu niwroleptig) weithiau'n gallu achosi sgileffeithiau sy'n achosi i bobl fod yn fwy aflonydd. Os yw rhywun yn dechrau cymryd y tabledi hyn ac yn ymddangos yn fwy aflonydd nag arfer, rhowch wybod i'r meddyg fel y gall leihau'r dos neu atal y tabledi'n llwyr. Mae'n bosibl i'r cyffuriau hyn hefyd gynyddu'r perygl o strôc mewn pobl sydd â dementia, ac felly dylid eu rhagnodi dan oruchwyliaeth arbenigol.

Mae ein meddyg wedi rhagnodi temazepam *i helpu fy ngŵr i gysgu. Rwy'n credu bod y feddyginiaeth yma'n debyg i Valium. A yw hi'n bosibl mynd yn gaeth i'r cyffur?*

Mae *temazepam* a *diazepam* (Valium) yn dawelyddion a ddefnyddir yn gyffredin a gallan nhw fod yn ddefnyddiol iawn i dawelu pobl sy'n gynhyrfus a'u helpu i gysgu. Gall tawelyddion o'r math hwn achosi dibyniaeth (math o gaethiwed) mewn rhai pobl. Mae hyn yn golygu y gall fod yn anodd atal y tabledi hyn a gallai gwneud hyn achosi symptomau diddyfnu, fel teimlo'n sâl neu'n orbryderus.

Yn gyffredinol, mae'n rhaid cymryd y cyffuriau hyn am dair wythnos neu fwy cyn i gaethiwed ddod yn broblem. Os ydych yn poeni y bydd eich gŵr yn mynd yn gaeth iddyn nhw, siaradwch â'ch meddyg. Weithiau mae risgiau caethiwed yn llai na manteision y meddyginiaethau. Mae meddyginiaethau eraill, fel *zopiclone*, yn helpu pobl i gysgu ac efallai'n llai caethiwus, er bod tystiolaeth erbyn hyn yn awgrymu eu bod yr un mor gaethiwus â *diazepam*. Weithiau, mae gwneud ambell beth cyffredinol, fel osgoi caffein a chael bath ymlaciol cyn mynd i'r gwely, yn ddigon.

Mae'n bosibl i'ch meddyg hefyd ragnodi cyffuriau eraill, gan gynnwys rhai a elwir yn niwroleptigau (neu gyffuriau gwrthseicotig) neu wrthiselyddion; nid yw'r rhain yn gaethiwus. Peidiwch â bod ofn trafod unrhyw feddyginiaeth a ragnodir â'r meddyg.

Mae clefyd Alzheimer ar fy ngwraig, ac mae'n ymddangos ei bod yn dioddef o rithiau, sy'n achosi gofid mawr iddi ar adegau. A yw'n bosibl ei helpu?

Mae rhithiau – pan fydd rhywun yn gweld, yn clywed, yn arogli neu'n teimlo rhywbeth pan nad oes dim byd yno – yn eithaf cyffredin mewn pobl sydd â chlefyd Alzheimer a mathau eraill o ddementia. Mae'r duedd i brofi'r rhithiau hyn yn amrywio, nid yn unig o ddydd i ddydd, ond hefyd dros amser. Weithiau, mae rhithiau, yn enwedig rhai gweledol, yn waeth yn ystod y nos neu mewn golau gwael, pan fydd pobl yn fwy tebygol o gamddehongli beth maen nhw'n ei weld. Os yw rhywun yn mynd yn fwy cynhyrfus yn y nos, dylid ystyried y posibilrwydd ei fod yn profi rhithiau. Mewn llawer o bobl, mae rhithiau yn tueddu i ddiflannu wrth i'r clefyd waethygu.

Dylid dechrau trin rhithiau mewn pobl sydd â chlefyd Alzheimer drwy geisio'u sicrhau nad yw'r hyn y maen nhw'n ei brofi yn digwydd go iawn. Os yw eich gwraig yn ofidus iawn ac yn methu cael ei chysuro, efallai y bydd yn rhaid i'w meddyg roi meddyginiaeth a all helpu i leihau'r rhithiau. Mae'n bosibl i ddos bach o'r tawelyddion newydd achosi gostyngiad sylweddol yn y rhithiau heb sgileffeithiau amlwg. Fodd bynnag, bydd yn rhaid i feddyg eich gwraig bwyso a mesur yn ofalus a fydd manteision y cyffuriau hyn yn fwy na'r sgileffeithiau posibl, sy'n cynnwys mwy o ddryswch ac, o bosibl, yn cynyddu'r perygl o gael strôc.

Mae rhithiau'n gallu digwydd mewn pobl sydd â mathau eraill o ddementia hefyd, fel dementia gyda chyrff Lewy a dementia clefyd

Parkinson (gweler yr adran 'Mathau o ddementia' ym Mhennod 1). Os rhoddir cyffuriau gwrthseicotig i bobl sydd â'r mathau hyn o ddementia, mae'n bosibl iddyn nhw ddioddef sgileffeithiau drwg iawn, ac felly mae'n well iddyn nhw beidio â'u cymryd.

Fodd bynnag, mae'n bosibl y gall cyffuriau dementia fel *rivastigmine* (Exelon) fod yn ddefnyddiol. Mae peth tystiolaeth hefyd fod *memantine* (Ebixa) yn ddefnyddiol wrth drin y symptomau hyn sy'n achosi cymaint o wewyr.

A oes unrhyw ddiben ceisio trin cyflyrau iechyd meddwl eraill, fel iselder a gorbryder, mewn rhywun sydd wedi cael diagnosis o glefyd Alzheimer?

Yn ystod trywydd dementia fel clefyd Alzheimer, mae'n bosibl y bydd angen trin amrywiaeth o anhwylderau corfforol a meddyliol. Mae'n bwysig iawn cael triniaeth briodol ar gyfer afiechydon corfforol pan fydd clefyd Alzheimer ar rywun, oherwydd gall afiechydon eithaf mân beri i'r dementia waethygu neu achosi dryswch llym. Gellir trin nifer o afiechydon meddygol sylfaenol.

Mae iselder yn aml yn mynd law yn llaw â dementia, a gall fod yn anodd cael diagnosis cywir oherwydd bod rhai o symptomau iselder a dementia mor debyg i'w gilydd. Mae'n bwysig sicrhau bod y person yn gweld y meddyg cyn gynted â phosibl i gael diagnosis cywir a sicrhau triniaeth briodol. Mae gwyddonwyr yn amcangyfrif y bydd cynifer â 4 o bobl sydd â dementia ym mhob 10 yn cael pyliau o iselder yn hwyr neu'n hwyrach. Bydd rhai pobl sydd â chlefyd Alzheimer wedi cael pyliau mynych o iselder cyn datblygu'r dementia. Bydd eraill yn profi iselder am y tro cyntaf. O gofio bod iselder yn gallu achosi i rywun beidio â bwyta ac yfed a fydd yn ei dro'n achosi colli pwysau, ymddygiad anesboniadwy a chryn dipyn o drallod, mae'n sicr yn werth chwilio am driniaeth. (Gweler yr ateb nesaf am ragor o wybodaeth.) Fodd bynnag, mae tystiolaeth yn awgrymu, yn anffodus, nad yw trin iselder mewn pobl sydd â dementia bob amser yn cael unrhyw effaith.

Mae gorbryder yn aml yn nodwedd amlwg yng nghyfnodau cynnar dementia ac mae fel rheol yn well delio â hynny drwy roi digon o gysur yn hytrach na therapi cyffuriau. Yn ddiweddarach, gall meddyginiaeth fod yn ddefnyddiol i bobl sy'n dioddef o anhwylder gorbryder tymor hir, a phan fydd cysuro'n anoddach.

Sut ydych chi'n trin rhywun sydd ag iselder a dementia?

M ae dwy brif ffordd o drin iselder, sef meddyginiaeth a 'therapïau siarad' (seicotherapi a therapi gwybyddol). Weithiau, mae rhan gan y ddwy ffordd mewn trin iselder mewn person sydd â dementia.

Fodd bynnag, nid yw therapïau siarad fel rheol yn bosibl gyda rhywun sydd â dementia dwys, oherwydd bod y person yn rhy ddryslyd ac yn methu canolbwyntio am ddigon o amser. Hefyd, mae'n anodd cael gafael ar y triniaethau hyn weithiau, a gallan nhw fod yn ddrud. Am y rhesymau hyn, mae llawer o feddygon yn dewis defnyddio meddyginiaeth i ddechrau.

Mae sawl math gwahanol o dabledi gwrthiselder ar gael. Efallai y byddai'n well osgoi rhai o'r gwrthiselyddion hŷn oherwydd maen nhw'n gallu achosi sgileffeithiau sy'n gwneud problemau cofio'n waeth. Nid oes sgileffeithiau fel hyn gan rai o'r gwrthiselyddion mwy newydd, fel y rhai sy'n perthyn i'r grŵp atalyddion ailafael serotonin-benodol (SSRI: *serotonin-specific reuptake inhibitors*), er enghraifft, *paroxetine* a *citalopram*.

Mae'n aml yn anodd bod yn siŵr a oes iselder ar rywun sydd â dementia fel clefyd Alzheimer. Felly, mae'n bosibl y bydd meddyg yn penderfynu rhagnodi cwrs o dabledi gwrthiselder i weld beth sy'n digwydd. Bydd yn rhaid cymryd y tabledi'n rheolaidd am o leiaf bythefnos cyn y ceir unrhyw effaith amlwg. Efallai y bydd arwyddion gwella yn gynnil iawn – llai o gynnwrf meddyliol, efallai, a gwell hwyliau. Mewn rhai achosion, ceir gwelliant o ran y cof hefyd. Fodd bynnag, mae'n bwysig peidio â bod yn rhy optimistaidd ynghylch unrhyw welliannau o ran cof. Nid yw'r dementia ei hun yn ymateb i driniaeth gyda chyffuriau gwrthiselder.

LLAWDRINIAETH

Rydym wedi cael gwybod bod clefyd Alzheimer ar fy ngŵr. A fyddai llawdriniaeth ar ei ymennydd yn helpu?

Ar hyn o bryd, nid oes llawdriniaeth a all helpu pobl sydd â chlefyd Alzheimer. I'r gwrthwyneb, gallai unrhyw fath o lawdriniaeth achosi mwy o ddryswch i berson sydd â chlefyd Alzheimer.

Mae'n bosibl y gallai llawdriniaeth i ddraenio hylif o'r ymennydd helpu un math prin o ddementia, a elwir yn 'hydroceffalws pwysedd normal' (trafodir hyn yn yr adran 'Mathau o ddementia' ym Mhennod 1). Mae'n anodd gwneud diagnosis o hydroceffalws pwysedd normal, ond mae'n hynod o annhebygol mai'r cyflwr hwn sydd ar eich gŵr yn hytrach na chlefyd Alzheimer. Hefyd, hyd yn oed os oes gan rywun hydroceffalws pwysedd normal, ni chynghorir rhoi llawdriniaeth ym mhob achos.

Yn ddiweddar, cafodd fy ngŵr ddiagnosis o glefyd Alzheimer, ac o'r diwedd mae hefyd wedi cael cynnig llawdriniaeth i osod clun newydd. A ddylai gael y llawdriniaeth neu a allai hynny wneud ei ddryswch yn waeth?

Dylai pobl sydd â dementia gael triniaeth briodol ar gyfer afiechydon corfforol, ac mae hyn weithiau'n cynnwys llawdriniaeth. Fodd bynnag, mae mynd i'r ysbyty yn gallu achosi llawer o ddryswch i rywun sydd â chlefyd Alzheimer ac mae defnyddio anaesthetig a chyffuriau lleddfu poen hefyd yn gallu gwneud dryswch yn waeth dros dro. Mae perygl hefyd y bydd y dryswch yn waeth yn barhaol ar ôl y llawdriniaeth. Bydd angen cydbwyso'r perygl hwn yn erbyn manteision posibl cael clun newydd.

Bydd manylion achos eich gŵr yn helpu i benderfynu a yw'n syniad da iddo gael llawdriniaeth i osod clun newydd; rhaid ystyried faint o boen sydd ganddo a pha mor ddifrifol yw ei ddementia. Efallai y byddai'n bosibl, er enghraifft, i'r llawfeddyg wneud y llawdriniaeth gan ddefnyddio anaesthetig ym madruddyn y cefn yn hytrach nag anaesthetig cyffredinol. Felly, y peth gorau i chi fyddai trafod y sefyllfa â'r staff orthopedig yn yr ysbyty, er mwyn iddyn nhw asesu'n drylwyr y risgiau a'r manteision.

TRINIAETHAU SEICOLEGOL

Beth yn union yw therapi hel atgofion? A yw therapi o'r fath yn ddefnyddiol i bobl sydd â dementia?

Mae therapi hel atgofion yn golygu ysgogi cofio digwyddiadau neu atgofion o'r gorffennol. Gwneir hyn drwy ddefnyddio cerddoriaeth, ffilmiau neu luniau (er enghraifft, ffilmiau o hen drenau neu ffotograffau o sêr cynnar y sinema) neu drwy ddarparu eitemau fel deunyddiau pecynnau bwyd neu ddillad o gyfnodau yn y gorffennol. Mae'n gallu gweithio oherwydd bod atgofion pobl o'r gorffennol pell yn aml yn well nag atgofion mwy diweddar. Fel rheol, gwneir therapi hel atgofion mewn grwpiau bach. Mae llyfr sy'n cynnwys syniadau ar gyfer gweithgareddau hel atgofion ar gael gan yr Alzheimer's Society (manylion cyswllt yn Atodiad 1).

Mae pobl sydd â dementia'n aml yn edrych fel petaen nhw'n mwynhau therapi hel atgofion, ond mae'n siŵr nad yw'n atal y cof rhag gwaethygu yn y tymor hir.

Allwch chi esbonio beth yw atgoffa o realaeth?

Gyda'r dechneg hon, mae gofalwyr pobl sydd â dementia yn achub ar bob cyfle i'w 'hatgoffa' o ran synnwyr lle ac amser. Er enghraifft, gallai aelod o'r staff mewn ysbyty neu gartref nyrsio atgoffa rhywun sydd â dementia ble mae ef neu hi a pha adeg o'r dydd yw hi bob tro maen nhw'n cyfarfod.

Fel rhan o'r dull hwn, bydd y staff yn cywiro rhywun sydd â dementia pan fydd yn gwneud camgymeriad. Mae llawer o bobl sydd â dementia'n digio pan fydd hyn yn digwydd.

Rwy'n gyfrifol am gartref nyrsio ac mae rhai o'r preswylwyr yn amharu ar y lleill drwy weiddi a sgrechian. Rwy'n ymwybodol o'r feirniadaeth ynghylch gorddefnyddio cyffuriau mewn cartrefi nyrsio. A alla i ddelio â'r broblem hon mewn ffyrdd eraill?

Weithiau, mae pobl sydd â dementia'n gweiddi neu'n sgrechian gan eu bod mewn poen neu anghysur oherwydd achosion amrywiol (fel y rhai a roddir fel achosion aflonyddwch yn yr adran 'Aflonyddwch a chynnwrf meddyliol' ym Mhennod 7). Pan nad yw hi'n bosibl dod o hyd i'r achos, gellir atal ymddygiad anodd weithiau heb ddefnyddio cyffuriau.

Os yw ddigwyddiad neu sefyllfa benodol wedi ysgogi'r ymddygiad, efallai y byddai'n bosibl gweithredu i osgoi hynny. Er enghraifft, os yw'r gweiddi'n digwydd pan fydd rhywun yn aros am bryd o fwyd, gallai gwneud yn siŵr ei fod yn cael ei fwyd gyntaf wella'r sefyllfa. Os nad oes ysgogiad amlwg, efallai y byddai'n help rhoi mwy o sylw i'r person sydd â'r dementia pan nad yw'n gweiddi a sgrechian yn hytrach nag ymateb iddo ar unwaith pan fydd yn dechrau gweiddi neu sgrechian. Effaith hyn yw annog ymddygiad mwy dymunol yn hytrach nag atgyfnerthu'r ymddygiad anodd. Gallai meddyg teulu eich cartref eich rhoi chi mewn cysylltiad â'r gwasanaeth seicoleg lleol a fydd yn rhoi cyngor i chi ynghylch sut i asesu'r broblem a'i hateb. Mae'r Alzheimer's Society yn cynnig hyfforddiant i staff cartrefi gofal i'w helpu i ddeall y profiad o fyw gyda dementia.

Mae ein hysbyty lleol yn codi arian ar gyfer Snoezelen. Beth yw hwn?

Mae nifer o ysbytai, cartrefi gofal a chanolfannau dydd wedi sefydlu Snoezelens. Ystafell arbennig a ddyluniwyd i ysgogi'r synhwyrau'n ysgafn a helpu pobl sydd wedi cynhyrfu i ymlacio yw Snoezelen. Mae ynddi fannau cyffordddus i eistedd, goleuadau symudol lliw a cherddoriaeth ymlaciol ac mewn rhai mae arogl hyfryd hefyd. Credir bod Snoezelens yn amgylchedd dymunol i rai pobl sydd â dementia.

THERAPÏAU CYFLENWOL

A allai therapi amgen neu gyflenwol helpu rhywun sydd â chlefyd Alzheimer?

Does dim rheswm pam na ddylai person sydd â chlefyd Alzheimer roi cynnig ar therapïau cyflenwol. Mae nifer ohonyn nhw ar gael, gan gynnwys homeopathi, osteopathi, aciwbigo, tylino'r corff, aromatherapi, Reiki ac iacháu ysbrydol. Yn anffodus, oherwydd natur y triniaethau hyn, nid ydyn nhw wedi'u 'profi'n wyddonol' ond ni ddylai hynny eich rhwystro rhag chwilio am gyngor neu roi cynnig arnyn nhw.

Rhybudd: os ydych yn penderfynu rhoi cynnig ar fath o therapi cyflenwol, mae hi bob amser yn ddoeth ymgynghori ag ymarferydd sydd wedi'i achredu gan gorff proffesiynol. Mae rhagor o wybodaeth ar gael gan y Sefydliad Meddygaeth Gyflenwol (manylion cyswllt yn Atodiad 1).

Mae hefyd yn bwysig iawn eich bod yn rhoi gwybod i feddyg y claf pa feddyginiaethau cyflenwol y mae'n eu cymryd, oherwydd gallan nhw weithiau achosi sgileffeithiau neu ryngweithio â meddyginiaethau eraill.

Beth yw Ginkgo biloba, ac a yw'n wir ei fod yn gallu helpu pobl sydd â dementia?

Caiff Ginkgo biloba ei echdynnu o'r goeden ginco ac mae wedi'i ddefnyddio ers canrifoedd i drin cyflyrau amrywiol. Mewn rhai gwledydd, fel yr Almaen, caiff ei ddefnyddio'n eang ar gyfer nifer o gyflyrau gwahanol.

Fodd bynnag, dangosodd astudiaeth a gyhoeddwyd yn 2008 nad yw Ginkgo biloba'n effeithiol o ran arafu datblygiad dementia na chlefyd Alzheimer.

Mae fy ngwraig wedi cael diagnosis o glefyd Alzheimer a hoffwn iddi weld iachäwr ysbrydol. Sut allwn ni wneud hyn?

Mae iachawyr ysbrydol, a elwir hefyd yn iachawyr cyswllt neu iachawyr drwy ffydd, yn gweld pobl ag amrywiaeth eang o afiechydon, gan gynnwys clefyd Alzheimer. Fel yn achos triniaethau cyflenwol eraill, byddai'n ddoeth i chi ymgynghori ag ymarferwr sy'n dilyn cod ymddygiad proffesiynol a nodir gan gorff cydnabyddedig. Mae sawl sefydliad o iachawyr ysbrydol yn y Deyrnas Unedig. Mae rhagor o wybodaeth ar gael gan y Institute for Complementary Medicine neu'r Healing Trust (y National Federation of Spiritual Healers cyn hyn – manylion yn Atodiad 1).

13 | Ymchwil

Mae llawer iawn o ymchwil ar y gweill ledled y byd i achosion dementia a ffyrdd o'i wella. Oherwydd bod pobl yn byw yn hirach a bod nifer y bobl sydd â dementia'n cynyddu, mae angen dybryd am ymchwil. Mae dementia'n afiechyd sy'n peri gofid mawr ac mae iddo effeithiau pellgyrhaeddol. Mae'r angen i ofalu am bobl sydd â dementia yn effeithio'n fawr ar unigolion sy'n rhoi'r gofal ac ar lywodraethau sy'n darparu'r adnoddau. Nid yw'r bennod hon yn cynnwys manylion am brosiectau ymchwil unigol oherwydd ni fydd y rhai llwyddiannus yn eu plith ar gael am sawl blwyddyn eto. Fodd bynnag, mae'n disgrifio'r prif feysydd ymchwil a sut allwch chi gyfrannu.

TROSOLWG O'R YMCHWIL

Beth yw'r prif feysydd ymchwil i ddementia ar hyn o bryd?

Mae'r prif feysydd ymchwil ar hyn o bryd yn cynnwys:

- ceisio dod o hyd i achos y mathau gwahanol o ddementia;

- sut mae clefyd Alzheimer yn achosi niwed i'r ymennydd;

- ceisio dod o hyd i brofion syml ac effeithiol i roi diagnosis o'r mathau gwahanol o ddementia;

- sut mae defnyddio cyffuriau yn gallu arafu datblygiad dementia;

- sut mae modd trin newidiadau mewn ymddygiad;

- sut i helpu gofalwyr;

- sut mae triniaethau heblaw am gyffuriau yn gallu gwella symptomau dementia.

Mae ymchwilwyr eisoes wedi dysgu cryn dipyn am y newidiadau sy'n digwydd yn ymennydd pobl sydd â mathau gwahanol o ddementia, ond rydym yn gwybod llawer llai ynghylch pam mae'r newidiadau hyn yn digwydd. Hyd nes y bydd ymchwilwyr yn gallu deall pam mae'r afiechydon hyn yn dechrau, nid oes llawer o obaith o ddarganfod gwellhad.

Mae rhai o'r darganfyddiadau mwyaf cyffrous yn yr ychydig flynyddoedd diwethaf yn cynnwys triniaethau cyffuriau a allai arafu datblygiad y clefyd. Mae nifer o gyffuriau o'r fath bellach ar gael (gweler yr adran 'Triniaethau cyffuriau' ym Mhennod 12), ac mae llawer rhagor o ymchwil ar y gweill i wella triniaethau dementia.

Ble ga i'r wybodaeth ddiweddaraf a chywir am ymchwil i glefyd Alzheimer a mathau eraill o ddementia?

Os oes gennych gyfrifiadur, mae'n debygol mai'r we yw'r ffynhonnell orau o'r wybodaeth ddiweddaraf am ddementia.

Bydd chwilio ar y rhyngrwyd gan ddefnyddio'r geiriau 'clefyd Alzheimer' neu 'Alzheimer's disease' yn dod â miloedd o wefannau i'r golwg ac mae'n siŵr y bydd nifer ohonyn nhw'n cynnwys gwybodaeth anghywir neu gamarweiniol. I sicrhau bod y wybodaeth a gewch o'r rhyngrwyd yn gywir ac yn safonol, ceisiwch bori drwy wefan safonol a sefydledig fel un yr Alzheimer's Society (alzheimers. org.uk); mae adran arbennig o'r wefan hon yn rhoi newyddion am ymchwil. Mae gwefan NICE, nice.org.uk, yn cynhyrchu canllawiau i weithwyr proffesiynol ym maes gofal iechyd ynghylch sut i reoli afiechydon.

Mae cymdeithasau Alzheimer mewn sawl gwlad yn cyhoeddi cylchlythyrau rheolaidd sy'n cynnwys erthyglau am destunau ymchwil. Mae'r Alzheimer's Society hefyd yn cynhyrchu taflenni gwybodaeth hawdd eu deall am ddatblygiadau newydd wrth iddyn nhw ddod i'r amlwg.

Mae papurau newydd, cylchgronau a rhaglenni radio a theledu'n aml yn rhoi sylw i ymchwil i glefyd Alzheimer a mathau eraill o ddementia. Fodd bynnag, mae'n bwysig cofio na fydd yr holl wybodaeth a roddir ganddyn nhw yn gywir, gan fod tuedd i'r wasg boblogaidd orliwio canfyddiadau ymchwil cynnar addawol. Yn aml iawn, gwelir bod yr honiadau wedi'u gorliwio neu wedi'u camddehongli.

O ble y daw'r arian ar gyfer ymchwil meddygol i glefydau fel clefyd Alzheimer?

Mae tair prif ffynhonnell cyllid ar gyfer ymchwil meddygol: y llywodraeth (gan ddefnyddio refeniw a ddaw o drethi), cwmnïau fferyllol ac elusennau.

Yn y Deyrnas Unedig, mae'r llywodraeth yn cyfrannu at gyllid i ymchwil meddygol mewn sawl ffordd. Mae'n cynnwys arian sydd wedi'i ddyrannu i'r Gwasanaeth Iechyd Gwladol, y Cyngor Ymchwil Meddygol, yr Adran Iechyd a hefyd y prifysgolion (drwy'r Adran Busnes, Arloesi a Sgiliau). Arian llywodraeth y Deyrnas Unedig sy'n ariannu'r rhan fwyaf o'r seilwaith tymor hir ar gyfer ymchwil meddygol (gan gynnwys ysbytai ac adrannau ymchwil mewn prifysgolion), yn ogystal â darparu arian ar gyfer prosiectau ymchwil meddygol penodol.

Gyda'i gilydd, y cwmnïau fferyllol sy'n cyfrannu'r gyfran fwyaf (dros 50 y cant) o'r holl gyllid ar gyfer ymchwil meddygol yn y Deyrnas Unedig. Mae datblygu cyffuriau newydd yn costio llawer iawn o arian, ond gallai'r elw o gyffur llwyddiannus i glefyd cyffredin fel clefyd Alzheimer fod yn enfawr. Mae cwmnïau fferyllol yn ariannu ymchwil yn eu labordai eu hunain ac yn aml yn cynnal treialon cyffuriau (trafodir yn ddiweddarach yn y bennod hon) sy'n cynnwys nifer o ymchwilwyr mewn canolfannau o amgylch y wlad.

Mae elusennau, fel yr Alzheimer's Society yn Lloegr, hefyd yn gwario symiau sylweddol o arian ar ymchwil bob blwyddyn. Caiff arian elusennol fel rheol ei wario ar ariannu prosiectau ymchwil penodol, sy'n cael eu dewis yn ofalus ar sail ansawdd ac effeithiolrwydd. Yn ddiweddar, mae'r Alzheimer's Society wedi ariannu ymchwil i wella diagnosis, ymchwil i fôn-gelloedd a ffurfiau eraill o drin dementia.

A oes cydweithredu rhyngwladol yn y maes ymchwilio i ddementia, fel sydd yn achos AIDS?

Mae prosiectau ymchwil penodol i ddementia yn tueddu i fod yn rhai lleol neu genedlaethol eu natur. Fodd bynnag, mae'r ymchwilwyr sy'n gweithio ar y prosiectau hyn yn perthyn i gymuned wyddonol ehangach. Mae gwyddonwyr o sawl gwlad yn aml yn dod ynghyd mewn cynadleddau rhyngwladol i rannu eu syniadau a chyflwyno canfyddiadau eu hymchwil. Mae'r Gymdeithas Seicogeriatrig Ryngwladol ac Alzheimer's Disease International yn grwpiau sy'n trefnu cynadleddau o'r fath. Mae ymchwilwyr hefyd yn darllen cyfnodolion meddygol a gyhoeddir mewn gwledydd eraill, ac yn cyfathrebu â chyd-weithwyr mewn gwledydd eraill dros y rhyngrwyd.

Er gwaethaf llawer o sylw yn y cyfryngau, mae'n debyg nad oes llawer o driniaethau newydd ar gyfer dementia yn dod i'r amlwg. Pam hynny?

Mae miloedd o wyddonwyr ledled y byd yn gweithio'n galed i ddod hyd i driniaethau gwell i ddementia. Pan fydd triniaethau addawol yn dod i'r amlwg, mae'r newyddion cyffrous yn cael llawer o gyhoeddusrwydd yn y cyfryngau. Fodd bynnag, yn aml iawn ni chlywir dim byd pellach am y 'darganfyddiadau' hyn, naill ai oherwydd nad ydyn nhw'n gweithio cystal ag y tybiwyd yn y lle cyntaf, neu oherwydd na chredir eu bod yn ddiogel. Hyd yn oed pan fydd ymchwil yn arwain at driniaeth newydd, fel y cyffur *donepezil* (Aricept) (gweler yr adran 'Triniaethau cyffuriau' ym Mhennod 12), bydd yn rhaid cael cyfnod ymchwil a threialu sy'n para am sawl blwyddyn cyn y bydd cwmni'n cael trwydded i gynhyrchu'r cyffur.

Pa brosesau y mae'n rhaid i gyffur fynd trwyddyn nhw cyn y bydd ar gael yn gyffredinol?

Cyn y bydd unrhyw gyffur ar gael yn gyffredinol, naill ai wedi'i ragnodi neu dros y cownter (heb bresgripsiwn), mae'n rhaid cynnal nifer helaeth o brofion i sicrhau ei fod yn gweithio a'i fod hefyd yn ddiogel. Cyfran fach iawn o'r cyffuriau sy'n cael eu datblygu a fydd ar gael i'r cyhoedd yn gyffredinol yn y pen draw.

Os credir y bydd cyffur yn ddefnyddiol, mae'n cael ei brofi'n gyntaf yn y laborfy cyn profi ei ddiogelwch ar bobl iach sy'n gwirfoddoli. Ar ôl hyn, efallai y rhoddir y cyffur i gleifion a ddewisir i gymryd rhan mewn treialon cyffuriau sy'n cael eu monitro'n ofalus. Os yw profi helaeth yn dangos bod y cyffur yn ddiogel ac yn ddefnyddiol, bydd yr Asiantaeth Feddyginiaethau Ewropeaidd a'r Asiantaeth Rheoleiddio Meddyginiaethau a Chynhyrchion Gofal Iechyd (MHRA: *Medicines and Healthcare Products Regulatory Agency*) yn ei gymeradwyo yn y Deyrnas Unedig. Gall yr holl broses gymryd sawl blwyddyn ar ôl i'r cyffur gael ei ddarganfod gyntaf.

Ar ôl cadarnhau diogelwch ac effeithiolrwydd cyffur, mae'n bosibl i gwmni fferyllol ei farchnata a chaiff meddygon ei ragnodi i gleifion nad oedd yn cymryd rhan yn y treialon cyffuriau.

HELPU GYDAG YMCHWIL

Mae fy ngŵr wedi clywed bod ganddo ddementia yn y cyfnod cynnar. Rwyf wedi trafod hyn ag ef ac rydym yn awyddus i helpu ymchwil sy'n chwilio am wellhad. Beth allwn ni ei wneud?

Os yw eich gŵr am gymryd rhan mewn astudiaeth ymchwil, bydd yn rhaid iddo fodloni nifer o feini prawf mynediad. Mae hyn fel rheol yn golygu:

- nad oes unrhyw amheuaeth ynghylch y diagnosis o ddementia

- nad yw'r dementia wedi cyrraedd cyfnod datblygedig

- bod y person fel arall yn eithaf iach yn feddygol.

Byddai'n werth siarad â meddyg eich gŵr yn y lle cyntaf. Efallai y bydd yn gallu eich rhoi mewn cysylltiad ag arbenigwr yn yr ysbyty lleol sydd o bosibl yn gwybod am astudiaethau sy'n digwydd yn eich ardal. Mae'r Rhwydwaith Ymchwil i Ddementia a Chlefydau Niwroddirywiol yn helpu gwyddonwyr i ddod o hyd i bobl i gymryd rhan mewn ymchwil. Mae rhagor o wybodaeth ar gael gan y UK Clinical Research Collaboration a thudalen ar y wefan yn cyfeirio'n benodol at Gymru (cyfeiriad y wefan yn Atodiad 1). Mae'n bosibl hefyd y bydd gan Alzheimer's Society Cymru neu Alzheimer Scotland (manylion cyswllt yn Atodiad 1) wybodaeth am dreialon lleol.

Cyn helpu gydag unrhyw ymchwil, dylech chi a'ch gŵr ystyried y pwyntiau canlynol:

- Beth mae'r ymchwil yn ceisio'i ddarganfod?

- A yw'n gallu helpu eich gŵr yn uniongyrchol, neu a fydd yn helpu pobl eraill yn ddiweddarach?

- Pa fath o ymrwymiad fyddai ei angen o ran amser? (Yn aml, mae'n rhaid ymweld â chlinigau nifer o weithiau, er enghraifft.)

- Pa brofion fydd eich gŵr (a chithau) yn eu cael?

- A oes siawns mai cael plasebo yn unig y bydd eich gŵr? (Gweler yr adran ar 'Treialon Cyffuriau', nesaf.)

- Beth sy'n digwydd pan fydd y treial yn dod i ben? (Er enghraifft, os yw'r cyffur yn gwneud lles i'ch gŵr, a fydd ef yn gallu parhau i'w gymryd?)

Mae'r holl ymchwil meddygol yn y Deyrnas Unedig yn cael ei reoleiddio'n fanwl iawn a dylai'r bobl sy'n gwneud yr astudiaeth fod yn fodlon trafod y pwyntiau hyn â chi a'ch gŵr. Hyd yn oed os byddwch chi'n ymrwymo i gymryd rhan mewn astudiaeth ymchwil, byddwch yn cael gadael y treial ar unrhyw adeg heb orfod rhoi rheswm.

Mae fy ngwraig wedi cael cais i gymryd rhan mewn astudiaeth sy'n golygu cael sgan ar yr ymennydd. Mae hi'n ddryslyd iawn erbyn hyn, ac nid yw'n deall mewn gwirionedd beth yw'r gofynion. Rwy'n meddwl bod ymchwil yn beth da. A ddylwn i roi caniatâd ar ran fy ngwraig?

Mae'n bosibl gwneud ymchwil ar bobl sy'n methu rhoi caniatâd gwybodus, cyn belled â bod camau diogelu priodol yn cael eu cyflawni. Yng Nghymru a Lloegr, mae Deddf Galluedd Meddyliol 2005 yn egluro beth ddylid ei wneud ac yn yr Alban, mae Deddf Oedolion ag Analluedd Meddyliol 2000 yn gwneud yr un peth. Dylai'r ymchwilydd roi gwybodaeth i chi am y prosiect ymchwil. Dylai hefyd ofyn i chi a ydych chi'n meddwl y dylai eich gwraig gymryd rhan yn y prosiect a beth fyddai safbwynt eich gwraig ynghylch y prosiect pan oedd hi'n iach. Pan fyddwch yn trafod hyn â'r ymchwilydd, dylech wirio bod yr astudiaeth wedi'i chymeradwyo gan bwyllgor moeseg.

TREIALON CYFFURIAU

Beth sy'n digwydd os ydym yn cytuno y bydd fy ngŵr yn helpu mewn treial cyffuriau?

Mae'r treialon cyffuriau fel rheol yn cael eu cynnal ar sawl safle ledled y wlad, felly ni ddylai fod angen teithio'n bell iawn i gymryd rhan ynddyn nhw. Fel arfer, byddai'n rhaid i chi a'ch gŵr fynd i weld meddyg neu ymchwilydd arall sy'n gysylltiedig â'r treial. Byddwch yn cael cyfweliad a bydd gofyn i chi lenwi holiadur. Mae'n debygol y bydd eich gŵr wedyn yn cael archwiliad corfforol trwyadl, prawf cof, profion gwaed ac efallai brawf sy'n edrych ar weithrediad y galon.

Os bydd yr ymchwilwyr yn meddwl bod eich gŵr yn gymwys i'r treial, bydd yn cael cyflenwad o dabledi – naill ai plasebo (sylwedd anweithredol, siwgr syml fel rheol) neu'r feddyginiaeth newydd. Ni fyddwch chi, na'ch gŵr na'r ymchwilwyr yn gwybod pa dabledi y mae'n eu cael. Byddwch yn cael cyfarwyddiadau ynghylch faint o dabledi y mae angen i'ch gŵr eu cymryd a pha mor aml. Mae'n bwysig eich bod yn dilyn y cyfarwyddiadau hyn.

Wedyn, bydd angen i chi a'ch gŵr weld yr ymchwilydd yn rheolaidd, am gyfnod o 16 wythnos o leiaf, fel rheol, i gadw golwg ar gyflwr eich gŵr. Mae'n debyg y bydd angen i'ch gŵr gael rhagor o brofion gwaed a phrofion cof bob tro y byddwch yn gweld yr ymchwilydd. Hefyd, efallai y byddan nhw'n gofyn eich barn chi am gyflwr eich gŵr.

Mae fy ngŵr yn cymryd rhan mewn astudiaeth sy'n profi triniaeth newydd i glefyd Alzheimer. Ond nid wyf yn gwybod ai'r cyffur go iawn ynteu'r plasebo y mae'n ei gael. Pam?

Mae eich gŵr yn rhan o dreial a reolir gan blasebo. Mewn treialon o'r fath, mae rhai o'r bobl sy'n cymryd rhan yn cael y cyffur gweithredol, ac eraill yn cael plasebo (sylwedd anweithredol, siwgr syml fel rheol) sy'n edrych yn union yr un fath. Ni ddywedir wrth y rhai sy'n cymryd rhan pa un y maen nhw'n ei gael, oherwydd gallai rhoi'r wybodaeth hon effeithio ar ganlyniadau'r treial.

Bydd y treial hefyd yn un dwbl-ddall, sy'n golygu na fydd yr ymchwilwyr ychwaith yn gwybod p'un yw p'un, oherwydd gallai'r wybodaeth hon effeithio ar y modd y maen nhw'n trin y rhai sy'n cymryd rhan; gallai hynny, wrth gwrs, effeithio ar ganlyniadau'r treial.

Rhoddir plasebo i rai pobl wrth dreialu meddyginiaeth newydd oherwydd gall cymryd rhan yn y treial ynddo'i hun arwain at gredu ar gam mai'r cyffur sydd wedi achosi'r gwelliant hwn.

Cafodd fy ngŵr gyffur newydd fel rhan o dreial clinigol, ac roedd i'w weld yn gwneud yn dda. Mae'r treial wedi dod i ben erbyn hyn, felly a fydd hi'n bosibl iddo barhau i gymryd y cyffur?

I raddau helaeth, mae'r ateb yn dibynnu ar y cwmni neu'r sefydliad sy'n gwneud y treial. Mewn rhai achosion, bydd cleifion sydd wedi gwneud yn dda gyda chyffur penodol yn gallu parhau i'w gymryd ar ôl i'r treial ddod i ben. Mewn achosion eraill, ni fydd hynny'n bosibl, o leiaf am y tro.

Os yw'r treial y bu eich gŵr yn rhan ohono yn profi'n llwyddiannus, bydd meddyg eich gŵr, wrth gwrs, yn gallu rhagnodi'r cyffur iddo pan fydd ar gael yn gyffredinol.

MEYSYDD YMCHWIL ERAILL

Beth mae ymchwil geneteg yn gallu ei ddweud wrthym am ddatblygiad clefyd Alzheimer a sut fyddai modd rhoi'r wybodaeth hon ar waith?

Mae ymchwil geneteg eisoes wedi adnabod sawl genyn sy'n chwarae rhan yn natblygiad clefyd Alzheimer (trafodir hyn yn yr adran 'Achosion clefyd Alzheimer' ym Mhennod 2).

Wrth i Brosiect y Genom Dynol ddod i'w derfyn, mae'n debygol iawn y bydd yn dod o hyd i ragor o enynnau sy'n chwarae rhan yn natblygiad clefyd Alzheimer. Mae hefyd yn bosibl y bydd rhagor o ymchwil yn gallu darganfod sut yn union mae genynnau annormal yn achosi'r clefyd neu'n helpu iddo ddatblygu.

Un o'r camau ymarferol cyntaf sy'n deillio o ymchwil geneteg i achosion clefyd Alzheimer yw datblygiad prawf (gweler yr adran 'Profion Genetig' ym Mhennod 3) ar gyfer ffurfiau prin iawn o glefyd Alzheimer sy'n cael eu trosglwyddo gan un genyn. Ni wyddom ar hyn o bryd pa mor ddefnyddiol fyddai datblygu profion geneteg ar gyfer ffurfiau eraill o glefyd Alzheimer, yn enwedig gan nad oes gwellhad i'r clefyd.

Mae'n bosibl y gall profion geneteg yn y dyfodol benderfynu pwy fydd yn cael y budd mwyaf o gyffuriau a ddatblygwyd i drin clefyd Alzheimer neu nodi mathau o glefyd Alzheimer sydd angen triniaeth benodol.

Mewn egwyddor, rywbryd yn y dyfodol, gallai fod yn bosibl disodli neu atgyweirio genynnau sydd wedi'u niweidio, gan gynnwys y rhai y credir eu bod yn cyfrannu at ddatblygiad clefyd Alzheimer. Fodd bynnag, megis dechrau y mae ymchwil o'r math hwn, ac ni ellir disgwyl canlyniadau ymarferol am flynyddoedd lawer eto.

A oes unrhyw ymchwil wedi'i gynnal i driniaethau anfeddygol ar gyfer dementia?

Mae rhywfaint o ymchwil wedi'i gynnal i wahanol driniaethau anfeddygol ar gyfer dementia. Er enghraifft, mae ymchwilwyr wedi edrych ar ddefnyddio goleuadau llachar a cherddoriaeth i dawelu pobl sydd ag ymddygiad cynhyrfus, defnyddio meysydd magnetig cryf i geisio gwella'r cof, ac effeithiau ymarfer y corff a'r meddwl ar yr ymennydd. Mae rhai o'r canfyddiadau cynnar yn edrych yn addawol, ond mae angen rhagor o ymchwil.

A oes unrhyw ymchwil i ffyrdd o helpu gofalwyr i ymdopi â gofalu am rywun sydd â dementia?

Cynhaliwyd llawer iawn o ymchwil i sut mae gofalu am rywun sydd â dementia yn effeithio ar y gofalwr a sut y gellir lleihau'r straen sydd arno. Mae ymchwil wedi darganfod bod gofalwyr, ar y cyfan, yn gwneud gwaith rhagorol er nad ydyn nhw wedi cael hyfforddiant ffurfiol, ond bod straen yn aml yn broblem fawr.

Mae gofalu am rywun sydd â dementia fel rheol yn arwain at

newid mawr ym mywyd y gofalwr. Er gwaethaf hyn, mae llawer o ofalwyr yn tueddu i beidio â manteisio'n llawn ar y cymorth ymarferol ac emosiynol sydd ar gael iddyn nhw gan aelodau eraill o'r teulu, gan y Gwasanaethau Cymdeithasol a grwpiau cymorth i ofalwyr. Mae ymchwilwyr wedi canfod bod cymorth ymarferol yn y cartref, gofal dydd a gofal seibiant yn lleihau'r straen i ofalwyr yn sylweddol trwy ganiatáu iddyn nhw gael amser iddyn nhw eu hunain. (Gweler Pennod 9 am ragor o wybodaeth ynghylch cael cymorth a chefnogaeth.)

Dangoswyd bod gofynion gofalu am rywun sydd â dementia yn arwain at risg gynyddol o broblemau corfforol ac iselder mewn rhai gofalwyr. I ryw raddau, gellir lleihau'r problemau hyn drwy gael cymorth aelodau eraill o'r teulu, dysgu sut i ddehongli ac ymdopi ag ymddygiad trafferthus, a chael cefnogaeth dda a gwybodaeth ddefnyddiol gan feddygon, nyrsys a gweithwyr proffesiynol eraill.

Geirfa

Mae'r termau mewn print italig yn y diffiniadau hyn hefyd yn ymddangos yn yr Eirfa.

affasia cynradd ymgynyddol mae'n bosibl i bobl golli eu lleferydd yn llwyr gydag amser os yw'r cyflwr hwn arnyn nhw

AIDS byrfodd am Syndrom Diffyg Imiwnedd Caffaeledig (*Acquired Immunodeficiency Syndrome*)

amlddisgyblaethol yn cyfeirio at dîm o weithwyr proffesiynol ag arbenigedd gwahanol; fel rheol yn cynnwys meddygon, nyrsys, seicolegwyr, gweithwyr cymdeithasol a therapyddion galwedigaethol

amyloid protein yn ymennydd pobl sydd â chlefyd Alzheimer. Mae'n aros yn yr ymennydd mewn clympiau microsgopig, sef placiau. Nid oes neb yn gwybod beth yw ei swyddogaeth, ac mae'n bosibl ei fod yn achosi i weithrediad yr ymennydd ddirywio

analluedd meddyliol methu bod yn gyfrifol am faterion ariannol a materion eraill oherwydd anhwylder meddwl

anymataliaeth (gwlychu a baeddu) pasio wrin neu ysgarthion yn anwirfoddol neu'n amhriodol. Mae cymorth ar gael gan gynghorwyr ymataliaeth

Aricept enw brand am donepezil, *cyffur dementia*

Arolygiaeth Gofal Cymru y sefydliad sy'n gyfrifol am reoleiddio ac arolygu cartrefi gofal ac ysbytai

asesiad gofal yn y gymuned y broses a ddefnyddir gan y Gwasanaethau Cymdeithasol a gweithwyr iechyd proffesiynol i asesu'r gwasanaethau y dylid eu darparu i berson dan ddarpariaeth gofal yn y gymuned leol

asesiad o anghenion enw arall am *asesiad gofal yn y gymuned*

asetylcolin un o grŵp o gemegion a elwir yn *niwrodrosglwyddyddion*. Mae asetylcolin i'w gael drwy'r ymennydd ac mae'n galluogi nerfgelloedd i gyfathrebu â'i gilydd. Mewn clefyd Alzheimer, mae lefelau asetylcolin yn is na'r arfer

asiant awdurdodedig yr un sydd wedi'i awdurdodi gan yr Adran Gwaith a Phensiynau i gasglu pensiwn y wladwriaeth ar ran person sydd â dementia

atalydd colinesteras enw arall am *gyffur gwrthgolinesteras*

atgoffa o realaeth triniaeth seicolegol lle cymerir pob cyfle i wneud i bobl sydd â dementia fod yn ymwybodol o'r amser, ble maen nhw a'r byd o'u hamgylch

Atwrneiaeth Arhosol (LPA: *Lasting Power of Attorney***)** dogfen gyfreithiol sy'n nodi bod un person wedi rhoi awdurdod i berson arall neu i bersonau eraill ddelio â'i faterion/materion ariannol. Wrth wneud hynny, mae'n rhaid i'r person sy'n rhoi'r awdurdod fod â'r galluedd meddyliol i ddeall yr hyn y mae'n ei wneud. Gweler hefyd *Atwrneiaeth Barhaus*

Atwrneiaeth Barhaus (EPA: *Enduring Power of Attorney***)** dogfen gyfreithiol sy'n nodi bod un person wedi rhoi awdurdod i berson arall ddelio â'i faterion/materion ariannol. Ers mis Hydref 2007, nid yw wedi bod yn bosibl llunio EPA, gan fod Atwrneiaeth Arhosol wedi'i disodli. Fodd bynnag, mae EPA sy'n bodoli eisoes yn dal i fod yn ddilys

canolfan ddydd cyfleuster sy'n cael ei gynnal gan Awdurdod Iechyd, y Gwasanaethau Cymdeithasol neu sefydliad gwirfoddol i ddarparu gofal dydd i bobl sy'n methu gofalu amdanynt eu hunain. Mae pobl yn mynychu'r ganolfan yn ystod y dydd ac yn dychwelyd adref gyda'r nos

cartref gofal enw am gartrefi nyrsio (neu 'gartrefi gofal nyrsio') a chartrefi preswyl (neu 'gartrefi gofal' yn unig). Mae dementia ar dri chwarter y bobl y maen nhw'n gofalu amdanyn nhw ar hyn o bryd

cartref nyrsio *cartref gofal* y mae'n rhaid iddo, yn ôl y gyfraith, gyflogi nyrsys cymwysedig a darparu gofal nyrsio 24 awr. (Gelwir hefyd yn 'gartref gofal nyrsio'.)

cartref preswyl yr enw cyffredin am *gartref gofal,* sy'n cynnig llety i bobl sydd bellach yn methu ymdopi â thasgau pob dydd na chynnal cartref annibynnol eu hunain. Yn gyffredinol, mae cartrefi preswyl yn derbyn pobl sydd angen llai o ofal na'r hyn a ddarperir mewn cartref nyrsio

carthydd meddyginiaeth sy'n trin rhwymedd naill ai drwy ddarparu mwy o ffibr neu drwy ysgogi'r perfedd

clefyd Alzheimer y math mwyaf cyffredin o *ddementia*. Fel rheol, mae'n dechrau ar ôl i rywun gyrraedd 65 oed, ac yn achosi dirywiad graddol a chynyddol yn y cof a gweithrediadau eraill yr ymennydd

clefyd Creutzfeldt–Jakob (CJD) math prin iawn o ddementia a achosir gan asiant heintus o'r enw prion. Yn ogystal â cholli'r cof, mae CJD fel rheol yn achosi cyhyrau herciog, dallineb a phroblemau cerdded. Mae'r sawl sydd â'r clefyd hwn yn marw cyn pen tua blwyddyn ar ôl iddo ddod i'r amlwg

clefyd Huntington fe'i gelwir weithiau hefyd yn corea Huntington. Mae'n achosi dirywiad meddyliol a'r claf yn methu rheoli plycio na chyfangiadau cyhyrol

clefyd Parkinson clefyd cronig (tymor hir) ar y system nerfol; mae arafwch o ran symudiadau, cryndod ac wyneb difynegiant yn nodweddiadol o'r clefyd hwn. Mae rhai pobl sydd â chlefyd Parkinson hefyd yn datblygu dementia

clefyd Pick dementia prin sy'n aml yn effeithio ar bobl iau na'r rhai sydd fel rheol yn datblygu clefyd Alzheimer. Mae'n effeithio ar iaith a phersonoliaeth cyn y bydd unrhyw newid sylweddol i'r cof

cof cadw gwybodaeth yn y meddwl y gellir ei hadalw yn ddiweddarach

colinergig yn cyfeirio at *asetylcolin*. Er enghraifft, cell yn yr ymennydd sy'n cynnwys y cemegyn asetylcolin yw *niwron* colinergig

colli cyfeiriad cyflwr lle mae rhywun yn colli ei ymwybyddiaeth o amser a lle. Er enghraifft, efallai y bydd yn methu cofio'r dyddiad na hyd yn oed y flwyddyn, neu efallai na fydd yn gallu dweud ble mae ef neu hi

cortecs cerebrol haenau allanol yr ymennydd, sy'n cyfrannu at feddwl, cof a dehongli canfyddiad neu'r synhwyrau

cromosomau ffurfiadau microsgopig, tebyg i edau, sy'n bresennol ym mhob cell. Casgliadau o *enynnau*, sy'n cynnwys y wybodaeth enetig a drosglwyddir o genhedlaeth i genhedlaeth

cwnsela geneteg profion a chymorth emosiynol i bobl sydd mewn perygl o etifeddu clefyd penodol ynghylch perygl a chanlyniadau datblygu'r clefyd

cyffuriau dementia term am gyffuriau a ddefnyddir i drin dementia. Maen nhw'n cynnwys *cyffuriau gwrthgolinesteras*, a chyffuriau eraill, fel memantine (Ebixa), sy'n gweithio mewn ffordd wahanol. Mae'n bosibl i'r cyffuriau hyn arafu datblygiad dementia mewn rhai pobl

cyffuriau gwrthgolinergig term am gyffuriau sy'n gwrthdroi neu'n llesteirio gweithrediad *asetylcolin* ar nerfgelloedd

cyffuriau gwrthgolinesteras fe'u gelwir hefyd yn atalyddion colinesteras. Mae'r cyffuriau hyn yn arafu datblygiad clefyd Alzheimer mewn rhai pobl. Mae enghreifftiau'n cynnwys *donepezil* (Aricept) a *galantamine* (Reminyl)

cyffuriau gwrthseicotig *tawelyddion* amrywiol; fe'u gelwir hefyd yn gyffuriau niwroleptig, sy'n helpu i leihau symptomau ymddygiad ymosodol. Gellir eu defnyddio hefyd i drin *rhithiau*. Mae enghreifftiau yn cynnwys risperidone, olanzapine a quetiapine. Mae gan y cyffuriau hyn sgileffeithiau, a dylid bod yn ofalus pan fyddan nhw'n cael eu defnyddio mewn pobl sydd â dementia

cyffuriau niwroleptig enw arall am *gyffuriau gwrthseicotig*

cynorthwyydd gofal cartref gweithiwr a delir i roi cymorth ymarferol i rywun yn ei gartref ei hun, er enghraifft cymorth gyda siopa a glanhau ac i godi yn y bore

dadatal colli'r teimladau o gywilydd neu embaras sydd fel rheol yn helpu i reoli gweithredoedd pobl. Mae dadatal yn arwain at ymddygiad amhriodol neu annerbyniol

Deddf Galluedd Meddyliol 2005 Deddf Seneddol sy'n darparu mesurau diogelu i bobl sydd heb 'alluedd meddyliol' (h.y. nid ydyn nhw'n gallu penderfynu pethau drostynt eu hunain)

Deddf Iechyd Meddwl 1983 Deddf Seneddol sy'n rheoli triniaeth a gofal unigolion sydd wedi'u heffeithio gan salwch meddwl. Mae adran o'r Ddeddf yn caniatáu cadw person dan orfodaeth mewn ysbyty a'i drin yno. Mae Deddfau gwahanol ar waith yn yr Alban a Gogledd Iwerddon

dementia term a ddefnyddir i ddisgrifio nam ar weithrediad yr ymennydd, sy'n cynnwys y cof, y meddwl a'r gallu i ganolbwyntio. Mae dementia fel rheol yn gwaethygu wrth ddatblygu, gan ei gwneud yn amhosibl yn y pen draw i rywun ymdopi â bywyd heb gymorth. Mae yna sawl math o ddementia, gan gynnwys *clefyd Alzheimer, dementia fasgwlar, dementia gyda chyrff Lewy* a *chlefyd Pick*

dementia amlgnawdnychol (*multi-infarct*) enw arall am *ddementia fasgwlar*

dementia fasgwlar math o ddementia sy'n gysylltiedig â phroblemau sy'n effeithio ar gylchrediad y gwaed i'r ymennydd; mae'n aml yn ganlyniad i gyfres o *strociau* bach

dementia gyda chyrff Lewy math o ddementia lle mae casgliadau annormal o brotein, a elwir yn gyrff Lewy, yn datblygu yn yr ymennydd. Mae pobl sydd â dementia gyda chyrff Lewy fel rheol yn dangos mwy o amrywiad yn eu galluoedd meddyliol o ddydd i ddydd na'r hyn sy'n arferol gyda mathau eraill o ddementia

dementia llabed flaen dementia lle mae proses y clefyd yn effeithio'n bennaf ar labedau blaen yr ymennydd. Nid yw'r math hwn o ddementia'n effeithio cymaint ar gof, ond mae'n bosibl y bydd problemau sylweddol o ran colli cymhelliant a *dadatal*

dementia semantig nid yw'r person yn gallu canfod y gair cywir, neu mae'n colli dealltwriaeth o eiriau a oedd yn arfer bod yn gyfarwydd iddo neu iddi

derbynnydd (*receiver*) rhywun sy'n cael ei benodi i gymryd cyfrifoldeb dros ddelio â materion ariannol person sydd â dementia pan nad yw hwnnw neu honno bellach yn gallu gwneud hynny ei hun. Mae'n bosibl i'r derbynnydd fod yn berthynas agos, cyfaill, rhywun o'r awdurdod lleol neu gyfreithiwr

diagnosis y broses o ganfod ac enwi clefyd ar sail symptomau ac arwyddion person. Weithiau, mae siarad â meddyg a chael archwiliad corfforol yn ddigon i wneud diagnosis. Mewn achosion eraill, mae'n bosibl y bydd angen cynnal ymchwiliadau arbennig hefyd

diffyg hylif cyflwr lle nad oes digon o ddŵr yn y corff. Mae'n digwydd pan nad yw'r hylif a gymerir gan berson yn cydbwyso'r hylif a gollir drwy chwysu, chwydu neu ddioddef dolur rhydd

donepezil enw generig Aricept, *cyffur dementia*

dryswch cyflwr lle mae problemau gyda'r cof a'r gallu i ganolbwyntio yn amharu ar weithrediad y meddwl

eiriolwr annibynnol o ran galluedd meddyliol (IMCA: *independent mental capacity advocate*) person a benodir i eiriol dros rywun sydd heb alluedd a heb gyfaill agos neu berthynas i wneud hynny drosto. Mae rhwymedigaeth gyfreithiol ar bobl sy'n gwneud penderfyniadau er lles rhywun i ymgynghori â chyfeillion a/neu berthnasau wrth wneud y penderfyniadau hynny. Caiff eiriolwyr annibynnol o ran galluedd meddyliol eu penodi pan nad oes neb o'r fath ar gael i ymgynghori â nhw

Exelon yr enw brand am rivastigmine, *cyffur dementia*

fitaminau cyfansoddion cemegol hanfodol i iechyd sydd mewn llawer o fwydydd. Mae diffyg fitaminau yn achos prin iawn o ddementia

ffisiotherapydd person sydd wedi'i hyfforddi i roi a chynghori ynghylch triniaethau corfforol i broblemau gyda'r cymalau a'r cyhyrau

galantamine enw generig Reminyl, math o gyffur dementia

generig mae cyffur generig yn gyffur sy'n cael ei werthu dan ei enw meddygol swyddogol (ei enw generig, e.e. galantamine) yn hytrach na than yr enw brand dan batent (e.e. Reminyl)

genynnau deunydd a geir o fewn y cromosomau. Genynnau sy'n cludo glasbrint y corff: gwybodaeth sy'n pennu cyfansoddiad ein cyrff, gan gynnwys lliw ein llygaid a'n croen, ein taldra, ein rhyw a nifer o fanylion eraill. Mae gan rai genynnau ddiffygion, neu fwtaniadau, sy'n achosi clefydau

geriatregydd meddyg sy'n arbenigo mewn trin afiechydon corfforol mewn pobl hŷn

gofal cartref darpariaeth gweithwyr gofal i helpu i ofalu am bobl yn eu cartrefi eu hunain a drefnir fel rheol gan y Gwasanaethau Cymdeithasol. Mae'r *cynorthwywyr gofal cartref* hyn yn gyffredinol yn darparu gofal personol, fel helpu gydag ymolchi a gwisgo, paratoi prydau bwyd a gweithgareddau eraill bywyd pob dydd

gofal dydd gofal sy'n cael ei ddarparu yn ystod y dydd mewn canolfan ddydd. Mae gofal dydd i bobl sydd â dementia'n gallu cynnwys cymorth ymarferol, fel help i gael bath, trin traed ac ati, yn ogystal â gweithgareddau fel *therapi hel atgofion* ac ymarfer corff

gofal parhaus gofal hirdymor y mae'r GIG yn ei ddarparu neu'n talu amdano. Erbyn hyn, mae gofal parhaus yn achos pobl sydd â dementia yn fwy tebygol o fod ar ffurf gofal mewn *cartrefi gofal*; bydd y person yn talu am y gofal yn bersonol neu bydd y Gwasanaethau Cymdeithasol yn talu amdano

gofal seibiant cyfleuster neu adnodd sy'n galluogi gofalwyr i gael egwyl. Mae'n bosibl i *gartref preswyl* neu *gartref nyrsio* ddarparu gofal seibiant, neu gellir ei ddarparu yng nghartref y person ei hun neu gyda theulu arall

gofal yn y gymuned term sy'n cynnwys yr holl wasanaethau iechyd a gofal cymdeithasol a gyflenwir i bobl yn y gymuned, fel rheol yn eu cartrefi eu hunain

gofalwr yn yr ystyr ehangaf, mae gofalwr yn darparu cymorth a chefnogaeth i rywun, perthynas neu gyfaill fel rheol. Yn fwy penodol, mae gofalwr yn gofalu am rywun sydd angen cymorth i fyw o ddydd i ddydd ac na fyddai fel arall yn gallu byw'n annibynnol yn y cartref. Yn aml, gelwir y person sy'n gofalu am berthynas, cyfaill neu gymydog yn 'ofalwr teuluol'; gelwir gofalwr cyflogedig fel rheol yn 'weithiwr gofal'.

grŵp cymorth grŵp, a elwir hefyd yn grŵp hunangymorth, sy'n ceisio cefnogi eu cyd-aelodau. Mae grŵp cymorth yn rhoi cyfle i ofalwyr rannu eu teimladau, eu problemau a gwybodaeth â phobl eraill sy'n mynd trwy brofiadau tebyg

Gwasanaeth Cyngor a Chyswllt Cleifion (PALS: *Patient Advice and Liaison Service*) gwasanaeth sy'n dwyn cwynion gerbron yr ysbyty lleol neu'r meddyg teulu ar ran cleifion. Mae PALS hefyd yn gyswllt rhwng cleifion a darparwyr gofal iechyd

Gwasanaethau Cymdeithasol adran llywodraeth leol (awdurdod lleol) sy'n gyfrifol am les a gofal anfeddygol pobl sydd mewn angen. Mae adrannau Gwasanaethau Cymdeithasol yn trefnu *asesiadau gofal yn y gymuned* i bobl sydd â dementia ac yn darparu gwasanaethau dan ddarpariaethau *gofal yn y gymuned*

Gwasanaethau Iechyd Cymunedol neu Ymddiriedolaethau Iechyd Cymunedol rhannau o'r GIG, sy'n darparu gofal iechyd yng nghartrefi pobl neu mewn clinigau lleol a chanolfannau iechyd

gweithiwr cymdeithasol gweithiwr proffesiynol sy'n gallu cynnig cyngor ar faterion ymarferol mewn cysylltiad â materion ariannol, gofal dydd a llety. Bydd gweithiwr cymdeithasol yn edrych ar broblemau yng nghyd-destun y teulu a'r gymuned. Mae rhai'n arbenigo mewn salwch meddwl

HIV byrfodd am firws diffyg imiwnedd dynol (*human immunodeficiency virus*)

homeopathi math o feddygaeth gyflenwol yn seiliedig ar yr egwyddor fod 'tebyg yn gwella tebyg'. Bydd homeopath yn rhagnodi dos gwan o sylweddau i'r claf, sef sylweddau a fyddai, ar eu cryfaf, yn achosi'r un symptomau â'r salwch sy'n cael ei drin

hylif cerebrosbinol yr hylif sy'n amgylchynu'r ymennydd a madruddyn y cefn

iselder salwch lle mae teimlo'n isel ac yn ddagreuol a cholli mwynhad yn symptomau amlwg iawn. Mae iselder yn gallu effeithio ar gwsg, chwant bwyd, cymhelliant a'r gallu i ganolbwyntio. Mae modd ei drin

llabedau blaen rhannau o'r cortecs cerebrol sydd ar ran flaen yr ymennydd. Dyma'r rhan o'r ymennydd sy'n rheoli symudiad y corff. Mae hefyd yn cyfrannu at 'weithrediadau uwch', fel cynllunio, datrys problemau a mentro

meddyg ymgynghorol meddyg sydd fel rheol yn gweithio o ysbyty ac sy'n meddu ar wybodaeth arbenigol mewn maes penodol o feddygaeth. Mae meddygon ymgynghorol sy'n gofalu am bobl sydd â dementia'n cynnwys geriatregwyr, niwrolegwyr a seiciatryddion

memantine *cyffur dementia* (enw brand: Ebixa) sy'n gweithio drwy newid cemegion, a elwir yn dderbynyddion NMDA, yn yr ymennydd. Mae'n gallu arafu datblygiad dementia mewn rhai pobl sydd â chlefyd Alzheimer cymedrol i ddwys

niwrodrosglwyddyddion grŵp o gemegion yn yr ymennydd sy'n galluogi nerfgelloedd i gyfathrebu â'i gilydd. Mae grwpiau o nerfgelloedd cyfagos yn tueddu i ddefnyddio'r un niwrodrosglwyddydd. Mae enghreifftiau'n cynnwys *asetylcolin,* serotonin a dopamine

niwrolegydd meddyg sy'n arbenigo mewn gwneud diagnosis, trin a rheoli clefydau'r system nerfol

niwron nerfgell

nyrs iechyd meddwl gymunedol nyrs sy'n gweithio yn y gymuned ac sydd wedi'i hyfforddi'n arbennig i ofalu am anghenion seicolegol pobl sy'n byw yn eu cartrefi (nyrs seiciatrig gymunedol gynt)

penodeiaeth (*appointeeship***)** trefniant ffurfiol a wneir drwy'r Adran Gwaith a Phensiynau i rywun, gweithiwr cymdeithasol fel rheol, reoli budd-daliadau'r wladwriaeth ar ran person heb y galluedd i reoli ei faterion ariannol, fel yn achos pobl sydd â dementia

plasebo mewn *treialon dwbl-ddall*, yr enw a roddir i'r sylwedd anweithredol y bydd cyffur gweithredol yn cael ei gymharu ag ef. Mae'n fersiwn 'ffug' o'r cyffur, ac yn edrych yn union yr un fath â'r cyffur sy'n cael ei brofi

profion gwybyddol profion sy'n asesu pa mor dda y gall person feddwl a pha mor dda y mae ei gof yn gweithio

Reminyl yr enw brand am galantamine, *cyffur dementia*

rivastigmine yr enw generig am Exelon, *cyffur dementia*

rheolwr gofal person o'r adran Gwasanaethau Cymdeithasol (neu weithiau o'r Gwasanaeth Iechyd Cymunedol) sy'n gyfrifol am lunio, monitro ac adolygu'r cynllun gofal y cytunir arno ar ôl *asesiad gofal yn y gymuned* ar gyfer gofal yn y cartref

rhith rhywbeth sy'n cael ei synhwyro (ei glywed, ei weld, ei arogli neu ei deimlo) heb ysgogiad priodol. Er enghraifft, clywed lleisiau pan nad oes neb yno. Mae rhithiau'n eithaf cyffredin mewn pobl sydd â dementia

sedatif cyffur a ddefnyddir i leihau symptomau fel gorbryder a chynnwrf meddyliol ac i helpu pobl i gysgu. Mae sedatif hefyd yn gallu gwneud pobl sydd â dementia yn fwy dryslyd

sefydliad gwirfoddol unrhyw sefydliad sy'n cael ei redeg ar sail ddielw. Mae llawer o'r bobl sy'n gweithio i sefydliad gwirfoddol yn gwneud hynny heb gael tâl

seiciatrydd meddyg sy'n arbenigo mewn gwneud diagnosis a thrin salwch meddwl

seicogeriatrydd meddyg sy'n arbenigo mewn gwneud diagnosis a thrin salwch meddwl mewn pobl hŷn

seicolegydd rhywun sydd wedi'i hyfforddi mewn seicoleg – astudiaeth o ymddygiad. Mae seicolegwyr clinigol yn asesu ac yn trin pobl sydd ag anhwylderau meddyliol

seicotherapi 'therapi siarad' sy'n gallu helpu pobl i ddeall eu teimladau eu hunain gan felly deimlo'n fwy hyderus i ddelio â nhw

sgan ar yr ymennydd term cyffredinol i olygu unrhyw archwiliad sy'n cynhyrchu lluniau o'r ymennydd. Mae *sgan CT* neu *sgan MRI* yn dangos 'haenau' drwy'r ymennydd. Mae *sgan SPECT* yn dangos y cyflenwad gwaed i'r ymennydd

sgan CAT byrfodd am sgan Tomograffeg Echelinol Gyfrifiadurol (*Computed Axial Tomography*). Enw arall am *sgan CT*

sgan CT sgan Tomograffeg Gyfrifiadurol. Dyma sgan pelydr-X sy'n cynhyrchu cyfres o luniau neu 'haenau' drwy'r ymennydd. Fe'i gelwir hefyd yn sgan Tomograffeg Echelinol Gyfrifiadurol

sgan MRI byrfodd am sgan Delweddu Cyseiniant Magnetig (*Magnetic Resonance Imaging*). Math o sgan ar yr ymennydd sy'n creu lluniau gan ddefnyddio maes magnetig pwerus yn hytrach na phelydrau-X

sgan PET byrfodd am sgan Tomograffeg Gollwng Positronau (*Positron Emission Tomography*). Sgan soffistigedig o'r ymennydd sy'n gallu edrych ar yr ymennydd yn hynod o fanwl

sgan SPECT sgan Tomograffeg Gyfrifiadurol Allyriad Ffoton Sengl (*Single Photon Emission Computed Tomography*). Ymchwiliad hynod o dechnegol sy'n debyg i *sgan PET*

sgileffeithiau yr effeithiau digroeso sy'n digwydd ar ben effeithiau therapiwtig dymunol cyffur. Mae gan y mwyafrif o gyffuriau rai sgileffeithiau. Bydd y rhain yn amrywio o'r naill i'r llall ac fel rheol byddan nhw'n diflannu pan fydd y corff yn dod i arfer â chyffur arbennig

Snoezelen ystafell arbennig wedi'i chynllunio i ysgogi'r synhwyrau'n ysgafn a thawelu pobl sy'n gynhyrfus

strôc canlyniad gwaedlif yn yr ymennydd neu geulad mewn rhydweli yn yr ymennydd, sy'n parlysu rhan o un ochr o'r corff neu'r ochr gyfan, neu'n achosi i berson golli'r gallu i siarad, colli ymwybyddiaeth neu farw. Mae'n bosibl i'r parlys ddechrau'n sydyn neu'n raddol

tai gwarchod unedau lle gall pobl fyw'n annibynnol ond mae warden yno ar alwad sy'n gallu cynnig rhywfaint o oruchwyliaeth. Efallai fod rhai gwasanaethau cymorth ar gael hefyd

Taliad Annibyniaeth Personol budd-dal newydd y wladwriaeth sy'n disodli Lwfans Byw i'r Anabl

tawelyddion cyffuriau a ddefnyddir i helpu pobl sy'n hynod o orbryderus. Mae'r cyffuriau hyn yn gallu cynyddu dryswch mewn pobl sydd â dementia

Trefniadau Diogelu wrth Amddifadu o Ryddid (DoLS: *Deprivation of Liberty Safeguards*) cyfarwyddyd a gyflwynwyd fel rhan o Ddeddf Galluedd Meddyliol 2005 i ddiogelu pobl rhag colli eu rhyddid mewn modd amhriodol

treial clinigol ymchwiliad sy'n cynnwys cleifion, i ddarganfod a yw cyffur newydd neu driniaeth arall yn effeithiol

treial dwbl-ddall math o *dreial clinigol* lle mae gwahanol grwpiau o bobl yn cael triniaeth newydd, plasebo neu driniaeth sefydledig. Nid yw'r bobl yn y treial na'r rhai sy'n asesu'r ymatebion yn gwybod pa driniaeth a roddir i unrhyw unigolion. Pwrpas hyn yw sicrhau nad yw dim ond cymryd rhan yn y treial ei hun yn gallu arwain at unrhyw welliant yng nghyflwr y person

therapi cyflenwol dull o ofal iechyd sy'n edrych ar driniaethau ychwanegol at driniaethau confensiynol. Mae aciwbigo, *homeopathi*, aromatherapi ac iacháu ysbrydol yn enghreifftiau o therapïau cyflenwol

therapi gwybyddol triniaeth sy'n ceisio cael person i feddwl yn wahanol am broblem neu sefyllfa

therapi hel atgofion therapi sy'n ceisio ysgogi atgofion pobl drwy ddefnyddio ffilmiau, lluniau, cerddoriaeth, ac ati, o'u gorffennol

therapydd galwedigaethol person sy'n gallu rhoi cyngor ynghylch ffyrdd o helpu rhywun i gynnal ei sgiliau a'i annibyniaeth cyhyd ag sy'n bosibl. Mae therapyddion galwedigaethol hefyd yn gallu rhoi cyngor ar gymhorthion yng nghartref y person

thyroid chwarren yn y gwddf sy'n cynhyrchu cemegyn a elwir yn hormon thyroid. Mae'r hormon hwn yn hanfodol os yw'r corff am weithio'n iawn. Mae diffyg hormon thyroid yn achos prin iawn o ddementia

ymgynyddol yng nghyd-destun dementia, mae'n cyfeirio at salwch yn gwaethygu'n raddol

Atodiad 1 | Cyfeiriadau defnyddiol

Sylwer, os gwelwch yn dda, fod sefydliadau yn symud neu'n newid cyfeiriadau eu gwefannau o bryd i'w gilydd. Os na allwch ganfod sefydliad wrth ddefnyddio'r manylion a restrir isod, ceisiwch chwilio amdanyn nhw yn rhywle arall.

Adran Gwaith a Phensiynau
Ewch i www.gov.uk a dilynwch y ddolen i 'Budd-daliadau'

Age Cymru
Llawr Gwaelod, Mariners House, Llys Trident, Heol East Moors, Caerdydd, CF24 5TD
Llinell gymorth: 08000 223 444
www.ageuk.org.uk/cymru
Age Cymru yw'r elusen fwyaf sy'n gweithio i bobl hŷn yng Nghymru. Mae'n helpu pobl hŷn i osgoi tlodi, unigrwydd, esgeulustod a gwahaniaethu ar sail oedran.

Age NI
3 Lower Crescent, Belfast BT7 1NR
Llinell gymorth: 0808 808 7575
Ffôn: 028 9024 5729
www.ageuk.org.uk/northern-ireland
Fel Age UK

Age Scotland
Causewayside House, 160 Causewayside, Caeredin EH9 1PP
Llinell gymorth: 0800 12 44 222
www.ageuk.org.uk/scotland
Fel Age UK
Gweler hefyd The Silver Line

Age UK
Tavis House, 1–6 Tavistock Square, Llundain WC1H 9NA

Llinell gymorth: 0800 678 1602

www.ageuk.org.uk

Yn darparu cyngor ar ystod o bynciau i bobl dros 50 oed. Cynnig gwasanaethau drwy ganghennau lleol. Yn ymchwilio i anghenion pobl hŷn ac yn cyfrannu at lunio polisi.

Alzheimer Scotland – Action on Dementia

160 Dundee Street, Caeredin EH11 1DQ

Llinell gymorth: 0808 808 3000

Ffôn: 0131 243 1453

www.alzscot.org.uk

Yn darparu cyngor, cymorth a gwasanaethau lleol yn yr Alban i bobl sydd â dementia a'u gofalwyr.

Alzheimer Society of Ireland

Temple Road, Blackrock, Co. Dublin, Iwerddon

Llinell gymorth: 1800 341 341 (yn Iwerddon)

www.alzheimer.ie

Yn gweithio yng nghanol cymunedau lleol gan ddarparu gwasanaethau penodol a chymorth, eiriol dros hawliau ac anghenion yr holl bobl sy'n byw gyda dementia a'u gofalwyr.

Alzheimer's Disease International

64 Great Suffolk Street, Llundain SE1 0BL

Ffôn: 020 7981 0880

www.alz.co.uk

Sefydliad ymbarél i gymdeithasau Alzheimer ledled y byd.

Alzheimer's Society Cymru

16 Columbus Walk, Atlantic Wharf, Caerdydd CF10 4BY

Ffôn: 029 2048 0593

Llinell gymorth Gymraeg: 0330 0947400

www.alzheimers.org.uk/wales

Elusen gofalu ac ymchwilio sy'n darparu gwybodaeth a chymorth i bobl sydd â dementia a'u gofalwyr.

Arolygiaeth Gofal Cymru
Swyddfa Llywodraeth Cymru, Sarn Mynach, Cyffordd Llandudno
LL31 9RZ
Ffôn: 0300 7900 126
Gwefan: www.arolygiaethgofal.cymru
Rheoleiddiwr annibynnol gofal cymdeithasol a gofal plant yng
Nghymru, yn arolygu cartrefi gofal a gwasanaethau cymorth
cartref.

Asiantaeth Budd-daliadau
gweler Adran Gwaith a Phensiynau

Asiantaeth Trwyddedu Gyrwyr a Cherbydau (DVLA)
Heol Longview, Treforys, Abertawe SA6 7JL
Llinell gymorth: 0300 790 6819
www.dvla.gov.uk
Swyddfa'r llywodraeth sy'n darparu cyngor i yrwyr ag anghenion
arbennig.

Awdurdod Iechyd
Gwefan: www.wales.nhs.uk

Bladder and Bowel Foundation
SATRA Innovation Park, Rockingham Road, Kettering, Northants
NN16 9JH
Llinell gymorth: 0845 345 0165
Ffôn: 01536 533 255
www.bladderandbowelfoundation.org
Yn darparu gwybodaeth ddefnyddiol a chymorth i oedolion sydd
wedi'u heffeithio gan broblemau'r bledren a'r coluddyn

Canolfannau Cyngor Ar Bopeth (Citizen's Advice)
3rd Floor North, 200 Aldersgate Street, Llundain EC1A 4HD
Llinell gyngor: 03444 77 20 20
Gwefan: www.citizensadvice.org.uk/cymraeg
Pencadlys yr elusen genedlaethol sy'n cynnig pob math o gyngor

ymarferol, ariannol a chyfreithiol. Rhestrir cyfeiriadau a rhifau ffôn swyddfeydd lleol yn y *Llyfr Ffôn*.

Care Quality Commission
Citygate, Gallowgate, Newcastle upon Tyne NE1 4PA
Llinell gymorth gwasanaeth i gwsmeriaid: 03000 61 61 61
www.cqc.org.uk
Rheoleiddiwr annibynnol gofal iechyd a gofal cymdeithasol yn Lloegr.

Carers Association
Market Square, Tullamore, Co. Offaly, Iwerddon
Llinell gymorth: 1800 240 724 (o fewn Gweriniaeth Iwerddon)
Ffôn: 00353 5793 22920
familycarers.ie
Yn lobïo ac eiriol ar ran gofalwyr yn Iwerddon. Yn cynnig gwasanaeth seibiant yn y cartref, gwybodaeth, uned hyfforddi a llinell ofal.

Carers Trust (Crossroads Care a Princess Royal's Trust for Carers ynghyd)
Unit 101, 164–180 Union Street, Llundain SE1 0LH.
Ffôn: 0300 772 9600
www.carers.org
Ceisio gwella bywydau gofalwyr drwy roi cymorth ymarferol a darparu person cyflogedig a chymwys i gynnig gofal seibiant yn y cartref.

Swyddfa'r Alban
Skypark 3, Suite 1/2, 14–18 Elliott Place, Glasgow G3 8EP
Ffôn: 0300 123 2008

Swyddfa Cymru
Trydydd Llawr, 33–35 Heol y Gadeirlan, Caerdydd CF11 9HB
Ffôn: 0300 772 9702
E-bost: info@carerswales.org

Carers UK
20 Great Dover Street, Llundain SE1 4LX
Llinell gymorth: 0808 808 7777
www.carersuk.org

Carers Wales
Uned 5, Ynys Bridge Court, Caerdydd CF15 9SS
Ffôn: 029 2081 1370
Gwefan: www.carersuk.org/wales

Annog gofalwyr i adnabod eu hanghenion hwy. Cynnig gwybodaeth, cyngor a chefnogaeth i'r holl bobl sy'n ofalwyr di-dâl ac yn gofalu am bobl sydd â phroblemau meddygol neu broblemau eraill. Mae canghennau yn trefnu gweithgareddau, digwyddiadau cymdeithasol a llinellau cymorth i helpu gofalwyr.

Canolfan Byw Annibynnol Dewis
Amber House, Parc Business Glan-bad, Pontypridd CF37 5BP
Ffôn: 01443 827930
www.dewiscil.org.uk

Sefydliad gwirfoddol sy'n darparu gwasanaeth eiriolaeth yn Rhondda Cynon Taf, Casnewydd, Conwy, Wrecsam, Sir Benfro a Gwent (iechyd meddwl yng Nghasnewydd, Caerffili, Torfaen, Sir Fynwy a Blaenau Gwent), mewn partneriaeth gydag Adrannau Gwasanaethau Cymdeithasol yr awdurdodau hyn.

Changing Places
Ffôn – Lloegr, Cymru a Gogledd Iwerddon: 0207 803 2876
Yr Alban: 01382 385 154
www.changing-places.org

Sefydliad sy'n ymgyrchu am doiledau hygyrch i'r cyhoedd, gyda chyfarpar addas i bobl anabl, ledled y Deyrnas Unedig. Mae rhestrau rhanbarthol o'r toiledau ar eu gwefan.

Christians on Ageing

Ymholiadau/gohebiaeth: Stoneway, Hornby Road, Appleton Wiske, Northallerton DL6 2AF

Ffôn: 01609 881 408

E-bost: info@ccoa.org.uk

www.ccoa.org.uk

Yn ymgyrchu ar ran Cristnogion hŷn. Yn cyhoeddi llyfrynnau, ac yn cefnogi gofal bugeiliol o fewn yr eglwys a'r gymuned ehangach.

CJD Support Network

PO Box 346, Market Drayton, Swydd Amwythig TF9 4WN

Llinell gymorth: 0800 0853527

www.cjdsupport.net

Yn darparu cymorth a chefnogaeth i bobl gyda phob math o CJD, eu gofalwyr a gweithwyr proffesiynol sy'n ymwneud â nhw. Hefyd yn cefnogi pobl y dywedwyd wrthyn nhw eu bod mewn perygl cynyddol drwy drosglwyddiad eilaidd. Mae'n cynnal llinell gymorth genedlaethol ac yn gallu helpu teuluoedd mewn angen ariannol.

Contact

209 City Road, Llundain EC1V 1JN

Llinell gymorth: 0808 808 3555

Ffôn: 020 7608 8700

www.cafamily.org.uk

Yn cynnig cymorth a'r wybodaeth ddiweddaraf i bobl â BSE dynol (clefyd amrywiolyn Creutzfeldt–Jakob) a'u perthnasau, cyfeillion a darparwyr gofal.

Cruse Bereavement Care

PO Box 800, Richmond, Surrey TW9 1RG

Llinell gymorth: 0844 477 9400

Ffôn: 020 8939 9530

www.cruse.org.uk

Yn ceisio hyrwyddo lles pobl sydd wedi cael profedigaeth drwy ddarparu cwnsela a chymorth un i un. Mae'n cynnig deunydd darllen a chyngor ymarferol, ac yn cynnal hyfforddiant mewn cwnsela profedigaeth i weithwyr proffesiynol.

Dementia Friends

www.dementiafriends.org.uk

Menter yr Alzheimer's Society. Mae'n bosibl i unrhyw un ddod yn Dementia Friend. Hanfod y cyfan yw deall ychydig rhagor am ddementia a'r pethau bach y gallwch eu gwneud i helpu pobl sydd â'r cyflwr.

Dementia UK

7th Floor, One Aldgate, Llundain EC3N 1RE

Ffôn: 020 8036 5400

Llinell gymorth: 0800 888 6678

www.dementiauk.org

Yn canolbwyntio ar ddarparu nyrsys dementia arbenigol sy'n gallu cynnig cyngor ymarferol, cymorth emosiynol a sgiliau i deuluoedd a gofalwyr pobl sydd â dementia.

Dignity in Dying

181 Oxford Street, Llundain W1D 2JT

Ffôn: 020 7479 7730

www.dignityindying.org.uk

Yn hyrwyddo dewis i gleifion ar ddiwedd eu bywydau ac yn ymgyrchu am newid yn y gyfraith i ddiogelu hawliau cleifion. Prif gyflenwr 'ewyllysiau byw' yn y Deyrnas Unedig.

Disability Rights UK

Plexal, 14 East Bay Lane, Here East, Queen Elizabeth Olympic Park, Stratford, Llundain E20 3BS.

Ymholiadau cyffredinol: 0330 995 0400

Myfyrwyr anabl: 0330 995 0414

Cyngor a chymorth ar gydraddoldeb: 0808 800 0082

Cyngor ar gyllidebau personol: 0300 995 0404

www.disabilityrightsuk.org

Gwybodaeth ac arweiniad i bobl ag anableddau a'u gofalwyr. Yn gweithio i greu cymdeithas lle y gall pawb sydd â phrofiad o anabledd neu gyflyrau iechyd gyfranogi'n gyfartal. Mae'n cynhyrchu'r *Disability Rights Handbook* bob blwyddyn. I brynu allwedd ar gyfer toiledau i'r anabl neu'r cyhoeddiadau, ewch i'r wefan neu ffoniwch y swyddfa.

Elderly Accommodation Counsel
3rd Floor, 89 Albert Embankment, Llundain SE1 7TP
Ffôn: 0800 377 7070
www.eac.org.uk
Sefydliad sy'n darparu gwybodaeth am bob math o dai a llety i bobl hŷn.

Galw Iechyd Cymru
Ffôn: 0845 46 47
www.nhsdirect.wales.nhs.uk
Gwefan y GIG sy'n rhoi gwybodaeth amrywiol am wasanaethau lleol a chyngor ar faterion afiechyd.

Healing Trust (National Federation of Spiritual Healers)
Bull End, 1 Strixton Manor Business Centre, Strixton, Swydd Northampton NN29 7PA
Ffôn: 01604 603 247
www.thehealingtrust.org.uk
Yn darparu hyfforddiant i rai sy'n dymuno dod yn iachawyr ysbrydol. Mae'n gallu darparu manylion am iachawyr lleol.

Helpa Fi i Stopio
www.helpafiistopio.cymru
Llinell gymorth: 0808 250 6885
Cyngor a help i roi'r gorau i ysmygu. Menter Iechyd Cyhoeddus Cymru.

Hospice UK
34–44 Britannia Street, Llundain WC1X 9JG
Ffôn: 020 7520 8200
www.hospiceuk.org
Yn hyrwyddo'r gwaith o ymestyn a gwella gwasanaethau gofal lliniarol i bawb sydd â chyflyrau sy'n peryglu bywyd a chyflyrau sy'n cyfyngu ar fywyd.

Huntington's Disease Association
Suite 24, Liverpool Science Park IC1, 131 Mount Pleasant, Lerpwl
L3 5TF
Ffôn: 0151 331 5444
www.hda.org.uk

Yn cynnig cymorth a dealltwriaeth i unrhyw un sydd wedi'i effeithio gan glefyd Huntington. Mae'n cynnig rhwydwaith o gynghorwyr gofal rhanbarthol sy'n darparu gwybodaeth, gweithdai a gwasanaethau addysgol.

Independent Age
18 Avonmore Road, Llundain W14 8RR
Llinell gymorth: 0800 319 6789
Ffôn: 020 7605 4200
www.independentage.org

Elusen sy'n tyfu ac sy'n cefnogi pobl hŷn ledled y Deyrnas Unedig ac Iwerddon drwy roi cyngor, cyfeillio ac ymgyrchu. Mae'r llinell gymorth yn darparu arbenigedd ar fudd-daliadau a gweithgareddau gofal cymdeithasol; mae'r elusen hefyd yn cynhyrchu nifer o gyhoeddiadau a chanllawiau am ddim i bobl hŷn.

Institute for Complementary and Natural Medicine
CAN Mezzanine, 32–36 Loman Street, Llundain SE1 0EH
Ffôn: 020 7237 5165
www.naturaltherapypages.co.uk

Ffynhonnell gwybodaeth am ddefnyddio meddyginiaethau cyflenwol yn ddiogel a chofrestr o ymarferwyr achrededig lleol.

Jewish Care
Amélie House, Maurice and Vivienne Wohl Campus, 221 Golders Green Road, Llundain NW11 9DQ
Llinell gymorth: 020 8922 2222
www.jewishcare.org

Gofal cymdeithasol, cymorth personol a chartrefi preswyl i Iddewon.

Llinell Ymholiadau Budd-daliadau (Benefits Enquiry Line)
Rhadffon i Loegr, yr Alban a Chymru: 0800 882 200 (gwybodaeth wedi'i recordio'n unig)
Rhadffon i Ogledd Iwerddon: 0800 220 674
www.gov.uk/disability-benefits-helpline
Am wybodaeth am fudd-daliadau'r wladwriaeth i bobl ag anableddau a'u gofalwyr.

Y Llys Gwarchod
gweler Swyddfa'r Gwarcheidwad Cyhoeddus

MedicAlert Foundation
327–329 Witan Court, Upper Fourth Street, Milton Keynes
MK9 1EH
Ffôn: 01908 951045
www.medicalert.org.uk
Elusen gofrestredig sy'n darparu gemwaith adnabod person.

MIND
Granta House, 15–19 Broadway, Stratford, London E15 4BQ
Llinell wybodaeth: 0300 123 3393
www.mind.org.uk
Corff iechyd meddwl sy'n gweithio i sicrhau bywyd gwell i unrhyw un sy'n profi gwewyr meddyliol. Mae'n cynnig gwybodaeth a chymorth drwy ganghennau lleol.

Nawdd cymdeithasol
www.gov.uk a dewiswch 'Benefits' neu chwiliwch am 'Budd-daliadau'.

Parkinson's UK
215 Vauxhall Bridge Road, Llundain SW1V 1EJ
Llinell gymorth: 0808 800 0303
Ffôn: 020 7931 8080
www.parkinsons.org.uk

Yn darparu gwybodaeth a chymorth i bobl sydd â chlefyd Parkinson a'u gofalwyr. Mae'n cynnig cyngor ynghylch byw gyda chlefyd Parkinson a'r cyffuriau, y llawfeddygaeth a'r therapi sydd ar gael.

RADAR
gweler Disability Rights UK

Relate
Eryl Wen, Eryl Place, Llandudno, Conwy LL30 2TX
Llinell gymorth: 0300 003 2340
www.relate.org.uk/cymru

Yn cynnig cwnsela ar berthynas drwy ganghennau lleol ac yn cyhoeddi gwybodaeth am faterion iechyd, rhyw, hunan-barch, iselder, profedigaeth a phriodas.

Relatives and Residents Association
1 The Ivories, 6–18 Northampton Street, Llundain N1 2HY
Llinell gymorth: 020 7359 8136
Ffôn: 020 7359 8148
www.relres.org

Yn cynnig cymorth a chyngor i berthnasau a chyfeillion pobl mewn cartrefi gofal neu mewn ysbytai am dymor hir. Mae'n gallu cynghori hefyd ar gyllid a materion gofal.

Revitalise
212 Business Design Centre, 52 Upper Street, Llundain N1 0QH
Ffôn: 0303 303 0145
www.revitalise.org.uk

Yn darparu gwyliau a gofal seibiant i bobl ag anableddau corfforol a'u gofalwyr. Mae hefyd yn darparu gwyliau arbennig am wythnos sawl gwaith y flwyddyn i bobl sydd â chlefyd Alzheimer a'u gofalwyr yn unig.

Samariaid
Ffôn: 0808 164 0123
www.samaritans.org.uk/cymru
Llinell gymorth 24 awr i bobl a fyddai'n hoffi sgwrs. Hefyd ar gael drwy ymweliad personol, drwy lythyr neu e-bost.
Trwy ymweliad personol: 51 Llys Onnen, Parc Menai, Bangor LL57 4DF neu 23 Stryd Bedford, Y Rhyl LL18 1SY.
Trwy lythyr: Chris, FREEPOST RSRB-KKBY-CYJK, PO Box 9090, Stirling FK8 2SA (cofiwch roi eich cyfeiriad os hoffech chi gael ateb)
Trwy e-bost: jo@samaritansorg.uk

The Silver Line (mewn partneriaeth ag Age UK)
Trade Tower, Calico Row, Llundain SW11 3YH
Ffôn: 020 7224 2020
Llinell Gymorth: 08004 70 80 90
www.thesilverline.org.uk
Gwasanaeth llinell gymorth a chyfeillgarwch i bobl 55 oed a hŷn.

Society of Later Life Advisers
PO Box 590, Sittingbourne, Swydd Caint ME10 9EW
Ffôn:0333 2020 454
www.societyoflaterlifeadvisers.co.uk
Sefydliad dielw sy'n gallu helpu unigolion i ganfod meddyg ymgynghorol achrededig yn gyflym ac yn rhwydd.

Solicitors for the Elderly
Sue Carraturo, Studio 209, Mill Studio Business Centre, Crane Mead, Ware, Swydd Hertford SG12 9PY.
Ffôn: 0844 567 6173
www.sfe.legal
Sefydliad cenedlaethol annibynnol o gyfreithwyr ac ymgynghorwyr cyfreithiol i bobl hŷn bregus a'u teuluoedd a'u gofalwyr.

SOS Talisman

21 Gray's Corner, Ley Street, Ilford, Essex IG2

Ffôn: 020 8554 5579

www.sostalisman.co.uk

Sefydliad dielw sy'n arbenigo mewn gemwaith sy'n rhoi gwybodaeth.

Stroke Association

Tŷ Cenydd, 45 Stryd y Castell, Caerffili CF83 1NZ

Ffôn: 02920 524400

Llinell gymorth: 0303 3033 100

www.stroke.org.uk

Yn cynnig gwybodaeth gynhwysfawr a chyngor ynghylch strôc, gyda gwasanaethau cymunedol ledled y wlad. Mae'r rhoi llawer o gyllid i ymchwil i strociau.

Swyddfa'r Gwarcheidwad Cyhoeddus

PO Box 16185, Birmingham B2 2WH

Ffôn: 0300 456 0300

www.gov.uk – 'Swyddfa'r Gwarcheidwad Cyhoeddus'.

Yn gyfrifol am gofrestru Atwrneiaethau Arhosol yng Nghymru a Lloegr.

Terrence Higgins Trust

THT Direct, 314–320 Gray's Inn Road, Llundain WC1X 8DP

Llinell gymorth: 0808 802 1221

Ffôn: 020 7812 1600

www.tht.org.uk

Gwybodaeth a chyngor ar AIDS, HIV a iechyd rhyw. Gall gynorthwyo gyda thai, triniaeth, lles, cyflogaeth a materion cyfreithiol.

UK Clinical Research Collaboration

c/o UK Research and Innovation, 58 Victoria Embankment, Llundain EC4Y 0DS

Ffôn: 020 7395 2271

www.ukcrc.org

United Kingdom Home Care Association
Sutton Business Centre, Restmor Way, Wallington, Surrey SM6 7AH
Ffôn: 020 8661 8188
www.ukhca.co.uk
Cymdeithas o ddarparwyr yn y sector annibynnol sy'n darparu gofal nyrsio i bobl yn eu cartrefi eu hunain. Gall roi gwybodaeth a rhestrau o sefydliadau sy'n gweithredu yn ôl cod ymarfer cymeradwy.

Ymchwil Iechyd a Gofal Cymru
Ffôn: 02920 230457
www.ymchwiliechydagofal.llyw.cymru
Gwefan sy'n rhoi gwybodaeth am brosiectau ymchwil.

Atodiad 2 | Deunydd darllen ac adnoddau eraill

Mae'r Alzheimer's Society yn cynhyrchu e-gylchlythyr rheolaidd a chylchgrawn *Dementia Together*. Nod y cylchgrawn yw helpu pobl sydd â dementia a'u gofalwyr i fyw yn dda gyda dementia. Anfonir chwe rhifyn y flwyddyn at holl aelodau'r gymdeithas.

Hefyd, mae'r Alzheimer's Society yn cynhyrchu ystod eang o wybodaeth ymarferol a thaflenni cyngor ynghylch yr holl agweddau ar ddementia a byw gyda dementia. Mae'r rhain ar gael i'w lawrlwytho o wefan y Gymdeithas – www.alzheimers.org.uk – ac mae nifer ar gael ar ffurf glywedol.

Fel arall, cysylltwch â'r llinell gymorth Gymraeg: 0330 0947 400.

Isod, rhestrir manylion am adnoddau eraill:

BYW GYDA DEMENTIA

Bod yn Bositif am Ddementia
Killick, John
Atebol; 2019

Camau Cyntaf tuag at Fyw gyda Dementia
Atkins, Simon
Graffeg; 2019

Glaw Siocled: 100 o syniadau ar gyfer ymagwedd greadigol mewn gweithgareddau gofal dementia
Zoutewelle-Morris, Sarah
Graffeg; 2019

Hen Wlad fy Nhadau
Bate, Helen a Forster, Michelle
Pictures to Share, 2018

Food for Thought: a guide to healthy eating for people with dementia
Alzheimer's Society; 2011

Listening to the Experts (VHS video/DVD)
Alzheimer Scotland / Action on Dementia; 2005

Memory Handbook: a practical guide to living with memory problems
Alzheimer's Society; 2010

CLEFYD ALZHEIMER A DEMENTIA

Canllaw Bychan ar gyfer Deall Clefyd Alzheimer a Mathau Eraill o Ddementia
Graham, Nori a Warner, James
Atebol; 2019

Ymdopi â Phroblemau'r Cof
Baxendale, Sallie
Y Lolfa; 2019

Ynghylch Dementia: ar gyfer pobl ag anableddau dysgu
Dodd, Karen et al
CAA; 2018

An Introduction to Alzheimer's Disease
Alzheimer's Society; 2010

An Introduction to Dementia with Lewy Bodies
Alzheimer's Society; 2008

An Introduction to Vascular Dementia
Alzheimer's Society; 2009

The Dementia Guide
Alzheimer's Society; 2013

Understanding Alzheimer's Disease and Other Dementias (Family Doctor Books)
Graham, Nori a Warner, James
British Medical Association; 2009

Your Guide to Alzheimer's Disease
Burns, Alistair
Hodder Arnold; 2005

COFIANNAU, HUNANGOFIANNAU, STRAEON PERSONOL A NOFELAU

Annwyl Dementia: y chwerthin a'r dagrau
Donaghy, Ian
CAA; 2018

Y Ferch Fach yn y Gwresogydd: Mam, Alzheimer a Fi
Slevin, Martin
Y Lolfa; 2019

Rhannu Straeon am Ddementia: profiadau gofalu
Whitman, Lucy
Y Lolfa; 2019

Yr Un Hen Alys
Genova, Lisa
Atebol; 2019

Yna Digwyddodd Rhywbeth: stori am ddementia cyffredin
Carling, Chris
Y Lolfa; 2019

Alzheimer's from the inside out
Taylor, Richard
Health Professions Press, UDA; 2007

Elizabeth is Missing
Healey, Emma
HarperCollins; 2014

In Memory of Memories: experience of living with dementia
Alzheimer's Society; 2003

Rough Music
Gale, Patrick
Flamingo; 2001

Scar Tissue
Ignatieff, Michael
Chatto & Windus; 1993

Tangles and Starbursts: living with dementia
Darling, Julia a Bailey, Sharon
Alzheimer's Society, Cangen Gogledd Tyneside; 2001

GOFALU

Clywed yr Unigolyn sydd â Dementia: Dulliau sy'n canolbwyntio ar yr unigolyn er mwyn cyfathrebu ar gyfer teuluoedd a gofalwyr
McCarthy, Bernie
Atebol; 2019

Ga i Sôn am Ddementia? Arweiniad i deuluoedd, ffrindiau a gofalwyr
Welton, Jude
Y Lolfa; 2019

Pan Fo Rhywun Annwyl â Dementia
Elliot-Wright, Susan
Graffeg; 2019

Ymlaen â'r Gân: storïau pobl â dementia
Stokes, Graham
Y Lolfa; 2019

Caring for the Person with Dementia: a handbook for families and other carers
Alzheimer's Society; 2011

Dementia Care: nursing and health survival guide
Brooker, Dawn a Lilyman, Sue
Routledge; 2013

Help for care partners of people with dementia
Alzheimer's Disease International & World Health Organization
Ar gael ar-lein. Gellir ei lawrlwytho o www.alz.co.uk/ADI-publicat ions#helpforcarepartners

The 36-Hour Day: a family guide to caring for people who have Alzheimer's disease, related dementias, and memory loss
Mace, Nancy L a Rabins, Peter V
The Johns Hopkins University Press; 2012; 5ed argraffiad.

I BLANT

Mam-gu a fi
Shepherd, Jessica
CAA; 2018

It's Me Grandma! It's Me!
Alzheimer's Society; 2010

Mile-high Apple Pie
Langston, Laura a Gardiner, Lindsey
Bodley Head; 2004

Need to Know About Alzheimer's Disease
McGuigan, Jim
Heinemann Library; 2004

The Milk's in the Oven
Hann, Lizi
Mental Health Foundation / Alzheimer Scotland / Action on Dementia; arg. diwyg. 2011
Ar gael gan www.mentalhealth.org.uk

POBL IAU Â DEMENTIA

Colli Clive i Ddementia Cynnar: stori un teulu
Beaumont, Helen
Graffeg; 2019

Dawnsio gyda Dementia: fy mhrofiad o fyw'n bositif gyda dementia
Bryden, Christine
Atebol; 2019

Ready or not: a survey of services available in the UK for younger people with dementia 2005–2006
Alzheimer's Society; 2006

The Alzheimer's Society guide to improving services for younger people with dementia: planning and delivery guidelines for health professionals
Alzheimer's Society; 2007

YMCHWIL

Alzheimer's Disease
Dash, Paul a Villemarette-Pittman, Nicole
Demos Medical Publishing, UDA; 2005

Clinical Evidence
Am y wybodaeth ddiweddaraf ar drin dementia, wedi'i chyhoeddi gan y *British Medical Journal*
www.clinicalevidence.com

Dementia: your questions answered
Brown, Jeremy a Hillam, Jonathan
Churchill Livingstone, 2003

Dementia UK: a report into the prevalence and cost of dementia prepared by the Personal Social Services Research Unit (PSSRU) at the London School of Economics and the Institute of Psychiatry at King's College London, for the Alzheimer's Society
Alzheimer's Society; 2007

Mynegai

Mae *g* mewn italig ar ddiwedd eitem yn dynodi diffiniad yn yr eirfa

CENT 11|12|19.